DOMAINE FRANÇAIS

RUE DES VOLEURS

DU MÊME AUTEUR

LA PERFECTION DU TIR, Actes Sud, 2003 ; Babel nº 903.
REMONTER L'ORÉNOQUE, Actes Sud, 2005.
BRÉVIAIRE DES ARTIFICIERS, Verticales, 2007 ; Folio nº 5110.
ZONE, Actes Sud, 2008 ; Babel nº 1020.
MANGÉE, MANGÉE (illustrations de Pierre Marquès), Actes Sud Junior, 2009.
PARLE-LEUR DE BATAILLES, DE ROIS ET D'ÉLÉPHANTS, Actes Sud / Leméac, 2010.
L'ALCOOL ET LA NOSTALGIE, éditions Inculte, 2011 ; Babel nº 1111.

© ACTES SUD, 2012
ISBN 978-2-330-01267-0

© LEMÉAC ÉDITEUR, 2012
pour la publication en langue française au Canada
ISBN 978-2-7609-0832-1

MATHIAS ÉNARD

Rue des Voleurs

roman

ACTES SUD / LEMÉAC

– Mais quand on est jeune il faut voir des choses, amasser de l'expérience, des idées, s'ouvrir l'esprit. "Ici!" interrompis-je. "On ne sait jamais! C'est ici que j'ai rencontré M. Kurz."

JOSEPH CONRAD, *Au cœur des ténèbres.*

I

DÉTROITS

Les hommes sont des chiens, ils se frottent les uns aux autres dans la misère, ils se roulent dans la crasse sans pouvoir en sortir, se lèchent le poil et le sexe à longueur de journée, allongés dans la poussière prêts à tout pour le bout de barbaque ou l'os pourri qu'on voudra bien leur lancer, et moi tout comme eux, je suis un être humain, donc un détritus vicieux esclave de ses instincts, un chien, un chien qui mord quand il a peur et cherche les caresses. Je vois clair dans mon enfance, dans ma vie de chiot à Tanger ; dans mes errances de jeune clébard, dans mes gémissements de chien battu ; je comprends mon affolement auprès des femelles, que je prenais pour de l'amour, et je comprends surtout l'absence de maître, qui fait que nous errons tous à sa recherche dans le noir en nous reniflant les uns les autres, perdus, sans but. À Tanger je faisais cinq kilomètres à pied deux fois par jour pour aller regarder la mer, le port et le Détroit, maintenant je marche toujours beaucoup, je lis aussi, chaque fois plus, façon agréable de tromper l'ennui, la mort, de tromper la pensée elle-même en la distrayant, en l'éloignant de la vérité, la seule, qui est celle-ci : nous sommes des animaux en cage qui vivons pour jouir, dans l'obscurité. Je ne suis jamais retourné à Tanger, pourtant j'ai croisé des types qui rêvaient de s'y rendre, en touristes, louer une jolie villa avec vue sur la mer, boire du thé au *Café Hafa*, fumer du kif et baiser des indigènes, des indigènes masculins la plupart du temps mais pas exclusivement, il y en a qui espèrent se taper des princesses des *Mille et Une Nuits*, je vous assure, combien m'ont demandé si je pouvais leur arranger un petit séjour à Tanger, avec kif et autochtones, pour se reposer, et s'ils avaient su que le seul cul que j'ai dévisagé avant d'avoir dix-huit ans c'est celui de ma cousine Meryem ils en seraient tombés par terre ou ne m'auraient pas cru, tant ils associent à Tanger une sensualité, un désir, une permissivité qu'elle n'a jamais eue pour nous, mais qu'on offre au touriste moyennant espèces sonnantes et trébuchantes dans l'escarcelle de la misère. Dans notre quartier, il n'en venait aucun, de touriste. L'immeuble où j'ai grandi n'était ni riche ni pauvre, ma famille non plus, mon paternel était un homme pieux, ce qu'on appelle un homme bien, un homme d'honneur qui ne maltraitait ni sa femme, ni ses enfants – à part quelques coups de pied dans le fondement de temps en temps, ce qui n'a jamais fait de mal à personne. Homme d'un seul livre, mais un bon, le Coran : c'est tout ce dont il avait besoin pour savoir ce qu'il devait faire dans cette vie et ce qui l'attendait dans l'autre, prier cinq fois par jour, jeûner, faire l'aumône, son seul rêve c'était d'aller en pèlerinage à La Mecque, qu'on l'appelle Hadj, Hadj Mohsen, c'était sa seule ambition, ça lui était égal de transformer à force de travail son épicerie en supermarché, ça lui était égal de gagner des millions de dirhams, il avait le Livre la prière le pèlerinage et point ; ma mère le révérait et alliait une obéissance quasi filiale à la servitude domestique : j'ai grandi comme ça, dans les sourates, la morale, les histoires du Prophète et des temps glorieux des Arabes, je suis allé dans une école tout à fait moyenne où j'ai appris un peu de français et d'espagnol et chaque jour je descendais avec mon pote Bassam vers le port, dans la partie basse de la Médina et au Grand Zoco reluquer les touristes, dès qu'on a eu du poil aux couilles avec Bassam c'est devenu notre principale activité, mater l'étrangère, surtout l'été quand elles mettent des shorts et des jupes courtes. L'été il n'y avait pas grand-chose à foutre, de toute façon, à part suivre des filles, aller à la plage et fumer des joints quand quelqu'un nous passait un bout de kif. Je lisais de vieux romans policiers français par dizaines, que j'achetais d'occasion pour quelques pièces chez un bouquiniste, des romans policiers parce qu'il y avait du cul, souvent, des blondes, des bagnoles, du whisky et du fric, toutes choses qui nous faisaient défaut autant que rêver, coincés que nous étions entre les prières, le Coran et Dieu, qui était un peu comme un deuxième père, les coups de pied au derche en moins. On s'installait en haut de la falaise face au Détroit, entourés par les tombeaux phéniciens, qui n'étaient que des trous dans le roc, remplis de paquets de chips et de boîtes de Coke plutôt que de macchabées antiques, chacun un walkman sur les oreilles, et on regardait le va-et-vient des ferries entre Tanger et Tarifa, pendant des heures. On s'emmerdait ferme. Bassam rêvait de partir, de tenter sa chance de l'autre côté comme il disait ; son père était serveur dans un restaurant pour richards du front de mer. Moi je n'y pensais pas trop, à l'autre côté, à l'Espagne, à l'Europe, j'aimais ce que je lisais dans mes polars, mais c'est tout. Avec mes romans j'apprenais une langue, des pays ; j'étais fier de les connaître, de les avoir pour moi seul, je n'avais pas envie que ce lourdaud de Bassam me les pollue de ses ambitions. Ce qui me tentait surtout à l'époque c'était ma cousine Meryem, la fille de mon oncle Ahmed ; elle vivait seule avec sa mère, sur le même palier que nous, son père et ses frères travaillaient dans l'agriculture à Almería. Elle n'était pas très jolie, mais elle avait de gros seins et des fesses rebondies ; à la maison elle portait souvent des jeans moulants ou des robes d'intérieur à demi transparentes, mon Dieu, mon Dieu elle m'excitait terriblement, je me demandais si elle le faisait exprès, et dans mes rêveries érotiques avant de m'endormir je m'imaginais la déshabiller, la caresser, mettre mon visage entre ses seins énormes, mais j'aurais été incapable de faire le premier pas. C'était ma cousine, j'aurais pu l'épouser, mais pas la tripoter, ce n'était pas bien. Je me contentais de rêver, d'en parler avec Bassam, au cours de nos après-midi à contempler le sillage des bateaux. Aujourd'hui elle m'a souri, aujourd'hui elle portait ceci cela, je pense qu'elle avait un soutien-gorge rouge, etc. Bassam hochait le chef en me disant elle te veut, c'est sûr, tu la branches, sinon elle ne ferait pas ce numéro, quel numéro je répondais, c'est normal qu'elle mette un soutien-gorge, non ? Oui mais rouge, mon vieux, tu te rends compte ? Le rouge c'est pour exciter, et ainsi de suite pendant des heures. Bassam avait une bonne tête de pauvre, ronde à petits yeux, il allait à la mosquée tous les jours, avec son vieux. Il passait son temps à échafauder des plans incroyables pour émigrer clandestinement, déguisé en douanier, en flic ; il rêvait de voler les papiers d'un touriste et, bien habillé, avec une jolie valise, de prendre tranquillement le bateau comme si de rien n'était – je lui demandais mais qu'est-ce que tu foutrais en Espagne sans pognon ? Je bosserais un peu pour économiser, ensuite j'irais en France, il répondait, en France puis en Allemagne et de là en Amérique. Je ne sais pas pourquoi il s'imaginait qu'il serait plus facile de partir aux États-Unis depuis l'Allemagne. Il fait très froid en Allemagne, je disais. Et puis ils n'aiment pas les Arabes, là-bas. C'est faux, disait Bassam, ils aiment bien les Marocains, mon cousin est mécanicien à Düsseldorf, et il est super-content. Il suffit d'apprendre l'allemand, et ils te respectent drôlement, paraît-il. Et ils donnent plus facilement des papiers que les Français.

On échangeait nos châteaux en Espagne, les seins de Meryem contre l'émigration ; on méditait ainsi pendant des heures, face au Détroit et ensuite on rentrait chez nous, à pied, lui pour aller à la prière du soir, moi pour essayer d'apercevoir ma cousine une fois de plus. On avait dix-sept ans, mais plutôt douze dans nos têtes. On n'était pas très malins.

Quelques mois plus tard je prenais ma première trempe, une avalanche de beignes comme je n'en avais jamais connu, j'ai fini à moitié assommé et en larmes, autant à cause de la douleur que de l'humiliation, mon père pleurait lui aussi, de honte, et il récitait des formules de conjuration, Dieu nous protège du malheur, Dieu nous aide, Il n'y a de Dieu que Dieu et tout le toutim, en rajoutant des baffes et des coups de ceinture, pendant que ma mère gémissait dans un coin, elle pleurait elle aussi et me regardait comme si j'étais le démon en personne, et quand mon père a été épuisé, qu'il n'a plus pu me taper dessus, il y a eu un grand silence, un immense silence, ils m'observaient tous les deux fixement. J'étais un étranger, j'ai senti que ces regards me propulsaient vers l'extérieur, j'étais humilié et terrorisé, mon père avait les yeux pleins de haine, je suis parti en courant. J'ai claqué la porte derrière moi, sur le palier j'ai entendu Meryem pleurer et crier à travers la porte, les coups claquaient, on percevait des injures, chienne, salope, j'ai descendu les marches en courant, une fois dehors je me suis aperçu que je saignais du nez, que j'étais en chemise, que j'avais juste dix dirhams en poche et nulle part où aller. C'était le début de l'été, heureusement, le soir était tiède, l'air salé. Je me suis assis par terre contre le tronc d'un eucalyptus, j'ai pris ma tête dans mes mains et j'ai chialé comme un gosse, jusqu'à ce que la nuit tombe et qu'on appelle à la prière. Je me suis levé, j'avais peur ; je savais que je ne rentrerais pas chez moi, que je ne rentrerais plus, c'était impossible. Qu'est-ce que j'allais faire ? Je suis allé à la mosquée du quartier, voir si je pouvais attraper Bassam à la sortie. Il m'a vu, a ouvert de grands yeux, je lui ai fait signe de larguer son paternel et de me suivre. Putain, t'as vu ta gueule ? Qu'est-ce qui t'est arrivé ? Mon vieux nous a surpris à poil avec Meryem, j'ai dit, et rien que le souvenir de ce moment me faisait serrer les dents, des larmes de rage m'encombraient les yeux. La honte, la terrible honte d'avoir été découverts nus, nos corps exposés, la honte brûlante qui, même aujourd'hui, me paralyse encore – Bassam a sifflé bordel, ce que t'as pas dû prendre, en effet, j'ai dit, en effet, sans entrer dans les détails. Et qu'est-ce que tu vas faire, maintenant ? J'en sais rien. Mais je ne peux pas rentrer chez moi. Tu vas dormir où, m'a demandé Bassam. Aucune idée. Tu as de l'argent ? Vingt dirhams et un livre, c'est tout. Il m'a filé quelques pièces qui traînaient dans ses poches. Il faut que j'y aille. On se voit demain ? Comme d'habitude ? J'ai dit d'accord, et il est parti. J'ai fait un tour en ville, un peu perdu. J'ai remonté l'avenue Pasteur, puis je suis descendu au bord de la mer par les petites rues en pente ; il y avait des lumières rouges dans les bars à entraîneuses, des types louches assis devant des devantures. Sur la corniche, des couples se promenaient tranquillement, bras dessus bras dessous, ça m'a fait penser à Meryem. Je suis revenu vers le port, et je suis remonté jusqu'aux Tombeaux ; je me suis assis face au Détroit, il y avait de belles lumières en Espagne ; j'imaginais les gens danser sur les plages, la liberté, les femmes, les voitures ; qu'est-ce que j'allais bien pouvoir foutre, sans toit, sans argent ? Faire la manche ? Travailler ? Il fallait que je rentre chez moi. Cette perspective me détruisait à l'avance. Impossible. Je me suis allongé, j'ai regardé les étoiles, longtemps. J'ai somnolé jusqu'à ce que le froid de l'aube m'oblige à me lever et à marcher pour me réchauffer. J'avais mal partout, les coups, mais aussi les courbatures de la nuit à même le rocher. Si j'avais su, je serais rentré chez moi bien sagement, j'aurais imploré le pardon de mon père. Si je n'avais pas été aussi orgueilleux, c'est ce que j'aurais dû faire, j'aurais évité bien des humiliations et des blessures, peut-être serais-je devenu épicier moi-même, peut-être aurais-je épousé Meryem, peut-être à l'heure qu'il est serais-je à Tanger, en train de dîner dans un beau restaurant du front de mer ou de mettre des tannées à mes gosses, toute une portée de chiots gueulards et affamés.

J'ai eu faim, j'ai bouffé des fruits pourris que les maraîchers laissaient aux mendiants, j'ai dû me battre pour des pommes mâchées, puis des oranges moisies, balancer des torgnoles à des tarés en tout genre, des unijambistes, des mongoliens, une horde de crève-la-faim qui rôdaient comme moi autour du marché ; j'ai eu froid, j'ai passé des nuits trempé à l'automne, quand les orages s'abattaient sur la ville, chassant les gueux sous les arcades, dans les recoins de la Médina, dans les immeubles en construction où l'on devait corrompre le gardien pour qu'il vous laisse rester au sec ; à l'hiver je suis parti vers le sud, sans rien y trouver d'autre que des flics qui ont fini par me rouer de coups dans un commissariat lépreux de Casablanca pour m'encourager à rentrer chez mes parents ; j'ai dégotté un camion pour Tanger, un brave type qui m'a filé la moitié de son casse-dalle et une beigne parce que je refusais de lui servir de fille et lorsque je suis passé voir Bassam, lorsque j'ai osé remettre les pieds dans le quartier, j'avais perdu Dieu sait combien de kilos, mes vêtements étaient en loques, je n'avais plus lu un livre depuis des mois et je venais d'avoir dix-huit ans. Peu de chance qu'on me reconnaisse. J'étais épuisé. Je tremblais. J'étais à moitié propre, je me lavais dans les cours des mosquées, sous l'œil réprobateur des concierges et des Imams, ensuite j'étais obligé d'aller faire semblant de prier pour me réchauffer un peu sur des tapis confortables, je prenais un Coran dans un coin et je dormais assis, le volume sur les genoux, avec un air inspiré, jusqu'à ce qu'un vrai croyant s'énerve de me voir ronfler sur le Saint Texte et me foute dehors, avec un coup de pied au cul et parfois dix dirhams pour que j'aille me faire pendre ailleurs. Je voulais voir Bassam pour qu'il rende visite à mes parents, qu'il leur dise que j'étais désolé, que j'avais beaucoup souffert et que je désirais rentrer à la maison. Je me souviens, je pensais souvent à ma mère. À Meryem, aussi. Dans les moments les plus durs, les moments horribles où il fallait s'humilier devant un gardien de parking ou un policier, quand l'odeur atroce de ma honte s'échappait des plis de leurs vêtements, je fermais les yeux et je pensais au parfum de la peau de Meryem, à ces quelques heures avec elle. J'étais sonné par la vitesse à laquelle un monde pouvait changer.

On devient l'équivalent humain du pigeon ou de la mouette. Les gens nous voient sans nous voir, parfois ils nous donnent des coups de pied pour que nous disparaissions et peu, bien peu, imaginent sur quel bastingage, sur quel balcon nous dormons, la nuit. Je me demande à quoi je pensais, à l'époque. Comment j'ai tenu. Pourquoi je ne suis pas tout simplement rentré au bout de deux jours chez mon père m'effondrer sur le canapé du salon ; pourquoi je ne suis pas allé à la mairie ou Dieu sait où pour demander de l'aide, peut-être parce qu'il y a dans la jeunesse une force infinie, une puissance qui fait que tout glisse, que rien ne nous atteint réellement. Du moins les premiers temps. Mais là, après dix mois de cavale, trois cents jours de honte, je n'en pouvais plus. J'avais payé, peut-être. Et il ne me venait pas de poèmes, pas de considérations philosophiques sur l'existence, pas de repentir sincère, juste une sourde haine et une méfiance accrue envers tout ce qui était humain.

Avant d'aller voir Bassam, je me souviens, je me suis baigné. C'était une belle matinée de printemps, j'avais dormi dans une anfractuosité au bas de la falaise, en direction du cap Spartel, à quelques kilomètres du centre de Tanger, après avoir englouti une boîte de thon et un bout de pain, enfumé par un feu de bouts de cageots et de journaux. Je m'étais enveloppé dans le long manteau de laine chapardé sur un marché qui m'avait accompagné tout l'hiver et je m'étais assoupi, bercé par le ressac. Au matin la Méditerranée était calme, calme et d'un bleu dense, le soleil levant caressait doucement les taches de sable entre les rochers. Tant pis, j'allais me les geler mais j'avais trop envie de cette beauté, de ce repos liquide. L'eau était atrocement froide. Je me suis réchauffé un peu en nageant vite vers le nord, une centaine de mètres peut-être, le courant était fort, j'ai dû lutter pour rejoindre la côte. Je me suis effondré sur un coin de sable, au soleil ; il n'y avait pas de vent, juste la caresse tiède de la silice, je me suis rendormi, épuisé et presque heureux. Quand je me suis réveillé deux ou trois heures plus tard, le soleil d'avril chauffait dur et j'étais affamé. J'ai mangé le reste du pain de la veille, bu beaucoup d'eau ; j'ai replié le manteau dans mon sac, remis un peu d'ordre dans mes vêtements – ma chemise était déchirée à l'aisselle, des taches de cambouis dans le dos ; mon pantalon était tout élimé à l'ourlet ; on ne distinguait plus les rayures de ma veste grise, obtenue dans un centre de solidarité islamique pour déshérités. Je me sentais en forme, malgré tout. Bassam me filerait bien une chemise propre et un futal. Je ne l'avais pas vu depuis la fin décembre, depuis mon départ pour Casa ; il m'avait aidé autant qu'il avait pu, en me donnant un peu d'argent, de la bouffe et même, une fois, des nouvelles de Meryem : sa mère l'avait envoyée vivre chez sa sœur au fin fond du Rif. Autant dire en prison. Bassam continuait à échafauder des plans sur la comète pour se rendre en Espagne et la dernière fois qu'on s'était vus, toujours au même endroit, face au Détroit, face à Tarifa l'inatteignable, il m'avait dit ne t'inquiète pas. Va à Casa et quand tu reviendras j'aurai trouvé un moyen pour nous faire passer de l'autre côté. Je ne voyais toujours pas ce que nous pourrions bien foutre en Espagne sans papiers et sans argent, à part vagabonder, finir par se faire arrêter et expulser, mais bon, c'était un beau rêve.

Je suis passé chez lui vers midi ; je savais que son père serait au travail. Retrouver les rues du quartier m'a brûlé le cœur. J'ai marché très vite, évité soigneusement de passer devant l'épicerie familiale, je suis arrivé jusqu'à l'immeuble de Bassam, je suis monté en trombe et j'ai frappé à sa porte comme un fou, comme si j'étais poursuivi. Il était là. Il m'a reconnu tout de suite, ce qui m'a rassuré sur mon aspect. Il m'a fait entrer. Il m'a reniflé et m'a dit que je ne puais pas tant que ça, pour un vagabond. Ça m'a fait marrer. C'est possible, en effet, mais j'aimerais quand même bien me doucher et manger un morceau, j'ai dit. J'avais l'impression d'être enfin arrivé quelque part. Il m'a passé des vêtements propres, je suis resté peut-être une heure dans la salle de bains. Je n'aurais jamais pensé que l'eau à volonté puisse être un luxe divin. Entre-temps il m'avait préparé un petit-déjeuner, des œufs, du pain, du fromage. Il souriait tout le temps, avec des airs de conspirateur. Il m'a à peine demandé ce que j'avais foutu pendant les derniers trois mois, juste : alors, c'était bien, Casa ? – sans insister. Il était agité, n'arrêtait pas de se lever et de se rasseoir, toujours le sourire aux lèvres. Vas-y, accouche, j'ai fini par dire. Il a fait une tête comme s'il avait volé un poulet. Quoi accouche ? Pourquoi tu dis ça ? Bon, OK, je te raconte, je crois que j'ai trouvé quelque chose pour toi, un endroit où tu pourras rester tranquille, où on s'occupera de toi. Il a repris son air de conspirateur souriant. C'est quoi cet endroit, un asile ? J'imaginais qu'il y avait derrière tout cela un projet de voyage insensé, une de ces histoires à la Bassam. Non mon vieux, non, pas un asile, ni même un hôpital, mieux encore : une mosquée.

Qu'est-ce que tu veux que j'aille foutre à la mosquée, j'ai demandé.

Ce n'est pas un endroit comme les autres, a répondu Bassam, tu vas voir, ce sont des gens différents.

Effectivement, pour ça oui, ils étaient différents. Barbus, habillés de stricts costumes sombres. À part ça il est vrai qu'ils étaient plutôt sympathiques et généreux, ces Islamistes. Le Cheikh Nouredine (il se faisait appeler Cheikh, mais il ne devait pas avoir plus de quarante ans) m'a demandé de lui raconter mon histoire, après que Bassam m'a présenté : voilà celui dont je t'ai parlé, Cheikh, c'est un vrai croyant, mais il est dans le besoin. Alors Dieu pourvoira, a répondu l'autre. La mosquée n'était pas vraiment une mosquée, c'était un rez-de-chaussée d'immeuble, avec des tapis par terre et une plaque de cuivre sur la porte qui disait "Groupe musulman pour la Diffusion de la Pensée coranique". Bassam avait l'air très fier de leur amener une brebis égarée. J'ai tout raconté dans les détails, ou presque. Le Cheikh Nouredine m'écoutait attentivement en me regardant dans les yeux, sans avoir l'air surpris, comme s'il connaissait déjà toute l'histoire. Quand j'ai terminé il est resté un moment silencieux sans cesser de me fixer, et il m'a demandé : tu es croyant ? J'ai réussi à répondre oui sans avoir l'air d'hésiter. Tu n'as pas fauté, mon jeune ami. Tu t'es laissé prendre au piège de cette fille. C'est elle la responsable, et ton père n'a pas été juste. Tu as été faible, c'est certain, mais c'est ta jeunesse qui a parlé. C'est ton père le coupable, il aurait dû surveiller davantage les femmes de sa famille, leur enjoindre la décence. Si ta cousine avait été décente, rien de tout cela ne se serait produit. Bassam l'a interrompu : Cheikh, son père crie dans tout le quartier qu'il n'a plus de fils, qu'il l'a déshérité.

Nouredine a souri tristement. Ces choses s'arrangeront peut-être avec le temps. L'important, c'est toi maintenant. Bassam me dit que tu es pieux, sérieux, travailleur et que tu aimes les livres, c'est exact ? Tout à fait. Euh, je veux dire pour les livres, j'ai bre-douillé.

En cinq minutes j'étais engagé comme libraire du Groupe pour la Diffusion de la Pensée coranique ; on m'offrait une minuscule chambre qui donnait sur l'arrière et un salaire. Pas un pont d'or, mais un peu d'argent de poche quand même. Je n'en revenais pas. Je remerciai avec effusion le Cheikh Nouredine, tout en m'atten-dant à ce qu'un imprévu fasse capoter l'affaire. Mais non. Un vrai miracle. Ils m'ont donné quelques dirhams d'avance, pour aller m'acheter des vêtements et des chaussures ; Bassam m'a accom-pagné. Il était très fier et souriait tout le temps. Je te l'avais bien dit, il disait, je t'avais bien dit que j'avais trouvé une solution. Tu vois que ça sert d'aller à la mosquée, il disait.

Il avait rencontré ce Groupe de la Pensée à la prière du ven-dredi, avec son père. À force de les voir, ils avaient sympathisé, et voilà. C'est des gens comme il faut, disait Bassam. Ils reviennent d'Arabie et sont pleins de fric.

On a parcouru le centre-ville comme des nababs pour m'ache-ter trois chemises, deux pantalons, des caleçons et des chaussures noires un peu étroites au bout, un rien pointues, qui avaient de la gueule. J'ai aussi fait l'acquisition d'un peigne, d'une lotion pour les cheveux et de cirage, j'étais de nouveau fauché, ou presque, mais heureux, et Bassam aussi, pour moi. Il était si content que je sois tiré d'affaire, ça faisait plaisir à voir. Ça me réchauffait le cœur au moins autant que les pompes vernies. Je l'ai pris dans mes bras et ai ébouriffé sa tignasse frisée. Maintenant, on va se changer et après faire un tour, j'ai dit. On va aller draguer les filles, se dégotter deux jolies touristes et leur faire découvrir le paradis d'Allah. Et peut-être même qu'elles nous paieront une paire de bières après pour nous remercier. Bassam a grommelé je ne sais quoi, et puis oui oui, bonne idée, pourquoi pas. Il savait très bien qu'à moins d'un deuxième miracle dans la même journée on ne tomberait jamais sur deux minijupes accueillantes, mais il a joué le jeu. En rentrant à la Diffusion de la Pensée coranique pour étrenner mes frusques, il y avait du monde ; c'était l'heure de la prière de l'après-midi et on n'y a pas coupé. J'ai fait quatre prosternations derrière le Cheikh Nouredine, ça m'a paru très long.

C'était juste que je manquais d'habitude. Au cours des deux ans qui ont suivi, j'ai eu tout le temps de m'y faire. Mon travail à la Pensée était des plus tranquilles, ce qui laissait beaucoup de loisirs pour l'étude et la prière. Libraire, ça consistait à recevoir les cartons de livres, à les ouvrir, à retirer les plastiques, à les mettre en piles sur les étagères et, une fois par semaine, le vendredi, à installer une table à la sortie de la mosquée pour les vendre. Enfin, les vendre c'est un bien grand mot. La plupart (les petits ouvrages brochés, un peu comme des manuels scolaires bon marché) valaient 4,90 dirhams. Un enfer, il fallait avoir des caisses de pièces pour rendre la monnaie, presque autant que de bouquins. À ce prix-là on pourrait les offrir, j'ai dit au Cheikh. Non non, impossible, les gens doivent être conscients que ce papier a de la valeur, sinon ils vont les balancer ou s'en servir pour allumer les barbecues. On pourrait peut-être les vendre à cinq dirhams alors, ça m'arrangerait pour la monnaie. Trop cher, m'a répondu le Cheikh. Ça doit être accessible à tous.

Ces manuels avaient un énorme succès. Notre best-seller : *La Sexualité en Islam*, j'en ai vendu des centaines, sans doute parce que tout le monde pensait qu'il y aurait du cul, des conseils de positions, ou des arguments religieux de poids pour que les femmes admettent certaines pratiques, mais pas du tout, l'acte y était appelé "le coït", "le déduit" ou "la rencontre" et l'ensemble était une compilation commentée de phrases de grands juristes médiévaux pas du tout excitante – une arnaque, à mon avis, même pour cinq dirhams. Ceux qui achetaient ce manuel étaient à quatre-vingt-dix-neuf pour cent des hommes. Notre meilleure vente féminine était *Les Héroïnes de l'Islam,* un pamphlet plutôt simple et efficace sur le monde contemporain, l'injustice des temps et comment seul un retour des femmes à la religion pouvait sauver le monde, en s'appuyant sur les exemples des grandes dames de l'Islam, surtout Khadidja, Fatima et Zaynab.

L'autre partie de notre catalogue était plus chère, 9,90 le volume. Il s'agissait de livres reliés, généralement en plusieurs tomes, qui pesaient un âne mort. La collection s'intitulait *Le Patri-moine de l'Islam* et comprenait des rééditions d'œuvres d'auteurs classiques : vies du Prophète, commentaires du Coran, ouvrages de rhétorique, théologie, grammaire. Comme ces mastodontes avaient de belles tranches en similicuir calligraphiées en cou-leurs, ils servaient surtout à décorer les salons et salles à manger du quartier. Il faut dire que l'arabe d'il y a mille ans n'est pas ce qu'il y a de plus facile à lire. On vendait aussi des CD d'enregis-trements du Coran, et même un DVD d'une encyclopédie cora-nique plutôt intéressante, puisqu'elle évitait de se coltiner les cinquante volumes de commentaires divers qu'elle contenait. Le rêve du libraire, quoi.

La Pensée était ouverte toute la journée, et ma librairie avec elle, mais il y avait peu de clients. Certains passaient parfois pour acheter un des titres que je n'avais pas le droit de mettre sur les tables. J'ai demandé au Cheikh Nouredine s'ils étaient inter-dits par la censure, il m'a dit bien sûr que non, ce sont juste des textes qui demandent une plus grande connaissance, qui pour-raient être mal interprétés. Parmi eux se trouvait *L'Islam contre le complot sioniste* et des pamphlets de Sayyid Qotb.

Une de mes tâches (la plus agréable, de fait) consistait à m'oc-cuper de la page web et du Facebook de l'association, de signaler les activités (par ailleurs peu nombreuses) ce qui me permettait d'avoir toute la journée accès à Internet. Je faisais mon travail sérieusement. Le Cheikh Nouredine était agréable, cultivé, sympa-thique. Il m'expliqua qu'il avait étudié la théorie en Arabie Saou-dite et la pratique au Pakistan. Il me recommandait des lectures. Quand je me fatiguais du porno sur le web (un peu de péché ne fait de mal à personne) je passais des heures à lire, conforta-blement allongé sur les tapis ; petit à petit je me suis habitué à l'arabe classique, qui est une langue sublime, puissante, captivante, d'une richesse extraordinaire. Je passais des heures à découvrir les beautés du Coran à travers les grands commentateurs ; la simple complexité du Texte me laissait bouche bée. C'était un océan. Un océan de lumières. J'aimais imaginer le Prophète dans sa grotte, enveloppé dans son manteau, ou entouré de ses compagnons, en route pour la bataille. Penser que je reproduisais leurs gestes, répétais les phrases qu'ils avaient eux-mêmes psalmodiées m'aidait à supporter la prière, qui était tout de même un pensum interminable.

J'avais l'impression de me réparer, de me défaire des souillures de mes mois d'errance. Je pouvais même envisager de croiser mon père ou ma mère sans honte. Ça tournait souvent dans ma tête, le vendredi derrière ma table ; je me disais un jour viendra où je vais les rencontrer, c'est inévitable. Je savais qu'ils se refusaient à même mentionner mon nom en public ; je sentais confusément que Bassam me cachait quelque chose, qu'il évitait de me parler de ma famille, lorsque je l'interrogeais : il répondait t'inquiète t'inquiète, ça leur passera, et changeait de sujet. Ma mère me manquait.

Le soir, on sortait faire un tour avec Bassam. On passait beaucoup moins de temps qu'autrefois à contempler la côte espagnole et beaucoup plus le cul des filles dans la rue. Tanger avait l'avantage d'être suffisamment grande pour qu'on se sente libres en dehors de notre banlieue ; parfois même on s'offrait deux bières dans un bar discret ; il fallait que je parlemente pendant des heures pour que Bassam accepte, il hésitait jusqu'au dernier moment, mais la perspective de côtoyer des étrangères finissait par emporter le morceau. Une fois dans le rade, il doutait encore cinq minutes, un Coca ou une bière, mais il finissait toujours par prendre l'alcool, avant de s'en vouloir ensuite pendant des heures et de bâfrer un kilo de bonbons à la menthe pour masquer l'odeur. Pas très loin du bar il y avait une belle librairie française refaite à neuf où j'aimais beaucoup traîner, sans jamais rien acheter parce que les livres étaient bien trop chers pour moi. Mais au moins je pouvais reluquer un peu la libraire, après tout on était confrères. Je n'ai jamais osé lui adresser la parole. De toute façon, elle portait une alliance et était bien plus âgée que moi.

Ensuite, invariablement, je raccompagnais Bassam chez lui, je rentrais dans ma chambre minuscule à la Diffusion, je prenais un polar et je lisais une heure ou deux avant de m'endormir. Le bouquiniste du quartier en avait un stock inépuisable dans son arrière-boutique, j'ignore d'où il les tenait : des Fleuve Noir (les moins chers), des Masque, des Série Noire (mes préférés) et d'autres collections obscures des années 1960 et 1970. Tous ces titres sur les étagères de métal composaient un immense poème incompréhensible et fou, *Le Salon du prêt-à-saigner* / *Le Carnaval des paumés* / *Des perles aux cochonnes* / *Mardi gris* / *Sommeil de plombs*, je ne savais jamais lesquels choisir, même si j'avais une préférence pour ceux qui se passaient aux États-Unis plutôt qu'en France – leur bourbon avait l'air plus vrai, leurs bagnoles plus grandes et leurs villes, plus sauvages. Le bouquiniste ne devait pas faire fortune ; en fait, à part son stock de polars que je devais être le seul à fréquenter, il vendait de vieux manuels scolaires, des journaux d'autrefois, des revues espagnoles décaties et quelques romans égyptiens à l'eau de rose. C'était un type plutôt marrant, qui passait son temps à picoler en cachette au fond de son magasin, un libre-penseur à tendance nassérienne, une figure du quartier. Il me racontait souvent qu'il y avait à peine vingt ans toutes les collines alentour étaient vides, juste deux ou trois maisons par-ci par-là, et que de chez nous jusqu'à l'aéroport c'était la campagne. Moi je suis un vrai Tangérois, il disait.

Après la lecture, quatre cinq heures de sommeil jusqu'à la prière de l'aube : le Cheikh Nouredine venait, et avec lui une bonne partie du Groupe (sauf Bassam, qui disait prier à la maison, ce que j'avais du mal à croire). Quand ils partaient je me recouchais jusqu'à huit neuf heures, puis petit-déjeuner, et à neuf heures et demie pétantes j'ouvrais la librairie. Souvent le Cheikh revenait vers midi, nous discutions un moment, il me demandait d'ajouter ceci ou cela à la page web, vérifiait l'état des stocks, commandait généralement lui-même les livres en voie d'épuisement (un carton de *Sexualité*, un d'*Héroïnes*, les œuvres complètes d'Ibn Taymiya en vingt volumes) et repartait à ses affaires. Les ouvrages mettaient en gros un mois à nous parvenir d'Arabie, alors il fallait prévoir. Ensuite, tout l'après-midi j'avais la paix. Je restais tranquille à étudier, comme disait le Cheikh Nouredine. Le paradis.

Logé, blanchi et instruit. Après la prière du soir Bassam passait me prendre, et on retournait faire un tour, et ainsi de suite. Une saine routine.

Je n'avais qu'une trouille, ou qu'un désir, c'était de croiser ma famille ; ils savaient où j'étais, je savais où ils étaient ; j'ai aperçu ma mère, une fois, sur le trottoir d'en face – je me suis planqué, le dos tourné, le cœur battant. J'avais honte. Eux aussi, même si j'ignorais encore à quel point, pour quelle raison. J'aurais aimé voir ma petite sœur, elle avait dû bien changer, beaucoup grandir. J'essayais de ne pas y penser. J'essaye toujours. Je me demande ce qu'ils savent de moi, aujourd'hui. Il y a toujours des bruits, des rumeurs qui parviennent au pays ; ils doivent certainement se boucher les oreilles.

Souvent, je pensais à Meryem – je me disais que j'aurais pu trouver le courage de prendre un bus jusqu'au village pour aller la voir discrètement. Je lui écrivais, et ces lettres finissaient toujours à la poubelle, par lâcheté surtout. Meryem était déjà du domaine des songes, du corps bruissant du souvenir.

L'année a passé vite, et quand les manifestations ont commencé en Tunisie il y avait déjà plus d'un an que j'étais là. Ma tranquillité a été un peu mise à mal par ces événements, je dois le dire. Le Cheikh Nouredine et tout le Groupe étaient comme fous. Ils passaient leur temps devant la télé. Ils priaient toute la journée pour les frères tunisiens. Après ils ont mis sur pied des collectes pour les frères égyptiens. Puis lorsque la liste s'est allongée aux frères libyens et yéménites, ils ont commencé à organiser des actions "pour nos frères arabes opprimés".

Quand la contestation a débuté au Maroc le 20 février, ils ne tenaient plus en place. Ils se relayaient dans les sit-in, les manifs. Ma librairie était devenue un QG de campagne : le groupe voyait les révoltes arabes comme la marée verte tant attendue. Enfin de vrais pays musulmans du Golfe à l'Océan, ils en rêvaient la nuit. D'après ce que m'expliquait le Cheikh Nouredine, l'idée était d'obtenir le plus possible d'élections libres et démocratiques pour prendre le pouvoir et ensuite, de l'intérieur, par la force conjointe du législatif et de la rue, islamiser les constitutions et les lois. Leurs projets politiques m'étaient un peu indifférents, mais le militantisme incessant et bruyant chamboulait complètement ma routine. Ils ne me laissaient plus accéder aussi souvent à Internet (ils en avaient besoin tout le temps), ni lire tranquillement. Il y avait toujours une activité, une manifestation à laquelle participer, une émission à regarder à la télé. Du coup je passais de plus en plus de temps dans le centre-ville. J'allais lire un roman policier devant un thé place de France tout l'après-midi. Le Cheikh Nouredine me reprochait un peu mes absences, il me disait tu pourrais participer plus activement à notre combat, et me faisait les gros yeux.

Ils prenaient des coups. Les flics avaient reçu l'ordre de disperser les fins de manifestations sans gaz lacrymogène, sans balles en caoutchouc, à l'ancienne, à la main et à la matraque, et ils s'en sortaient plutôt bien : on voyait les bleus fleurir au-dessus des barbes. Comme la jeunesse devait être à l'avant-garde du Mouvement, Bassam avait été le premier à prendre quelques beignes près de la place des Nations, un soir tard, et à rentrer en héros, la poitrine striée d'ecchymoses, un pansement sur le nez, les yeux violets, en scandant encore "Pour Dieu, la Nation et la Liberté". Le modèle, c'était l'Égypte. Ils n'avaient que cela à la bouche, Le Caire, la place de la Libération. L'Égypte est une société avancée, disait le Cheikh Nouredine, les Frères vont emporter le morceau. Il en pleurait presque d'émotion. Je me souviens, quand on a entendu à la télé un spécialiste français du Monde arabe dire il n'y a pas de Frères musulmans place Tahrir, le Cheikh Nouredine a tout d'abord été vexé à mort. Mensonges, il disait. Dieu détruise ces mécréants. Quels salauds ces Français, ils ne respectent rien, pas même la vérité. Prêts à tout pour conserver leur pouvoir, ces enculés. Et puis il s'était repris, en se disant qu'après tout ce n'était pas mal de rester dans l'ombre, ça donnait un air encore plus légitime à la contestation. De plus les nouvelles d'Égypte étaient excellentes : les Frères étaient assurés de sortir grands vainqueurs des élections libres lorsqu'elles auraient lieu, et de former un gouvernement. Le premier depuis l'arnaque algérienne vingt ans auparavant.

Ça a été le bordel à Tanger pendant au moins une semaine, mais le Cheikh Nouredine voyait bien que cela ne prenait pas le chemin tunisien ou égyptien, que le Palais était plus malin ou plus légitime (après tout, le Roi n'est-il pas le Commandeur des croyants?) et qu'il faudrait en passer par une alliance avec un parti en place si la réforme de la Constitution avait lieu.

Quelques semaines plus tard, le Roi a amnistié tout un contingent de prisonniers politiques, parmi lesquels des membres du Groupe qui pourrissaient dans les geôles du régime depuis les rafles massives après les attentats de Casablanca des années auparavant. Le Cheikh était euphorique. Il a accueilli ces compagnons comme s'il s'agissait de Joseph lui-même revenu d'Égypte pour retrouver ses frères. La Diffusion de la Pensée coranique est devenue une ruche de barbus.

J'avais hâte que toute cette agitation se termine pour pouvoir reprendre ma routine de lectures et retrouver ma tranquillité. Le Groupe était un vrai tas de bestioles en cage, ils tournaient en rond en attendant le soir et le moment de l'action. Ils avaient décidé de profiter du désordre, des manifs et des flics pour entreprendre le "nettoyage du quartier" comme ils disaient. Bassam, pressé de venger sur le premier venu son nez cassé de l'autre jour, était à la proue des bastonneurs. Ils sortaient par bandes d'une dizaine, armés de gourdins et de manches de pioches après un sermon belliqueux et éloquent du Cheikh Nouredine, où il était question des expéditions du Prophète, du combat de Badr, du Fossé, de la tribu juive des Banu Qaynuqa, de Hamza le héros, de la gloire des martyrs en Paradis et de la beauté, de la grande beauté de la mort dans la bataille. Puis, bien chauds après cette mise en jambes théorique, ils partaient presque en courant dans la nuit, les nerfs et la trique de Bassam en tête. Je n'ai rien su du résultat des premiers engagements, si ce n'est qu'ils rentraient contents, essoufflés, sans blessés ni martyrs. Le Cheikh Nouredine pensait que pour des questions de sécurité il était important qu'il ne participe pas lui-même à cette guerre sainte, mais me faisait les gros yeux quand je disais que je préférais lui tenir compagnie à la Diffusion. Après deux nuits de combats sans pertes, il souhaita mener lui-même les troupes à la victoire ; je me préparais à rester tranquillement enfin seul devant l'ordinateur, mais un regard du Cheikh Nouredine suffit pour me convaincre qu'il valait mieux que je me joigne à eux ; on m'a donné une trique que j'ai dissimulée, comme tout le monde, sous mon caftan.

L'expédition aurait pu être amusante ; notre bande, capuches sur la tête, barbes, longs manteaux hantant les trottoirs obscurs, n'aurait pas dépareillé dans une comédie égyptienne. Je n'avais pas été prévenu des objectifs ; le sermon avait mentionné le combat contre l'impiété, le péché et la pornographie, mais rien de plus précis. La nuit était froide et humide. On était six, on marchait en rangs, il a commencé à pleuvoir un peu, ce qui retirait son charme à l'expédition. La lutte contre l'ivrognerie et le matérialisme n'était pas une partie de plaisir.

Quand j'ai vu que nous tournions à gauche à deux cents mètres de la Pensée coranique, j'ai commencé à être un peu inquiet ; il y avait une cible possible, au bout de l'avenue, dont j'espérais qu'elle n'était pas la nôtre. Mais si. Ça ne pouvait être que là. Tout le monde paraissait savoir où nous allions sauf moi ; Bassam en tête, le groupe avançait sans hésiter. On est arrivés devant la boutique du libraire ; il avait rentré l'étalage à cause de la pluie, mais de la lumière filtrait par la porte, malgré l'heure tardive ; j'imaginais qu'il était en train de se taper une ou deux bouteilles de picrate en regardant de vieilles revues espagnoles ou françaises de filles à poil. Effectivement, le vieux était au fond de son magasin, avec un litron de rouge ; il a levé la tête de son *Playboy*, l'air furieux, il m'a reconnu, il a souri timidement, décontenancé. Le Cheikh Nouredine a eu un regard de mépris, il a prononcé un bref sermon en arabe classique, tu es la honte du quartier, notre quartier est respectable, respecte Dieu et notre quartier, Infidèle, nous sommes le châtiment des Infidèles, la ruine des mécréants, quitte notre quartier sur-le-champ, respecte Dieu, nos femmes et nos enfants, le libraire roulait des yeux hallucinés ; son regard allait très vite de droite à gauche, se posait sur Bassam, sur moi, et revenait au Cheikh qui débitait son anathème. Il avait toujours son verre à la main, l'air incrédule, se demandant si je lui faisais une blague de mauvais goût ou un truc du genre. Puis le Cheikh a crié la colère de Dieu soit sur toi !!! et s'est tourné vers moi, Bassam a ouvert son manteau pour sortir son manche de pioche et m'a regardé lui aussi. Ils me fixaient tous les trois, le libraire a dit d'une voix sans timbre qu'est-ce que c'est que cette plaisanterie ?, Bassam avait l'air de m'implorer, genre vas-y, bon sang, qu'est-ce que t'attends, vas-y bordel, mais vas-y, le Cheikh me jaugeait, j'ai écarté les pans de mon manteau, tiré ma trique à mon tour, le libraire a eu un air effrayé, surpris et effrayé, il s'est levé d'un coup de sa chaise, a contourné le bureau de mon côté, très vite, comme pour s'enfuir, je ne voulais pas lui faire mal, il a essayé d'attraper mon bâton, il a commencé à nous insulter, salauds, chiens, enculés je baise vos mères, alors Bassam l'a frappé bien fort, sur l'épaule, un bruit mat a résonné, il a hurlé de douleur, il s'est effondré en s'accrochant à mon manteau et à mes jambes, Bassam a abattu le gourdin sur ses côtes, avec beaucoup d'élan, le libraire a hurlé de nouveau, blasphémé horriblement, Bassam a remis ça sur sa cuisse, en visant l'os, l'homme s'est mis à gémir. Bassam souriait, son bâton brandi. Je me suis demandé un instant s'il n'allait pas me péter la gueule aussi. Le Cheikh Nouredine s'est penché sur le libraire qui gémissait par terre, il lui a dit j'espère que tu as compris, puis lui a donné un coup de pied qui l'a fait crier de plus belle. Des larmes coulaient sur le visage du pauvre type, je ne pouvais plus regarder, j'ai rangé mon bout de bois, je suis sorti. Bassam m'a suivi, puis le Cheikh ; j'ai entendu qu'il crachait sur sa victime avant de partir. Je suis rentré en courant, les autres derrière moi. Arrivé au Groupe pour la Diffusion de la Pensée coranique j'ai balancé mon manche de pioche sur les tapis et je me suis enfermé dans ma chambre. J'étais tremblant de haine, j'aurais découpé en morceaux le Cheikh Nouredine et Bassam. Et moi-même, aussi. Je me serais découpé en morceaux. Assis sur mon lit je me demandais quoi faire. Je n'avais pas envie de rester là. J'étais plein d'une énergie surhumaine, d'une colère d'une puissance inouïe. J'ai pris tout l'argent que je possédais et je suis sorti. Le Groupe était de nouveau en prière, j'ai traversé la grande pièce sans aucune discrétion, Bassam a levé la tête de sa prosternation pour me faire un signe, je suis sorti en claquant la porte.

J'avais deux cents dirhams en poche, de quoi me payer des verres. J'ai hésité à les donner au libraire en guise de dédommagement, mais j'avais trop honte pour y retourner. En plus il était peut-être à l'hôpital. J'espérais que Bassam ne lui avait rien cassé, j'aurais dû retourner ma trique contre le Cheikh Nouredine, ça lui aurait fait du bien, de recevoir quelques gnons. Le regard de Bassam m'avait effrayé. C'était une mise à l'épreuve. Et maintenant, qu'est-ce que j'allais foutre, quitter le Groupe, retourner à la rue, chercher du travail ? On verrait ça demain. Pour le moment, oublier ma misère.

J'ai traversé Tanger jusqu'au petit bar de l'avenue Pasteur, je suis entré, j'ai salué comme l'habitué que je n'étais pas, je me suis assis à une table, j'ai commandé une première bouteille, puis une deuxième, et ça allait un peu mieux. Pourquoi fallait-il que la vie me traite ainsi. Peut-être une malédiction s'était-elle abattue sur moi parce que j'avais déshonoré mon père, qui sait. Peut-être Dieu lui-même m'en voulait-il, pour me pousser chaque fois vers un désespoir plus grand ? Que sais-je. En tout cas la bière était bonne. Peut-être aurais-je dû me jeter dans la prière, plutôt que dans l'alcool, mais tant pis.

Dans le rade, il y avait juste quatre Marocains en costume qui discutaient et buvaient du whisky, pas de touristes esseulées ; je commençais à être un peu saoul, j'avais envie de pleurer. Meryem m'est revenue à l'esprit, à cette heure-ci elle dormait sans doute, là-bas dans le Rif. Peut-être rêvait-elle de moi, qui sait.

À la télévision, on voyait les manifestations en Égypte, en Tunisie, au Yémen, le soulèvement en Libye. C'est pas gagné, j'ai pensé. Le Printemps arabe mon cul, ça va se terminer à coups de trique, coincés entre Dieu et l'enclume.

J'ai regretté de ne pas avoir pris un livre avec moi, ça m'aurait changé les idées.

Quand le type est entré dans le bar, j'étais toujours occupé à regarder la télé ; je l'ai à peine vu. C'est lui qui est venu vers moi. Il s'est approché, s'est accoudé à ma table, il me fixait avec un sourire méchant. Petits yeux, moustache brune un peu blanchie. J'ai tourné la tête immédiatement.

— Tiens, mais c'est ma petite lopette, il a dit.

Je me suis retourné vers le patron, avec un air offusqué, genre on ne peut pas insulter les clients comme ça, ma poitrine brûlait, j'avais les joues en feu. Le barman nous observait d'un air surpris.

— Tu te rappelles de moi ?

Impossible d'oublier cette gueule, la pénombre et l'odeur de pisse du fond du parking.

Mes genoux commençaient à trembler, j'avais envie qu'il disparaisse, comme par magie, et qu'avec lui s'effacent la honte et la mémoire.

Je lui aurais bien explosé la gueule à coups de manche de pioche.

Il est parti d'un grand éclat de rire immonde, il était ivre, son haleine de sous-sol m'a éclaboussé, une vague de pourriture et de souvenirs, j'ai failli tomber à la renverse et le déséquilibre m'a mis en mouvement comme mon tabouret, j'ai fui lâchement en silence, je suis sorti en trombe du bar sans regarder derrière moi, sans pouvoir m'empêcher d'entendre les phrases du type, pars pas si vite, petit, avec quelques obscénités qui m'ont accablé de rage impuissante, comme on encaisse des coups sans pouvoir les rendre.

Dehors un vent glacial venu de l'océan prenait l'avenue en enfilade, la ville était déserte, même devant les Canons il y avait très peu de monde, quelques touristes rentraient dans les hôtels chics, j'ai dévalé la rue vers le Grand Zoco, fait un tour de place machinalement, acheté un paquet de clopes sans y penser, deux bonshommes que j'avais déjà vus se réchauffaient autour d'un brasero, je leur ai marchandé un bout de kif en échange d'un des billets qui me restaient, je suis allé le fumer discrètement sur un banc un peu à l'écart. Tout est devenu silencieux. La drogue m'a calmé. La ville s'est recouverte d'un voile calme et noir, j'étais loin tout à coup, derrière un mur entre mon corps et le monde, j'ai repensé au libraire, au gardien de parking, au Cheikh Nouredine, à Bassam, comme s'ils m'étaient complètement étrangers, comme si tout cela n'avait aucune importance. Tanger était une impasse sombre, un corridor bouché par la mer ; le détroit de Gibraltar une fente, un abîme qui barrait nos songes ; le Nord était un mirage. Je me suis vu perdu une fois de plus, et la seule terre ferme qu'il y avait sous mes pieds et derrière moi, c'était d'un côté l'immense Afrique jusqu'au Cap et vers l'est tous ces pays en flammes, l'Algérie, la Tunisie, la Libye, l'Égypte, la Palestine, la Syrie. Je me suis roulé un deuxième joint bien chargé en pensant que ce shit venait du Rif, que Meryem en avait peut-être vu pousser les plantes depuis ses fenêtres, qu'elle en avait elle-même pressé le pollen dans de grandes claies, avant d'en mouler la pâte obscurcie par l'oxydation, de l'entourer d'un film transparent ; elle gardait dans ses poches les miettes qu'elle grattait sur le plastique de ses gants, pour les manger dans la solitude, et rire toute seule ou s'endormir, rêver, peut-être et se rappeler les quelques heures que nous avions passées ensemble, comment je l'avais déshabillée presque sans vouloir, timidement, après qu'elle m'eut embrassé sur la bouche en me tenant la main, et il y avait une tendresse simple et belle dans ces souvenirs rehaussés par le hasch, j'y reprenais un peu de joie. La danse des lumières de Tanger accélérait mes pensées, il me fallait un plan, pas question cette fois-ci de tout plaquer sans rien, de retrouver la boue et l'humiliation. J'ai repensé à mes parents, à ma mère surtout, à mes petits frères, que pouvaient-ils savoir, penser de moi, la sourate de Joseph m'est revenue en mémoire, *Mon père, j'ai vu onze étoiles se prosterner devant moi, et le soleil et la lune*, j'avais oublié que je connaissais ces versets par cœur, Joseph vendu pour moins que rien à un marchand d'Égypte, Joseph que Dieu instruit dans l'interprétation des rêves, Joseph que tente Zuleykha. Les feux des ferries striaient le Détroit, une caravane maritime. Je pourrais peut-être trouver du travail dans le nouveau port de Tanger Med ou dans la Zone Franche, puis après quelque temps réussir à émigrer, après tout c'est Bassam qui avait raison, il faut partir, il faut partir, les ports nous brûlent le cœur. La solitude devenait une masse de brume, un nuage épais, celui du Mal ou de la peur ; j'avais une légère nausée. Je commençais à trembler de froid sur mon banc et j'avais faim tout à coup, très faim.

Après avoir ingurgité un sandwich en deux bouchées sur le chemin je suis rentré dans ma chambre de la Diffusion ; tout y était désert, silencieux, d'un silence qui me frappait les tympans ; je me suis endormi comme un sac.

Le lendemain matin, j'avais un cendrier dans la bouche et les yeux rouges, mais j'étais à peu près en forme. J'ai rangé quelques bouquins, petit-déjeuné, lu le commentaire de la sourate de Joseph dans le *Kashshâf*, le soleil se répandait sur les tapis. Par instants, les visages de la veille me revenaient en mémoire, le libraire en larmes, la moustache du chien de parking, comme une remontée d'égouts que j'essayais de juguler en me concentrant sur ma lecture. Je tentais de me convaincre, ce qui est fait est fait. Ce qui est fait est fait. Ce qui compte c'est l'avenir.

Le Cheikh Nouredine a réapparu en début d'après-midi, en civil, c'est-à-dire en costume bleu foncé, assez élégant. Il m'a salué avec courtoisie, je dirais même avec chaleur. Il m'a demandé si j'avais préparé les livres (on était jeudi) j'ai répondu oui. Il m'a dit parfait. Ce soir nous avons une réunion à l'extérieur, je serai là demain matin. Et il est sorti. Aucune remarque, aucune allusion à l'excursion punitive de la veille.

Je retrouvais enfin la solitude. J'ai regardé quelques pages Internet, envoyé des messages Facebook à des filles que je ne connaissais pas, toutes françaises, comme des bouteilles à la mer. *Je suis un jeune Marocain de Tanger, je recherche votre amitié pour partager ma passion : les livres.*

Je *vous* montre à quel point je suis cultivé, pensai-je, ce que confirme l'apostille sur les bouquins, un peu exagérée peut-être, mais sobre et précise. Il faut ajouter que je choisissais des filles certes jolies, mais plutôt à lunettes et originaires de villes dont je ne savais rien mais que j'imaginais froides, ennuyeuses et donc propices à la lecture. (Il va de soi que je n'ai jamais reçu de réponse ; à la décharge de ces demoiselles, il faut bien avouer que si elles jetaient un coup d'œil à mon profil, que j'avais pris soin de laisser accessible, elles apercevaient parmi mes amis non seulement la tête de bagnard de Bassam, mais aussi le Groupe pour la Diffusion de la Pensée coranique ou Al-Jazira, ce qui, vu de Bourges ou de Troyes, avait très peu de chances d'inspirer la tendresse.)

J'ai somnolé un peu, en rêvassant aux jeunes femmes susdites. Ensuite, j'ai relu le début de *Total Khéops*, un de mes polars préférés ; j'ai imaginé que Tanger devenait subitement Marseille, ce qui avait peu de chances de se produire, en grignotant un paquet de chips ; le soir tombait doucement ; le parfum de la mer était tout autour de moi.

Je suis resté allongé par terre sans lumière jusqu'à ce qu'il fasse nuit noire.

Bassam est entré en trombe, il a failli me marcher dessus.

— Qu'est-ce que tu fous dans le noir ? Tu dormais ?

— Pas vraiment, j'ai dit.

Il était surexcité, comme d'habitude. Il tournait en rond comme un chiot autour du panier de sa mère.

— Qu'est-ce qui t'arrive encore ? j'ai demandé. Un type de plus à tabasser ?

— Non, cette fois-ci c'est plus gros que ça.

— C'est le sabre du Prophète ?

— Arrête tes blasphèmes, mécréant. C'est l'heure de la vengeance.

J'ai cru un instant qu'il rigolait, mais après avoir allumé la lumière j'ai pu vérifier que ses yeux de fouine brillaient d'une folie étrange, au milieu de sa bonne grosse tête de plouc.

— C'est quoi ces nouvelles conneries ?

Il m'a servi un embryon de théorie paranoïaque selon laquelle seul un attentat qui frapperait les esprits ferait bouger les choses en précipitant l'Occident, la population et le Palais dans la confrontation. C'était tout à fait Cheikh Nouredine, mais très peu Bassam. Il avait un petit pois à la place du cerveau.

— Tu as un petit pois à la place du cerveau, j'ai dit.

En plus je savais très bien qu'au fond l'Islam politique lui était égal. Après tout, on était tombés dans la religion quand on était petits, on était servis.

— Laisse tomber ces histoires d'attentat, viens, on va aller faire un tour. Le Cheikh ne reviendra pas avant demain.

J'ai vu Bassam me regarder fixement comme si c'était moi qui étais complètement cinglé.

— Je dois prier pour me purifier.

J'ai soupiré. Je me demandais ce que lui avait fait le Cheikh Nouredine, ou ce qu'il lui avait promis. Des houris en Paradis, peut-être. Bassam avait un faible pour les histoires de houris toujours vierges qu'on pouvait baiser pour l'éternité au bord du Kowthar, le lac d'abondance de l'au-delà.

Mais moi aussi j'avais mes houris.

— Tu sais, j'ai fait la connaissance de deux chouettes filles, hier soir, deux étudiantes espagnoles. Elles restent jusqu'à demain. On a fumé un joint ensemble, et je devrais les retrouver tout à l'heure.

— Arrête tes conneries.

Son œil s'était allumé.

Ça réfléchissait dur, dans sa tête.

— Je te crois pas.

— C'est pas la question. J'ai besoin que tu viennes avec moi, pour occuper la deuxième. Je ne vais pas te mentir, c'est la moins jolie des deux, mais elle est sympa tout de même. Allez, rends-moi ce service.

— Ah, elles s'appellent comment?

Ça y était, j'avais emporté le morceau.

— La tienne s'appelle Inés et la mienne Carmen.

J'aurais pu trouver plus original, mais j'avais sorti ça de but en blanc, sans hésiter une seconde.

— Et elles ont quel âge?

— Je ne sais pas, vingt-quatre, vingt-cinq ans, j'ai dit.

— Ah là, ah là, c'est vraiment trop con, mais j'ai promis au Cheikh de rester ici en attendant les ordres. De passer la nuit en prière.

— On peut rester un moment avec elles, et ensuite tu rentres prier, qu'est-ce que ça change?

Si toutes les recrues du Cheikh Nouredine sont aussi facilement manipulables que Bassam, la victoire de l'Islam n'est pas pour demain, j'ai pensé.

Il a eu soudain l'air soulagé de celui qui a pris une décision douloureuse.

— OK, mais juste un petit tour, d'accord? Après, je rentre.

— Comme tu voudras.

Maintenant me voilà bien avancé, j'ai pensé. Je vais me faire hacher menu quand il va découvrir que la grosse Inés et la belle Carmen nous ont fait faux bond.

Pas grave, on avisera.

Et ce sera toujours quelque chose que le Cheikh Nouredine n'aura pas, ces quelques heures de prière. Une minuscule vengeance.

Bassam s'est aspergé de ma lotion capillaire, il a soufflé dans sa paluche pour vérifier la qualité de son haleine, il frétillait.

— On va parler espagnol sur le chemin pour s'entraîner un peu, il a dit.

— *Con mucho gusto, hijo de puta*, j'ai répondu.

Et on est partis ; une légère pluie tiède commençait à tomber.

L'averse n'a pas duré, mais la météo me fournirait peut-être une excuse pour l'absence de nos amies imaginaires ; tout le monde sait que les Espagnoles ne sortent pas quand il pleut. On a marché une demi-heure pour parvenir au centre. Bassam me bombardait de questions dans un ibère mâtiné de français et d'arabe, assez incompréhensible mais réjouissant ; il voulait tout savoir, où exactement j'avais rencontré ces jeunes filles, ce que nous nous étions dit, d'où elles venaient, etc. J'improvisais ces détails en espérant me les rappeler pour ne pas me trahir plus tard – Valence (Madrid ou Séville me semblait trop évident), étudiantes, vacances entre deux semestres, et ainsi de suite. Je me demandais si Bassam était vraiment dupe ou si le jeu le faisait rêver, comme moi. À force d'en parler j'allais me décevoir moi-même de ne trouver personne au rendez-vous, soi-disant dans un salon de thé près de la place des Nations. J'ai offert un gâteau à Bassam, qu'il a englouti en deux minutes, la nervosité sans doute. On avait l'air malins, tous les deux, dans cette pâtisserie ; autour de nous des caves sortaient leurs fiancées, elles avaient toutes de jolis voiles colorés et s'empiffraient de tarte au citron ou de milk-shakes roses pendant que leurs types, moustachus, rêvaient sans doute de leur tripoter les seins et songeaient que c'était pas cher payé, quelques douceurs pour une séance de pelotage, après, bien au chaud dans une bagnole ou sur un canapé. Je crois que j'étais un peu jaloux de ces bonshommes un rien plus âgés que nous qui avaient conquis le droit de mettre la main dans la culotte de leurs cousines moyennant des fiançailles en règle et un peu de pognon pour des bagues et des colliers. Nous on attendait des Espagnoles fantômes, avec un air de ploucs banlieusards bien gominés.

Bassam trépignait devant les miettes de sa forêt-noire dont la cerise confite trônait, abandonnée, au milieu de l'assiette.

Je faisais moi aussi mine de m'impatienter, mais qu'est-ce qu'elles foutent, mais qu'est-ce qu'elles peuvent bien foutre, encore cinq minutes et je proposerai à Bassam d'aller noyer notre chagrin dans la bière quelque part – il pleuvait à nouveau.

C'est bien connu, les Espagnoles ne sortent pas quand il pleut.

Soudain j'ai vu Bassam faire un bond sur sa chaise ; il haussait le chef comme une girafe et me filait de grands coups de pied sous la table. Je me suis retourné ; deux jeunes Européennes venaient d'entrer ; brunes, cheveux longs détachés, frange au-dessus des yeux, elles portaient des pantalons bouffants, des dizaines de bracelets sur les avant-bras, des sacs en cuir et des espèces de galoches de la même matière : espagnoles sans aucun doute, incroyable. Enfin non, ce n'était pas si incroyable que ça, mais cela me mettait dans une situation délicate.

— Non, c'est pas elles, j'ai dit à Bassam.

Il m'a regardé l'air déconfit, en soupirant.

Les deux filles avaient dû entrer dans la pâtisserie pour se protéger de l'averse.

Bassam était énervé, il commençait à se demander si je ne l'avais pas mené en bateau ; que deux Espagnoles soient arrivées alors que nous en attendions deux autres lui donnait la sensation que quelque chose ne tournait pas rond. Les jeunes Ibères se promenant deux par deux à Tanger en cette saison n'étaient tout de même pas si fréquentes que ça.

Une idée s'est fait jour dans son cerveau :

— Va leur demander si elles ne connaissent pas Inés et Carmen, par hasard.

J'ai failli lui répondre qui ça ? Mais je me suis souvenu à temps du nom de mes deux chimères.

— Elles sont peut-être dans le même groupe.

Il avait un regard de défi, un air dangereux ; il cherchait surtout à me tester, à savoir si je lui avais menti ou non.

J'ai soupiré ; je ne pouvais pas lui dire que je n'osais pas, il n'aurait pas compris. Je l'ai revu la veille, une trique à la main, en train de tabasser le libraire ; je me suis demandé ce que je foutais là, dans un salon de thé avec mon pote le cinglé du manche de pioche.

— OK. J'y vais.

Bassam se léchait littéralement les babines, sa grosse langue glissait sur sa lèvre supérieure pour profiter des derniers copeaux de chocolat ; il a attrapé la cerise confite et se l'est balancée au fond de la bouche, j'ai détourné le regard avant de voir s'il l'avait mâchée.

— OK. J'y vais.

Jamais je n'avais osé aborder directement une étrangère ; j'en avais beaucoup parlé, nous en avions beaucoup parlé avec Bassam, pendant nos heures passées à regarder le Détroit ; nous avions beaucoup menti, beaucoup rêvé, plutôt. Il me regardait avec son air naïf et fraternel, je me souviens d'avoir pensé à ma famille, ma famille c'est Bassam et Meryem et personne d'autre.

— OK. J'y vais.

Je me suis approché de la table des deux jeunes filles, ça c'est certain ; je sais que je leur ai adressé la parole ; j'ignore en quel charabia, en quel sabir j'ai réussi à me faire comprendre d'elles ; je sais juste – j'ai eu tout le temps du monde pour y repenser par la suite – que j'avais l'air si sincère, si peu intéressé par elles avec mon histoire de Carmen et Inés, j'espérais tellement qu'elles connaissent cette Carmen et cette Inés qu'elles n'ont rien soupçonné, elles m'ont répondu franchement, et tout cela s'est fait le plus naturellement du monde, et ensuite elles ont bien vu, en entendant Bassam, en voyant la tête de Bassam, que ce n'était pas un piège mais qu'il y avait bien, à Tanger, une Carmen et une Inés qui flottaient dans l'air comme des fantômes, et elles étaient désolées pour nous, mais il pleut, vous savez, ont-elles dit, il pleut et j'ai rigolé intérieurement, je me suis marré en pensant que la pluie, à laquelle on ne fait jamais attention, la pluie peut changer un destin aussi facilement que Dieu lui-même, qu'Allah me pardonne.

En les regardant bien, elles n'étaient pas si identiques que ça, nos deux Espagnoles ; elles venaient de Barcelone, elles s'appelaient Judit et Elena, l'une était plus brune, l'autre plus ronde ; toutes deux étaient étudiantes et arrivaient, miracle, pour passer une semaine au Maroc, en vacances, précisément comme je l'avais imaginé, parce qu'elles avaient des congés d'hiver, ou de printemps, je ne sais plus, mais pour moi c'était le Printemps arabe qui arrivait, qu'on nous envoie des étudiantes sympathiques voilà qui valait toutes les révolutions, des filles dont on imaginait qu'elles portaient des sous-vêtements extraordinairement raffinés et qu'elles étaient enclines à les montrer, sans vous ennuyer avec des questions de famille, de religion, de bienséance ou de bonnes mœurs, des filles riches qui, si elles s'entichaient de vous, pouvaient vous faire franchir ce Détroit luisant d'une seule signature, vous présenter à leurs parents d'un air distrait, voilà mon copain, et le père trouverait avec raison que vous aviez une tête de moricaud mais hocherait le chef comme pour dire ma fille, c'est toi qui décides, et on finirait heureux comme Dieu en Espagne, pays des noirs jambons et porte de l'Europe.

Les yeux de Bassam disaient tout cela, tout cela sauf le cochon, bien sûr ; il regardait la jeune femme devant lui comme un passeport avec des photos de filles à poil à la place des visas, à tel point qu'Elena passait son temps à remonter son tee-shirt sur ses épaules pour cacher son torse, geste que Bassam n'interprétait pas comme de la pudeur, mais plutôt de la provocation – elle remontait aussi son soutien-gorge, gênée par ses regards, sans se rendre compte que son action désignait cet objet caché à Bassam, que ses mains fines sur sa propre peau, attrapant la bretelle, écartant l'étoffe pour y placer les doigts puis lui imprimant un léger mouvement vers le haut accentué par le bruit involontaire de l'élastique laissaient perler la sueur au front de Bassam, qui ne pouvait détacher ses yeux du creux de ces épaules, de ces salières ou plutôt poivrières que barrait la blancheur de l'étoffe secrète et pourtant si visible, et Bassam se léchait l'index, il se léchait inconsciemment l'extrémité de l'index avant d'écraser, pour qu'elles y adhèrent, les miettes de forêt-noire disséminées dans l'assiette, sans rien dire, tout à sa contemplation ; Elena essayait de désamorcer par le langage ce piège visuel, elle articulait, elle gesticulait en paroles pour faire en sorte que le regard de ce gamin se redresse de vingt-cinq degrés, qu'il passe de sa poitrine à son visage, comme il est de coutume chez les gens qui ne se connaissent pas mais son désir, ces seins et cette main qui se prenaient dans le tissu inspiraient tant de honte à Bassam qu'il était incapable de fixer Elena, car ç'aurait été comme regarder en face ses propres pensées, son être et toute son éducation qui l'empêchaient à la fois de relever la tête et de profiter réellement, en douce comme le font les Européens, du spectacle extraordinaire, de l'excitation que provoque la chasteté alors que, malgré elle, elle se dément, se nie en dévoilant, à l'imagination de celui qui la contemple, ce qu'elle essaye de cacher.

Bassam était juste plus sincère que moi, plus simple peut-être ; c'est une question de tempérament, ou de patience ; je parlais beaucoup à Judit ; j'avais même de temps à autre une question pour Elena ; j'essayais, je m'évertuais, moi aussi, à deviner ce qu'elle pouvait cacher sous son chemisier, discrètement, sans insister, je faisais en sorte de maintenir mes pupilles dans les siennes, mais lorsqu'elle tournait la tête pour s'adresser à sa camarade ou dévisager d'un air affligé le pauvre Bassam je m'en donnais à cœur joie, tout en reconnaissant avec tristesse que celle que le sort avait assise en face de moi n'était pas la mieux dotée des deux en la matière, qu'à cela ne tienne, puisque Judit me paraissait d'emblée plus proche, plus ouverte et plus souriante.

Très vite mes trois mots d'espagnol n'ont pas suffi à la conversation, nous sommes passés au français ; c'était, je crois, la première fois que je le parlais réellement avec des étrangers, et il me fallait chercher mes mots. Heureusement l'accent catalan de

Judit me facilitait la compréhension. Bassam ne disait rien, ou presque ; de temps en temps il grommelait quelque chose dans un idiome impénétrable ; quand il a compris que ces deux anges tombés du ciel étudiaient l'arabe à Barcelone, il s'est mis à parler en classique, on aurait dit un sermon du Cheikh Nouredine, les fautes de grammaire en plus. Il a commencé à demander à Judit et Elena si elles connaissaient le Coran, si elles l'avaient déjà lu en arabe, et ce qu'elles pensaient de l'Islam. Il fallait qu'il répète deux ou trois fois chaque question, parce qu'il parlait vite et articulait mal, les yeux vers le bas.

La veille nous participions à une expédition punitive, avec nos gourdins, et ce soir nous convertissions deux étrangères à la religion du Prophète. Le Cheikh Nouredine pouvait être fier de nous.

J'avais du mal à croire qu'elles soient réellement étudiantes en arabe, c'est-à-dire intéressées par mon pays, ma langue, ma culture ; c'était un deuxième miracle, un miracle étrange, dont on se demandait s'il n'était pas diabolique – comment deux jeunes Barcelonaises pouvaient-elles avoir envie de s'intéresser à cette langue au point de l'apprendre ? Pour quoi faire ? Judit disait que son arabe était très mauvais, et qu'elle avait honte de le parler ; Elena se lançait plus facilement, mais sa prononciation ressemblait à celle de Bassam en espagnol ou en français, incompréhensible. J'avais un peu honte ; autour de nous les types qui observaient leurs fiancées boire des milk-shakes et aspirer très fort, les yeux fermés sur la paille, ne perdaient pas une miette de notre conversation. Ils se disaient très certainement regarde ces deux cons, ils ont dégotté une paire de touristes et ils leur parlent du Prophète, ces trous du cul.

J'ai proposé d'aller ailleurs. Bassam m'a soufflé quelque chose en marocain, très vite, tout bas.

Il était neuf heures du soir, Elena a suggéré de manger un morceau ; j'ai réfléchi aux quelques dirhams qui me restaient dans la poche, ils pouvaient m'amener jusqu'à un sandwich, pas beaucoup plus loin. Elena proposait d'aller dans un petit restaurant qu'elle avait repéré dans la vieille ville. J'ai dû faire une drôle de tête, Judit a sans doute compris ma gêne, elle a dit on peut aller dans un café, plutôt, en prétextant qu'elle n'avait pas très faim, que le thé lui avait coupé l'appétit. Sa copine s'est renfrognée un peu, Judit a prononcé deux phrases en catalan. Bassam m'a chuchoté un truc à l'oreille, avec un air de conspirateur, pourquoi on ne les emmène pas à la Diffusion pour une leçon d'arabe ? J'ai dû me retenir d'éclater de rire ; j'imaginais le Cheikh Nouredine trouvant deux Infidèles femmes dans sa mosquée et Bassam à moitié à poil, en train d'expliquer à Judit et Elena les exploits de Hamza. Pas aujourd'hui, pas maintenant, j'ai dit.

Pour ma part, je pouvais les inviter à fumer un joint sur les remparts, il me restait un morceau du kif de la veille, pas très romantique – de plus elles pouvaient prendre peur, refuser, se braquer, surtout cette Elena qui n'avait pas l'air très aventurière.

On était devant la pâtisserie depuis cinq bonnes minutes.

Va pour le café, j'ai dit.

Judit a répondu parfait, on va où ? Où est-ce que vous nous emmenez ?

Bassam tournait autour de nous en sautillant.

Jamais je n'avais pensé aussi vite.

Et l'idée m'est venue :

— Chez Mehdi. On va chez Mehdi.

Bassam a ouvert de grands yeux, il a frappé dans ses mains, bien sûr, chez Mehdi, t'es un champion. Il était tout guilleret.

Judit a souri, un grand sourire éclatant, je me suis senti un héros.

Chez Mehdi était le seul endroit de Tanger où deux bougnoules de dix-neuf ans comme nous pouvaient arriver avec des étrangères sans choquer personne ni se ruiner, un des seuls endroits mixtes, ni pauvres ni riches, ni européens ni arabes, de la ville. Dans la journée c'était, surtout en été, une cafétéria où des étudiants et des lycéens ingurgitaient des sodas sous des canisses et de la vigne vierge, et le soir, en hiver ou lorsqu'il pleuvait, il y avait une petite salle assez accueillante, avec des bancs et des coussins, où de jeunes types, marocains et étrangers, buvaient du thé. Dans mon souvenir, le décor était un mélange d'orientalisme touristique et de modernité désemparée, quelques photos en noir et blanc dans des cadres en aluminium entre des tapis berbères et de faux instruments de musique anciens. L'endroit n'avait pas de nom, juste l'enseigne de plastique défoncée d'une marque de boisson gazeuse, on le connaissait par le prénom de son patron, Mehdi, un immense type maigre comme un clou assez peu avenant mais discret et pas emmerdant qui passait le plus clair de son temps assis à sa propre terrasse, une casquette plutôt parisienne sur le crâne, à fumer des Gitanes. On y était allés comme tout le monde avec Bassam, et même, une ou deux fois, j'y avais payé un Pepsi à Meryem en été.

C'était un peu loin, il fallait remonter sur la colline à l'ouest de la vieille ville, mais il ne pleuvait plus ; Judit et Elena étaient contentes de faire un tour. Je marchais à côté de Judit et Bassam juste derrière avec l'autre ; je l'entendais parler en arabe et dès qu'Elena disait qu'elle ne comprenait pas, c'est-à-dire la plupart du temps, il répétait exactement la même phrase, mais plus fort ; Elena réitérait son incompréhension, avec des accents désolés ; Bassam montait encore le son d'un cran, jusqu'à gueuler comme un veau, on aurait dit que plus il vociférait les mêmes mots qu'elle ignorait, plus la pauvre Catalane avait des chances de le comprendre. Il pensait sans doute qu'une langue étrangère était un genre de clou qu'il fallait enfoncer dans l'oreille rétive, à grands coups de maillet vocal : à la trique, tout comme il inculquait le respect de la religion aux mécréants, mais avec le sourire.

La vie me paraissait belle, même avec Bassam vociférant dans la nuit et traverser, accompagné par une fille, ces quartiers autour du marché que je hantais un an et demi auparavant effaçait – du moins pour un temps – toute la série d'épreuves et de malédictions des deux dernières années et surtout, si proches et douloureux, les souvenirs de la veille, les visages du libraire et de l'immonde type du parking, dont j'aurais apprécié qu'ils ne me dérangent pas précisément à ce moment-là, je me souviens, j'ai serré les dents, pris par un mal réel, la puissance de la honte, un écho presque aussi puissant que le soir précédent, la réplique d'un séisme, à tel point que mon accompagnatrice m'a demandé, à me voir tout d'un coup pris de frissons, si j'avais froid ou si quelque chose me dérangeait.

Judit était observatrice et attentive ; nous avons parlé de Révolution, de Printemps arabe, d'espoir et de démocratie, et aussi de la crise en Espagne, où ça n'avait pas l'air d'être la joie – pas de travail, pas d'argent, des coups de matraque pour ceux qui avaient la prétention de s'indigner. L'indignation (dont j'avais vaguement entendu parler par Internet) me semblait un sentiment assez peu révolutionnaire, un truc de vieille dame propre surtout à vous attirer des gnons, un peu comme si un Gandhi sans projet ni détermination s'était un beau jour assis sur le trottoir parce qu'il était indigné par l'occupation britannique, outré. Ça aurait sans doute fait doucement rigoler les Anglais. Les Tunisiens s'étaient immolés par le feu, les Égyptiens s'étaient fait tirer dessus place Tahrir, et même s'il y avait de grandes chances pour que cela finisse dans les bras du Cheikh Nouredine et de ses amis, ça faisait un peu rêver quand même. Je ne me souviens plus si nous avons évoqué, quelques semaines plus tard, l'évacuation des Indignés qui occupaient la place de Catalogne à Barcelone, chassés comme un vol de pigeons par quelques cars de flics et leurs gourdins, soi-disant pour permettre la célébration de la victoire en championnat du Barça : voilà qui était indignant, que le football prenne le pas sur la politique, mais il semble que personne n'ait réellement protesté, la population reconnaissant, dans son for intérieur, que la réussite de son club était, en soi, une belle fête de la démocratie et de la Catalogne, un Grand Soir renvoyant celui de l'Indignation à quantité négligeable.

Judit m'interrogeait aussi sur le Maroc, sur Tanger, sur les remous de la contestation ; je restais évasif. Quand elle m'a demandé si j'étais étudiant, je lui ai répondu que je travaillais, que j'étais libraire, mais que j'envisageais de faire des études. Ce métier de libraire a eu l'air de lui inspirer le respect. Après tout ce n'était pas un mensonge. Une question me brûlait, mais je l'ai gardée pour plus tard, par timidité sans doute, ou peut-être plus simplement parce que j'avais entendu Bassam la poser à Elena juste derrière moi, sous une forme un peu différente, il est vrai : pourquoi avait-elle choisi d'apprendre l'arabe, pour se convertir à l'Islam ? Fort heureusement, Elena n'avait pas compris le style coranique de Bassam, qu'on aurait pu traduire par "souhaites-tu faire acte d'Islam ?", j'ai failli éclater de rire, mais il valait mieux ne pas le vexer ; après tout, il aurait dû être en prière, et à cause de moi il se retrouvait à flirter avec une Espagnole ; on pouvait lui pardonner son arabe prophétique.

Une fois chez Mehdi, assis sur des coussins autour de quatre thés, sans personne d'autre que Mehdi lui-même, plongé dans la lecture de son journal, Bassam s'est un peu retiré de la conversation, pour des raisons linguistiques principalement : il était fatigué de s'époumoner et nous parlions français, ou du moins quelque chose qui s'en rapprochait. Je frimais un peu, en disant que j'avais appris la langue tout seul dans des romans policiers, Judit a eu un air admiratif. J'aimerais pouvoir faire ça avec l'arabe, elle a dit. Il doit bien y avoir des polars arabes, égyptiens sans doute (je ne sais pas pourquoi, j'imaginais Le Caire plus propice à des histoires louches de bas-fonds). Je me suis dit que je pourrais peut-être lui en offrir quelques-uns, ce qui m'a rappelé l'expédition de la veille chez le libraire ; j'ai imaginé que si j'avais rencontré ces filles vingt-quatre heures plus tôt j'aurais trouvé le courage de ne pas participer à cette expédition lâche et foireuse, mais c'était sans doute faux.

Bassam donnait des signes d'impatience, il trépignait et ne souriait plus. Il avait envie de rentrer et moi-même je sentais bien, malgré tout le désir que j'en avais, que ce thé ne pouvait durer éternellement ; Elena bâillait de temps en temps. Judit m'a expliqué qu'elles comptaient rester une journée de plus à Tanger avant de descendre à Marrakech. Une journée, ce n'était pas beaucoup. Il y a plein de choses à voir, ici, j'ai dit, avant de regretter immédiatement ma phrase ; j'aurais eu bien de la peine à en faire la liste.

Fort heureusement, aucune des deux ne m'a demandé en quoi consistaient ces merveilles, et dix minutes plus tard, alors que c'était au tour de Bassam de bâiller à s'en décrocher la mâchoire, alors qu'il paraissait avoir été hypnotisé par le balancement des seins d'Elena au point d'en fermer les paupières, Judit a donné le signal du départ. Je n'ai pas insisté pour les retenir, j'ai même acquiescé c'est l'heure, oui, je travaille demain matin. J'ai expliqué que le lendemain j'installais une table de livres devant la mosquée du quartier, j'ai répété deux fois le nom de la mosquée et celui du quartier, façon Bassam, pour être bien sûr qu'elles aient compris. Passez me voir si vous êtes dans le coin, j'ai ajouté pour plus de clarté. Il y avait très peu de chances qu'elles soient "dans le coin" étant donné l'immense intérêt touristique de notre faubourg, et tout compte fait je n'étais pas si sûr d'avoir très envie qu'elles voient de près le contenu de mes piles de bouquins, mais comprenez qu'il était horriblement frustrant de les laisser partir comme ça, sans rien leur proposer, même indirectement. Judit et Elena logeaient dans un petit hôtel de la vieille ville, nous les avons raccompagnées ; j'aurais aimé leur raconter l'histoire de Tanger, de la citadelle, des ruelles, j'en étais absolument incapable.

Il y a toujours une certaine gêne à dire au revoir, surtout dans une rue silencieuse et désertée, à côté des poubelles d'une pension dont le néon fatigué, au balcon, sous l'enseigne, électrise de temps en temps les traits de pluie fine qui recommencent à tomber. C'est un moment de trop, dont on ne sait s'il devrait s'allonger ou au contraire s'écourter jusqu'à disparaître. Vous allez vous mouiller, a dit Judit. Merci pour la soirée, j'ai soufflé. Bassam a tendu la main à Elena sans relever les yeux vers sa figure ; il valait mieux briser là, ce qui nous attendait c'était la ville luisante et la Diffusion de la Pensée coranique ; la lumière stroboscopique qui tombait par moments sur le visage de Judit figeait ses sourcils, ses lèvres et son menton. À bientôt alors peut-être, j'ai dit. *Ilâ-l-liqâ'*, elle a répondu, c'étaient les premiers mots d'arabe que j'entendais de sa bouche, *Ilâ-l-liqâ'*, sa prononciation était si parfaite, si arabe, que, surpris, j'ai répondu machinalement *Ilâ-l-liqâ'*, et on a pris le chemin du retour.

J'ignore si c'est la pluie qui a réveillé Bassam, mais cent mètres après avoir quitté les filles, il ne s'arrêtait plus de parler. Ah là là, ah là là, quelle soirée, mon vieux, t'as vu ça, dingue, elles sont folles de nous, j'aurais dû insister pour mon histoire de leçons d'arabe, c'est sûr qu'elles nous suivaient, t'as vu comme elle me montrait ses seins, incroyable quand même, je pensais que c'était du flan ton truc de Carmen et d'Inés, on a une sacrée veine. Ah là là.

Le plus étrange était qu'il n'avait pas l'air frustré ni déçu de les avoir ramenées à leur hôtel, il était juste heureux et paraissait se foutre de la pluie comme d'une guigne. Moi au contraire, à moitié trempé – et il nous restait encore trois bons quarts d'heure de marche –, je ressentais un vide terrible, une lassitude, comme si, en me montrant Judit avant de la reprendre, le Destin n'avait fait que décupler ma solitude. À présent, en marchant vers notre quartier, c'était Meryem qui me revenait douloureusement, sa tendresse et son corps ; l'apparition de l'Espagnole ravivait cette absence, me montrait le chemin de mon véritable amour, croyais-je, et plus la réalité de cet unique contact charnel s'éloignait – près de deux ans – plus je pensais réaliser à quel point elle comptait pour moi puisque la présence de Judit, au lieu de susciter immédiatement de nouveaux désirs, m'avait remis en mémoire des détails (parfums, textures, moiteurs) qui se manifestaient sous l'averse : l'incurable mélancolie des couilles. Bassam était remonté comme une horloge, poursuivant ses ah là là là qui m'accablaient. Bassam, ta gueule, j'ai crié. Tais-toi s'il te plaît. Il s'est arrêté net, planté au beau milieu du boulevard sans comprendre. J'ai gueulé c'est toi qui as raison, tu sais ? Il faut qu'on parte, qu'on quitte Tanger, qu'on quitte le Maroc, c'est plus possible, ici.

Il m'a regardé comme si j'étais un demeuré, un débile auquel il faut s'adresser avec douceur.

Alors patiente, a-t-il dit, parce que Dieu est aux côtés des patients.

Il citait le Prophète, avec ironie peut-être. Si Bassam était capable d'ironie. J'avais l'impression d'être complètement saoul, tout à coup, d'une ivresse immense, gigantesque, sans raison aucune. Hier l'expédition avec le Groupe, ce soir Judit. Si tout cela avait un sens, il était particulièrement obscur.

Il pleuvait de plus en plus fort, on a fini par attraper un taxi qui passait par là, ça m'a coûté mes derniers dirhams.

Arrivé à la Diffusion de la Pensée coranique, Bassam s'est remis à prier. J'ai fumé un joint, il m'a fait les gros yeux. Le Cheikh Nouredine n'aime pas ça, tu sais. Il faut que nous soyons purs.

Je lui ai levé un majeur bien senti, ça l'a fait marrer.

Le kif m'a un peu calmé – Judit en boucle dans mes pensées, je revivais la soirée, ses sourires, ses réflexions sur le Maroc, sur le Printemps arabe, sur l'Espagne, je revoyais en gros plan ses yeux noisette, ses lèvres et ses dents. Je me suis précipité sur Internet, je l'ai cherchée sur Facebook, il y avait des quantités de Judit en Catalogne, certaines sans photos, d'autres avec, pas une qui lui ressemblait.

J'ai fini par atterrir sur des pages consacrées à Barcelone, je parcourais la ville, depuis le port jusqu'aux collines, je remontais les Ramblas, cherchais l'université, le stade du Barça, contemplais les façades de Gaudí ; j'ai découvert soudain une tour moderne et étrange au beau milieu de la ville, un gigantesque sexe irisé, un phallus coloré rempli de bureaux qui se dressait face à la mer, un organe disproportionné dont je me suis demandé un instant s'il n'était pas la farce obscène d'un hacker fou ou le fantasme démesuré d'un metteur en scène de porno, comment avait-on pu construire cette tour au centre d'une ville si belle, une insulte, une provocation, un jeu, et ce bâtiment semblait là pour moi, pour me rappeler douloureusement ce que j'avais à la place du cerveau, un présage, peut-être, une obscure balise du Destin, Barcelone était sous le signe de la queue, j'ai éteint l'ordinateur.

Bassam s'était endormi à même les tapis ; il ronflait un peu, sur le dos, un demi-sourire sur le visage, tranquille.

Je me suis couché ; la nuit tournait un peu, il y avait des étoiles filantes au plafond, je me suis endormi.

Les vendredis étaient toujours des journées épuisantes, je devais faire deux ou trois voyages avec un diable pour apporter les livres et les CD, les entreposer d'abord à l'intérieur de la mosquée, déplacer ensuite les tréteaux, puis avec l'aide de quelqu'un les grandes planches, ce qui prenait déjà deux bonnes heures. Il me fallait ensuite installer les livres en jolies piles, après avoir recouvert les tables d'une nappe en papier, et être plus ou moins prêt quand on appellerait à la prière ; le Cheikh Nouredine me donnait un coup de main, puis m'apportait la caisse et les rouleaux de pièces de dix centimes toutes neuves sur lesquelles une abeille butinait tranquillement une fleur de safran.

Je devais bien sûr toujours renouveler mon offre, les clients étant le plus souvent les mêmes. Ce matin-là j'avais apporté un carton de *Sexualité* et un autre d'*Héroïnes*, bien sûr, les piliers de mes ventes, mais aussi de beaux Corans avec commentaires en marge, quelques opuscules de Sayyid Qotb, *La Vie du Prophète* en deux forts volumes, trois titres illustrés pour enfants *(La Prière, Le Pèlerinage, Le Jeûne)* et un joli livre que j'aimais bien, *Les Histoires des prophètes*, des récits depuis Noé jusqu'à Muhammad. Plus quelques versions psalmodiées du Coran en CD et DVD.

Généralement, les clients jetaient un coup d'œil rapide en entrant dans la mosquée et s'arrêtaient plus longuement à la sortie ; pendant la prière et le prône, à part quelques passants il n'y avait personne et de toute façon d'après Nouredine je n'étais pas censé vendre pendant la prière, les musulmans doivent cesser tout commerce.

Le temps était menaçant ; j'avais pris soin de me munir de la grande bâche en plastique pour protéger les bouquins en cas d'averse même si, d'après la météo, il ne devait pas pleuvoir.

Il y avait un peu de monde sur l'esplanade, un adolescent me regardait avec de grands yeux, c'était mon petit frère Yassine, la journée commençait bien. Il portait un sac avec du pain, ça faisait près de deux ans que je ne l'avais pas vu. Il s'est rendu compte que je l'avais aperçu, a détourné la tête, a hésité, s'est éloigné de quelques pas, est revenu en arrière, je l'attendais avec un grand sourire, je lui ai tendu la main par-dessus les livres, il ne l'a pas prise, il m'a juste lâché :

— Tu devrais avoir honte de reparaître par ici.

Ça commençait à bien faire, toute cette histoire parce que je m'étais retrouvé à poil avec Meryem.

— Qu'est-ce que ça peut te foutre, à toi, petit merdeux ?

En entendant les jurons, quelques badauds se sont retournés. Le Cheikh Nouredine, qui était à quelques mètres de là, aussi.

L'attitude de Yassine a soudain changé du tout au tout.

— Tu sais, malgré les malheurs que tu as provoqués, tu manques énormément à maman.

Il avait l'air très ému, tout à coup.

Je ne savais pas trop quoi ajouter.

— Dis-lui qu'à moi aussi, elle me manque.

On n'allait pas non plus se mettre à chialer au-dessus de *La Vie du Prophète* ou de *La Sexualité dans l'Islam*. On s'est regardés un moment sans rien dire, je voulais le haïr, j'avais envie de le serrer dans mes bras, comme quand il était môme, il avait quatorze ans maintenant, je lui ai juste tendu une seconde fois la main, il l'a prise d'un air triste, m'a dit tout simplement à une autre fois, oui c'est ça, à la prochaine, j'avais l'impression que cela signifiait à jamais, bon vent connard, toi tu as maman et même papa, Nour qui vient d'avoir douze ans et Sarah la dernière qui en a deux de moins, tu as tous ces gens autour de toi et même une épicerie qui t'attend les bras grands ouverts, un avenir radieux grâce à moi alors ne me casse pas les burnes, j'avais envie de lui offrir un livre en souvenir, mais il est parti, les gens qu'on veut insulter partent toujours trop vite, ou c'est moi qui ne suis pas assez prompt à l'insulte et à la violence, c'est possible.

Pour l'heure je tremblais en montant et démontant des piles de bouquins, une vraie rage au cœur, sans rien comprendre à rien, comme d'habitude, je ne comprenais pas la démesure de leur haine ; je ne voyais pas qu'il me manquait des pièces, des morceaux du puzzle ; j'imaginais naïvement que tout cela avait à voir avec nos deux corps nus, le mien et celui de Meryem, et rien d'autre, car les hommes sont des chiens, aveugles et méchants, comme mon frère Yassine, comme moi, prêts à la morsure et surtout pas à l'échange, un vendredi midi sur l'esplanade d'une mosquée de banlieue, à Tanger ou ailleurs. Et tout ce que j'ignorais, le Cheikh Nouredine le savait, lui qui, à peine Yassine éloigné, s'est approché de moi, m'a demandé si c'était bien mon frère avec qui je parlais et m'a offert un regard de compassion, une tape dans le dos et quelques versets pour me réconforter. La poitrine serrée et les yeux brûlants, je me sentais de nouveau enfant, enfant prêt à appeler sa mère, cette mère qui me manquait alors que la foule des orants se pressait vers la mosquée, et j'ai réalisé seulement à ce moment-là que je n'avais plus de famille, que j'aurais beau hurler à la mort personne ne viendrait, jamais, jamais plus et que même si mon géniteur ou ma génitrice se trouvaient dans cette foule ils m'ignoreraient, et j'étais tellement tourné vers moi-même, chiard blessé, que j'étais absolument incapable de deviner les vagues de malheur qui s'étaient élevées autour de moi.

J'ai vendu un *Héroïnes de l'Islam* à un type qui l'achetait pour l'offrir à sa femme, je me souviens, il m'a demandé si je pouvais lui faire un paquet-cadeau, il a fait la gueule quand je lui ai répondu que non : pour cinq pauvres dirhams il exigeait un livre *et* un emballage, j'ai eu très envie de lui dire qu'il pouvait se les foutre dans le cul, ses héroïnes, sa pièce et même sa femme, s'il voulait, mais je n'ai pas osé. La révolution n'était pas pour demain.

J'ai écouté le prône qui était retransmis par les haut-parleurs, il était question de la sourate des Gens de la Caverne et des voyages d'Alexandre au pays de Gog et Magog ; l'Imam était savant et pieux, un homme sage peu versé dans la politique ; il énervait au plus haut point le Cheikh Nouredine et nos amis.

J'attendais l'apparition de Judit, j'étais persuadé qu'elle viendrait, il fallait qu'elle vienne. J'espérais qu'elle ait bien retenu l'endroit, le nom du quartier. C'était pour elle que j'avais choisi de me coltiner une pile d'*Histoires des prophètes*, je comptais lui offrir, c'était un beau livre pour quelqu'un qui étudiait l'arabe classique, et pas trop difficile, pensais-je.

Tout le monde est sorti de la mosquée, Bassam le premier ; j'ai vendu quelques bouquins, comme d'habitude, le temps passait lentement, je regardais dans toutes les directions pour voir si elle arrivait, pas trop concentré sur mon travail. Bassam se foutait de ma gueule, il avait bien compris ce que j'espérais.

À deux heures, au moment de ranger, il m'a fallu me rendre à l'évidence : elle ne viendrait pas. La vie est une saloperie, j'ai pensé. Pour toute visite, mon connard de petit frère.

J'ai plié les gaules, la mort dans l'âme. Bassam continuait à se moquer gentiment de moi. Je n'étais pas d'humeur. Le Cheikh Nouredine nous a invités à déjeuner dans un petit restaurant du coin, comme tous les vendredis, avec le reste des "membres actifs" du Groupe ; je les ai écoutés parler politique, Révolutions arabes, etc. C'était amusant de voir ces conspirateurs barbus en train de se lécher les doigts ; le Cheikh avait étalé sa serviette sur sa poitrine, un coin dans le col de la chemise, pour ne pas se tacher – la sauce au safran, ça ne pardonne pas. Un autre tenait sa cuillère à pleine main comme un gourdin et bouffait à dix centimètres de l'assiette, pour avoir le moins de chemin possible à parcourir : il engouffrait la semoule dans sa gueule grande ouverte comme du gravier dans une bétonnière. Bassam avait déjà terminé, deux larges traits jaunâtres lui agrandissaient la bouche jusqu'au milieu des joues et il suçait avec passion un dernier os de poulet. Les barbes prophétiques fleurissaient de grains de semoule, se maculaient d'une averse de neige dorée, et il fallait ensuite les épousseter comme des tapis.

Je suivais vaguement, de loin, la conversation sans y participer : je savais que, comme chaque vendredi, ils allaient revenir sur le prêche de l'Imam détesté, qu'ils allaient finir par traiter de *mystique*, en français (pour le Cheikh Nouredine, *mystique* était une insulte encore plus grave que *mécréant* ; j'ignore pourquoi, mais il disait toujours *mystique* tel quel, dans la langue de Voltaire, peut-être à cause de la ressemblance avec *moustique* ou *mastic* ; les soufis ou soupçonnés tels étaient sa bête noire, presque autant que les marxistes). Effectivement, la conversation tournait autour de la Caverne, et de son commentaire ; l'un demandait pourquoi l'Imam n'avait pas insisté sur les premiers versets, sur l'attaque contre les chrétiens et le fait que Dieu n'avait pas de fils ; l'autre s'inquiétait de l'emphase mise sur le personnage du chien, le gardien des sept dormants, qui les veille pendant leur sommeil ; un troisième trouvait qu'il y avait tout de même des sujets plus urgents à traiter que le pays de Gog et Magog et Alexandre le Cornu. Le Cheikh Nouredine trancha la discussion, il cracha *Mistik! Mistik! Kullo dhalik mistik!* ce qui réjouit tout le monde.

Je n'arrivais pas à m'intéresser à autre chose qu'à Judit. Elle n'était pas venue. Comment la revoir ? *A priori* si les deux filles suivaient le planning prévu, du moins celui que j'avais cru comprendre la veille, demain elles quittaient Tanger pour Marrakech. Une idée : je pouvais toujours passer à leur hôtel. Laisser un mot, qui sait, avec un mail et un téléphone ; j'avais un portable au crédit éternellement épuisé, mais à même de recevoir des appels. Mieux encore : lui apporter le livre (ou même plusieurs livres, tant pis pour le poids dans son sac à dos – je l'imaginais avec un sac à dos, emblème de la jeunesse européenne, plutôt qu'avec une valise à roulettes) et à l'intérieur le mot susdit. Jusqu'ici je n'avais jamais rien pris dans le stock, je lisais les bouquins qui m'intéressaient, c'est tout. Je ne pensais pas que le Cheikh Nouredine s'offusquerait pour quelques exemplaires manquants, après tout le but de l'association était la diffusion de la pensée coranique, j'œuvrais donc dans le bon sens.

Je ne voulais pas m'abaisser jusqu'à attendre toute la soirée devant leur pension qu'elles apparaissent. Il fallait que je sois ferme là-dessus, même si la tentation était grande. Le déjeuner me paraissait interminable.

En puis finalement le Cheikh s'est levé, entraînant tout le monde à sa suite ; je l'ai remercié, il m'a souri chaleureusement, j'en ai profité pour lui demander s'il pouvait m'avancer deux cents dirhams sur mon salaire du mois prochain, il m'a répondu même cinq cents si tu en as besoin, c'est pour quoi faire ? Je ne voulais pas lui mentir, je lui ai dit c'est pour faire un cadeau à une amie, et l'inviter à manger une glace, j'avais l'impression d'être un enfant, un adolescent qui demande à ses parents le prix d'une place de cinéma pour acheter des clopes, il avait l'air très heureux de ma franchise, il m'a dit aucun problème, si c'est pour une noble cause, et m'a sorti cinq billets de cent, je n'en demandais pas tant, c'était une fortune, la moitié de mon salaire. Tu fais bien ton travail, tu es l'un des nôtres, tu étudies beaucoup, tu as aussi le droit de te divertir. J'ai aimé cette amitié presque fraternelle, j'ai eu honte tout à coup de la trahir, d'une façon ou d'une autre. Bassam me regardait avec envie, le Cheikh Nouredine avait sorti ces billets sans se cacher, lui il avait droit à un autre genre de salaire, celui de la violence et du danger.

À partir du vendredi soir et jusqu'au dimanche, j'étais en week-end ; je n'avais à répondre de mon emploi du temps devant personne. Ma gratitude envers le Cheikh Nouredine disait beaucoup de ma naïveté, pour ne pas dire de ma connerie. J'avais la pensée engluée dans la confiture d'eau de rose. Comme dit le proverbe espagnol : *un poil de con est plus solide qu'un fer à béton.* Je suis repassé à la Diffusion en même temps que tout le monde, ils se préparaient pour une réunion dont j'étais dispensé, tant mieux ; une fois n'est pas coutume, au lieu de s'installer tranquillement sur les tapis, ils se sont enfermés dans le petit bureau du Cheikh, avec des airs de conspirateurs. Je supposais bien que cela avait à voir avec l'attentat dont m'avait parlé Bassam hier, mais j'étais incapable d'imaginer qu'il pouvait s'agir d'une action réelle, et encore moins de la violence la plus cynique et paranoïaque. Le fait que le Groupe pour la Diffusion de la Pensée coranique ait pignon sur rue garantissait, croyais-je, qu'il maintienne ses activités dans les limites (lâches, il est vrai) de la loi.

J'ai pris trois livres que j'ai assez minablement emballés dans du papier journal (mais bon, le canard aussi était en arabe, hein, ça allait avec le thème) et je suis sorti. J'avais pris soin de mettre un polar dans ma poche ; si les filles n'apparaissaient pas, je passerais ma déception à claquer le pognon du Cheikh en lisant et en éclusant des bières.

Et je suis parti vers leur hôtel, bien décidé finalement à faire le pied de grue devant cette pension jusqu'à ce qu'elles apparaissent. Comme quoi, je n'avais aucune force morale.

Cette nuit-là, alors que j'avais passé la fin de l'après-midi et la soi-rée avec Judit, alors que j'étais certes triste de l'avoir laissée à nou-veau mais surtout heureux de l'avoir revue, j'ai eu mon premier cauchemar, enfin mon premier vrai cauchemar de l'âge adulte. Pas un rêve érotique qui m'aurait permis de retrouver celle que je venais de quitter mais un songe atroce, où apparaissait mon petit frère aperçu le matin même, des visions infernales qui allaient se répéter plus ou moins à l'identique jusqu'à aujourd'hui ; la matière du rêve varie peu, sa forme est plus mouvante – la violence, la couleur, les images de la peur persistent, on ne s'y habitue jamais, malgré la fréquence : la pendaison, qu'on me pende moi-même ou que je tombe sur un corps pendu encore gigotant ; la mer parcourue soudain d'un courant rouge de plus en plus épais qui finit par me noyer alors que je me baigne ; le viol, où des vieil-lards squelettiques me forcent en riant sans que je puisse bouger ou crier, toutes ces scènes interrompues à leur point culminant par un réveil essoufflé ou se poursuivant au contraire éternelle-ment, la longue agonie de la contemplation d'un cadavre fami-lier flottant dans l'air, la nage éperdue dans des vagues de sang : celles qui ont été témoins de mon sommeil me racontent que je peux gémir longtemps, recroquevillé les bras contre la tête ou me tourner et me retourner en poussant des cris étouffés. L'ordre des séquences peut varier, certaines s'absenter quelque temps puis revenir, à l'improviste, sans que je n'aie jamais réussi à com-prendre la raison de leur réapparition.

Je me suis réveillé au milieu de la nuit avec ces images et un instant, dans le noir, j'ai prié mentalement, mon premier réflexe contre la peur a été la prière, implorer Dieu et j'aurais tout donné pour qu'il y ait quelqu'un à mes côtés, avant de chasser, en allumant la lumière, les représentations mentales pour les remplacer par les objets familiers de ma chambre minuscule. J'ai mis longtemps à me calmer. Je me suis raccroché au visage de Judit. Elle m'avait promis qu'elle repasserait par Tanger au retour, dans cinq jours, qu'elle m'écrirait des mails pour me raconter son voyage. Le rêve terrifiant s'effaçait peu à peu avec le souvenir de Judit. Je les aurais bien accompagnées à Marrakech, je n'y étais jamais allé. C'était étrange de penser qu'elles allaient mieux connaître mon pays que moi. Mais était-ce vraiment mon pays ? Mon pays c'était Tanger, c'est du moins ce que je croyais ; mais au fond, j'avais pu m'en rendre compte dans l'après-midi, le Tanger de Judit ne coïncidait pas avec le mien. Elle voyait la ville internationale, espagnole, française, américaine ; elle connaissait Paul Bowles, Tennessee Williams ou William Burroughs, autant d'auteurs dont les noms, lointains, m'évoquaient vaguement quelque chose, mais dont j'ignorais tout. Même Mohamed Choukri, figure tangéroise, je voyais de qui il s'agissait, mais je n'en avais bien sûr jamais lu une ligne. J'ai été très surpris d'apprendre qu'on étudiait ses romans en littérature arabe moderne à l'université de Barcelone. En parlant avec Judit de Tanger, j'avais l'impression d'évoquer une ville différente, deux images, deux territoires étrangers reliés par un même nom, une erreur d'homophonie. Sans doute Tanger n'était ni l'un ni l'autre, ni les souvenirs des temps révolus de la ville internationale, ni ma banlieue, ni Tanger Med ou la Zone Franche. Toujours est-il qu'avec Judit et Elena, en me promenant tout l'après-midi et bonne partie de la soirée, après leur être pratiquement tombé dessus par hasard à deux cents mètres de leur hôtel, mon paquet sous le bras, j'avais l'étrange sensation d'être dépossédé. Finalement c'était Judit qui m'expliquait l'histoire de la vieille ville, par exemple ; c'était elle qui savait, qui cherchait des lieux, des traces, des souvenirs ; c'est elle, enfin, qui m'a offert un exemplaire en arabe du *Pain nu* de Choukri, dans une librairie au hasard de la promenade. J'essayais de montrer que je savais des choses, moi aussi ; j'essayais d'être drôle, au moins, d'avoir l'air intelligent, mais le peu d'agilité de mon français à l'oral et son ignorance totale du marocain me rendaient pataud, un peu brutal, sans nuances ; j'avais l'impression de passer parfois franchement pour un débile. Alors je m'évertuais à essayer de communiquer en arabe classique, là je pouvais briller, mais même si elle comprenait plutôt pas mal et prononçait très bien, j'avais un peu la sensation de parler comme un journaliste de radio ou un prêcheur du vendredi, ce qui retirait à mes blagues tout naturel et spontanéité. Essayez d'avoir l'air marrant et séduisant en arabe littéraire, c'est pas du tout cuit, je vous assure ; on croit toujours que vous êtes sur le point d'annoncer une nouvelle catastrophe en Palestine ou de commenter un verset du Coran. Pourtant, Judit paraissait s'intéresser à moi ; elle me posait des questions sur ma famille, je lui ai raconté que mon père était rifain, qu'il venait d'un village à côté de Nador et que ma mère était arabe, de Tanger, qu'elle avait grandi à Casa Barata. Je n'avais aucune envie de m'étendre sur le sujet, mais il fallait bien en passer par là. Nombre de frères et sœurs. Études, lycée. Goûts, loisirs. Religion. Évidemment, problème ; comment dire que j'étais musulman pratiquant, sans passer pour un ennemi des femmes occidentales, plutôt rétrograde. Il y avait l'option Bassam, qui consistait à chanter les louanges de l'Islam pendant des heures jusqu'à obtenir la conversion ou la mort d'ennui de l'Infidèle. J'ai opté pour sortir une banalité du genre "La Foi est dans le cœur de chacun" ou "Toutes les choses chantent les louanges de leur Créateur", ce qui sonnait bien et moins pompeux en arabe, et changer de sujet. Judit a acquiescé. Elena devait encore avoir dans la tête son interminable discussion avec Bassam la veille et m'en a su gré. Elle ne parlait d'ailleurs pas beaucoup, et il fallait que je sois attentif à ce que ma passion pour son amie ne l'exclue jamais de la conversation. Fiancée, copine ? Au moins aussi difficile que le sujet précédent ; j'ai repensé à Meryem un instant, j'ai dit plus pour le moment, ce qui laissait entendre que j'avais une certaine expérience des femmes tout en étant disponible. Malin.

Ça a été mon tour de poser des questions, et surtout celle qui m'intéressait le plus : pourquoi l'arabe ? Pourquoi des études d'arabe ? Mis à part le fait que professionnellement une telle spécialité me paraissait offrir peu de débouchés, je me demandais pourquoi bon Dieu de jeunes Catalanes de Barcelone s'engageaient dans une voie certes généreuse, mais qui était exactement à contre-courant du désir de la majorité des habitants du Monde arabe : se défaire de cette malédiction injuste et émigrer vers le nord. Judit s'est facilement expliquée sur ce choix ; elle avait toujours aimé les voyages et la littérature ; elle avait commencé des études d'anglais, et profité de la possibilité de prendre quelques cours d'arabe en option, pour voir ; finalement, la langue l'avait fascinée et elle en avait fait sa spécialité. Tout simplement. Elena quant à elle ne voyait pas vraiment quoi répondre ; elle disait je ne sais pas trop, comme ça, par hasard.

Je n'ai pas osé poser l'autre question qui me brûlait, savoir si elles avaient ou non un copain.

Puis la conversation est retournée à la littérature ; Ibn Batouta, le voyageur tangérois médiéval qui parcourut presque tout le monde connu jusqu'à la Chine (celui-là, je le connaissais, sans l'avoir lu bien sûr – trente ans de caravanes pour terminer à Fès, c'était bien la peine).

— Il est certes surprenant que Tanger soit avant tout fameuse pour ceux qui l'ont quittée, ai-je dit dans mon plus bel arabe littéraire.

— Par Dieu, voilà qui est étrange, a ajouté Judit en riant dans la même langue.

— Ibn Batouta commença ses voyages à vingt-deux ans, par conséquent, il ne me reste que peu de temps pour me résoudre au renom.

Et ainsi de suite, pendant des heures. Et lorsque j'ai dû la quitter, aux environs de minuit, après avoir dîné, avoir bu un thé chez Mehdi, puis un autre, sachant que le lendemain elles partaient pour Marrakech, qu'il y avait peu de chances que nous nous revoyions, malgré sa promesse de s'arrêter à Tanger au retour, quand il a fallu affronter comme la veille ce moment si embarrassant des au revoir, pour ne pas dire des adieux, alors que je m'étais demandé tout l'après-midi si je n'essayerais pas d'embrasser Judit, avec désinvolture, de poser mes lèvres sur les siennes et que nous étions là, Elena un peu en retrait, un peu effacée dans l'ombre de la saillie du balcon où clignotait toujours cet infect néon, à cet instant précis où les gens se regardent avec tendresse puisqu'ils s'en vont vers l'absence et le souvenir, quand le désir pointe d'autant plus aigu qu'il devine sa vanité face au départ

65

de son objet, nous étions l'un en face de l'autre en silence, et j'étais incapable de rien faire sinon de m'en aller, tout pris dans le flot de mes pensées romantiques de bazar, il était temps d'être un homme, d'avancer vers elle comme un homme et de l'embrasser sur la bouche puisque c'était cela dont j'avais envie, cela dont je rêvais, et si nous ne faisons pas d'effort vers nos rêves ils disparaissent, il n'y a que l'espoir ou le désespoir qui changent le monde, en proportion égale, ceux qui s'immolent par le feu à Sidi Bouzid, ceux qui vont prendre des gnons et des balles place Tahrir et ceux qui osent rouler une pelle dans la rue à une étudiante espagnole, évidemment ça n'a rien à voir mais pour moi, dans ce silence, ce moment perdu entre deux mondes, il me fallait autant de courage pour embrasser Judit que pour gueuler Kadhafi! Enculé! devant une jeep de militaires libyens ou hurler Vive la république du Maroc! seul au beau milieu du Makhzen à Rabat, et cet instant s'étirait, nous venions de nous dire au revoir et c'est elle bien sûr qui a fini par approcher son visage du mien et poser un baiser ambigu, déroutant, sur un coin de ma bouche, un baiser qui pouvait passer à la fois pour une maladresse et un gage, toujours est-il que j'ai senti son haleine de si près, et la douceur de ses lèvres, que je me suis retourné comme un soldat de plomb après avoir serré un moment ses deux mains dans les miennes et que je suis parti presque en courant retrouver le monde des cauchemars.

Le doute au cœur. La certitude au cœur.

La Diffusion de la Pensée était déserte, pas de trace de Bassam.

Je me suis mis immédiatement devant l'ordinateur, j'ai sorti le morceau de journal où elle m'avait recopié son adresse mail, je lui ai écrit une longue lettre enflammée que j'ai effacée petit à petit, morceau par morceau, pour ne finir par laisser que "Bon voyage! Je t'embrasse et à très bientôt j'espère!" Je lui ai envoyé le même message par Facebook, Judit Foix ; il n'y avait malheureusement pas de photo sur son profil.

Elles prenaient le train le lendemain à sept heures et demie pour Marrakech, où elles parviendraient après dix heures de chemin de fer et un changement à Casa ; j'ai supposé qu'elles seraient à l'hôtel vers sept heures du soir, Judit ne se connecterait peut-être pas tout de suite, il lui faudrait le temps de trouver un webcafé ou le wifi, je ne pouvais donc pas attendre de réponse avant, au mieux, vingt et une heures. Si elle me répondait. J'ai hésité à prendre le train moi aussi pour les accompagner à Marrakech ; le billet valait deux cents dirhams, peut-être un peu moins en bus, mais ensuite il me fallait payer l'hôtel, manger, je ne connaissais personne là-bas, l'avance du Cheikh Nouredine aurait duré deux jours. Et surtout j'avais peur de gâcher, par une pression trop forte, le peu que j'avais pu gagner. Il fallait juste être patient. Lui écrire, et encore, pas trop.

Le lendemain, après une nuit atroce entrecoupée de cauchemars, de pendus et de vagues de sang je suis allé jusqu'au bord de la mer ; j'ai passé grande partie de la journée à lire un polar, assis sur un rocher ; un beau soleil d'avril réchauffait la digue. J'ai réussi à me concentrer sur ma lecture ; par moments je levais les yeux de la page pour observer les ferries, au loin, entre le nouveau port, Tarifa ou Algésiras.

Dans la soirée j'ai regardé la télé espagnole, zappant entre les chaînes andalouses et les nationales, en essayant d'être attentif à la langue, de m'en imprégner ; personne du Groupe n'a reparu, ni Bassam ni le Cheikh Nouredine. J'ai regardé Dieu sait combien de fois mes messages, pas de nouvelles de Judit ; j'ai fini par me coucher et même par trouver le sommeil.

Nuit agitée ; cauchemars ; toujours l'image de ce pendu. Au lever, un mot de Judit ; elle me dit que Marrakech est merveilleuse, bruissante, mystérieuse et animée. Le voyage en train était très agréable, le Maroc est un pays magnifique. Elle m'embrasse fort aussi et à très vite.

J'ai répondu immédiatement.

Je ne me souviens plus de mes faits et gestes ce jour-là, comme si l'événement trop lumineux, trop bruyant de la soirée laissait les autres dans l'ombre, à contre-jour. J'ai dû faire comme d'habitude, lire, me promener un peu, passer du temps sur Internet.

À sept heures et demie du soir, j'étais devant la télévision ; j'ai vu des photographies d'un café détruit, éventré, des tables brisées, des chaises éparpillées ; des images de la place Jamaâ el-Fna à moitié déserte, sauf dans un angle, où des badauds étaient rassemblés face à un cordon policier ; des ambulances et des voitures de pompiers allaient et venaient toutes sirènes hurlantes et au premier étage se trouvaient une terrasse et un toit ruiné, une enseigne à demi arrachée sur laquelle on pouvait lire, en français et en arabe, *Café Argan*. Les sous-titres de la chaîne espagnole d'information continue disaient *Atentado en Marrakech : al menos 16 muertos*. J'ai passé la soirée entre l'écran et Internet, pour essayer d'en savoir plus – vers dix heures j'étais rassuré, il n'y avait aucun Espagnol parmi les victimes, majoritairement françaises. Il s'agissait bien d'un attentat à la bombe, pas d'un kamikaze comme on l'avait cru au départ, disaient les sites d'information en ligne. Sur une photo, particulièrement atroce, le cadavre d'un homme était étendu parmi les décombres ; ce cliché était sur toutes les pages web. Les terroristes n'avaient pas encore été arrêtés ; des policiers français et espagnols viendraient prêter main-forte à leurs collègues marocains. Le Président Sarkozy a présenté ses condoléances aux familles ; le Roi aussi.

Même si j'étais tranquillisé pour Judit, j'étais terrifié par ces images. Les chiffres sont arrivés dans la nuit, seize morts dont huit Français. Une catastrophe pour le Maroc, selon les journaux. Les touristes étaient déjà moins nombreux à cause de l'agitation politique, ce massacre n'allait pas les encourager à revenir. Il me semblait assez indécent de parler d'économie quand tous ces gens étaient morts.

Confusément, j'espérais que Bassam n'avait rien à voir dans tout ça. Il n'était toujours pas repassé à la Diffusion ; ni lui ni le Cheikh ni personne. Je me suis rappelé ses phrases de l'avant-veille, un attentat, frapper les esprits, pousser à la confrontation – impossible.

J'ai écrit un nouveau mail à Judit, en lui demandant de ses nouvelles ; elle m'a répondu presque immédiatement, pour me dire qu'elles allaient bien, qu'elles se trouvaient sur la place quand l'explosion a eu lieu, mais assez loin, elles ont eu très peur, sont assez choquées et se demandent si elles ne vont pas rentrer directement. Les parents d'Elena sont très inquiets, ils pensent qu'il risque d'y avoir d'autres attentats et enjoignent à leur fille de quitter le Maroc immédiatement. Elles n'allaient donc peut-être pas repasser par Tanger pour prendre l'avion comme prévu.

Petite compensation : le message finissait par je t'embrasse, je pense à toi. Ma poitrine s'est serrée en lisant ces mots.

C'était dimanche, je suis allé à la terrasse d'un café place de France ; tout le monde parlait de l'attentat, en pensant, sans doute, que nous avions nous aussi une chance d'exploser. Je me suis demandé si cet homme allongé mort à la terrasse du café avait senti quelque chose, s'il avait compris ce qui se passait avant que tout s'obscurcisse dans le tonnerre.

— C'est bien la première fois que je vois quelqu'un lire une Série Noire dans un café à Tanger.

La voix venait de derrière moi et elle parlait français. Je me suis retourné, un homme chauve d'une cinquantaine d'années me souriait.

— C'est amusant comme coïncidence, je collectionne les polars, il a ajouté.

J'ai cru un moment qu'il voulait me draguer ou m'acheter celui que j'avais dans les mains, *La Position du tireur couché*, mais non, il cherchait seulement à savoir où je l'avais trouvé. J'ai hésité à lui répondre, pour de nombreuses raisons. On a bavardé cinq minutes ; ça m'a fait plaisir de parler de mes auteurs préférés, de Pronzini, de McBain, de Manchette, d'Izzo, d'oublier les images du corps allongé et des tables renversées du *Café Argan*. Le type était sur le cul de découvrir qu'un jeune Marocain pouvait connaître ces livres.

— C'est une de mes passions, j'ai expliqué. J'ai appris le français en les lisant.

Jean-François habitait Tanger depuis quelques mois ; il dirigeait une succursale d'une entreprise française installée dans la Zone Franche. La ville lui plaisait : si en plus il y avait un bouquiniste susceptible de le fournir en vieux romans policiers, il serait comblé.

Je lui ai donné l'adresse du libraire en lui expliquant que je n'étais pas sûr qu'il soit ouvert, mais si c'était le cas il y trouverait son bonheur. Il m'a remercié, puis il m'a demandé si je savais me servir d'un ordinateur. J'ai répondu bien sûr.

— Et tu tapes vite ?

— Bien sûr.

— Avec combien de doigts, deux ?

— Plutôt quatre.

Il m'a dit écoute, j'ai peut-être un boulot à te proposer. Mon entreprise travaille pour des maisons d'édition françaises. Nous numérisons une partie de leurs catalogues. On est toujours à la recherche d'étudiants qui sachent bien le français et aiment les livres.

Hier l'attentat, avant-hier Judit et aujourd'hui un job dans la Zone Franche. J'ai repensé à la première phrase de *Bavardages sur le Nil* de Mahfouz : "C'était en avril, mois de la poussière et des mensonges." L'idée de pouvoir quitter un peu la Diffusion de la Pensée coranique était plus que tentante. J'ai expliqué à Jean-François que je travaillais dans une librairie religieuse, mais que j'avais du temps libre. Il a eu l'air impressionné.

— Quel âge as-tu ?
— Presque vingt ans, j'ai répondu.
— Tu fais plus.
— C'est les cheveux blancs.

Depuis quelques mois j'avais des traits blancs au-dessus des tempes. En même temps, si j'avais réellement paru plus âgé, il ne m'aurait pas posé la question ; il devait y avoir dans mon visage quelque chose d'enfantin encore, contredit par le regard et les traces blanches.

— Viens me voir au bureau lundi entre quatre et cinq, et on parlera.

Il m'a donné l'adresse avant de quitter le café. J'ai regardé *La Position du tireur couché* devant moi. Les polars étaient des choses puissantes. Je me suis demandé comment on traduirait الله أعلم en français. Dieu en sait plus que nous ? Dieu seul connaît la Destinée ?

J'ignorais qu'il me restait juste quatre mois à passer ici ; je ne savais pas que bientôt je partirais pour l'Espagne, mais j'entrevoyais la force du Destin, la puissance de l'enchevêtrement des séries causales invisibles qu'on appelle Destin. En rentrant à la Diffusion, à la tombée de la nuit, le monde me paraissait en flammes ; le Maroc, la Tunisie, la Libye, la Syrie, la Grèce, l'Europe entière, tout brûlait ; tout ressemblait à ces images de Marrakech que la télévision diffusait en boucle, un café détruit, des chaises renversées, des cadavres. Et au milieu de tout cela, l'ahurissante ironie d'un amateur de polars qui m'offrait du travail sans même me connaître, juste parce qu'il avait vu que je lisais Manchette. Et Meryem. Et Judit. Et Bassam, avec sa trique. Et le pire, qui est toujours à venir.

Le lundi midi, il n'y avait personne à la Diffusion, et j'étais à présent à peu près sûr qu'ils avaient quelque chose à voir avec l'attentat de Marrakech. On pourrait se moquer de moi, dire que j'étais particulièrement naïf, mais imaginons une seconde que vos voisins de palier, votre patron et votre meilleur ami se trouvent impliqués dans un acte terroriste ; vous n'y croiriez pas un instant ; vous regarderiez autour de vous, lèveriez les bras en signe d'impuissance, balanceriez le chef pour dire non, non, je connais ces gens, ils n'y sont pour rien. Dans ma tête il y avait un monde entre le tabassage des ivrognes du quartier et l'organisation, à sept cents kilomètres de là, de la mort de seize personnes dans un café. Pourquoi Marrakech ? Pour préserver leurs positions à Tanger ? Pour frapper la ville la plus touristique du Maroc ? Où avaient-ils trouvé les explosifs ? Bassam était-il au courant, depuis des semaines peut-être ? Une action comme celle-ci ne se prépare pas du jour au lendemain, croyais-je. Et j'imaginais Bassam trop franc, trop direct pour me cacher longtemps une histoire aussi incroyable. Il avait dû l'apprendre le soir où il m'en avait parlé.

Ils avaient assassiné, peut-être, des inconnus ; ils avaient même failli tuer Judit, qui sait. Ils avaient tabassé mon libraire préféré ; ils m'avaient offert le gîte, le couvert et une éducation. Ma chambre était trop petite, les commentaires du Coran, les grammaires, les traités de rhétorique, les Dits du Prophète, ses Vies, mon étagère de polars : ces livres magnifiques me bouchaient la vue. Où étaient-ils, tous les membres du Groupe ? À midi, j'ai appelé le Cheikh Nouredine et Bassam sur leurs portables depuis notre téléphone : pas de réponse. J'ai eu la sensation que personne ne reviendrait plus, que ce bureau avait fait son temps, qu'ils m'avaient laissé, moi, ingénu, pour recevoir les coups et la police. Voilà pourquoi le Cheikh m'avait donné si facilement cinq cents dirhams. Je n'allais revoir personne. Aucun d'entre eux. Rester avec mes livres jusqu'à ce que les flics arrivent. Non, j'étais paranoïaque à mon tour ; impossible. J'avais tellement lu de polars où le narrateur se rend compte qu'il a été joué, utilisé par les truands ou par les forces de l'ordre que je me voyais, seul représentant du Groupe pour la Diffusion de la Pensée coranique désert, attendre tranquillement les flics et finir par être torturé à la place des barbus.

Le bureau du Cheikh Nouredine n'était pas fermé à clé. Pendant un moment je me suis dit que j'étais en train de me monter le bourrichon tout seul, qu'ils allaient apparaître à l'instant, me confondre et se foutre de ma gueule jusqu'à la fin des temps.

La caisse de la librairie était là, sur la table, personne ne l'avait vidée depuis des semaines, il y avait peut-être deux mille dirhams.

J'ai trouvé d'autres billets dans une sacoche en cuir, des euros et des dollars, en tout dix ou quinze mille dirhams, je n'en croyais pas mes yeux.

Sinon tout était vide, les agendas avaient disparu, les contacts, les carnets de commandes, les registres, les activités, les affaires du Cheikh Nouredine, plus rien. Même son ordinateur personnel n'était plus là. Il ne restait que l'écran.

J'étais tout seul au milieu de dizaines, de centaines de bouquins dans leurs plastiques.

J'ai fait un tour de quartier, pour voir si je ne croisais pas une tête connue qui appartienne au Groupe ; personne. Je suis passé chez Bassam, à deux pas de chez mes parents, je suis tombé sur sa mère et lui ai demandé si elle savait où il était ; elle m'a jeté le genre de regard que l'on réserve aux mendiants contagieux, a grommelé une malédiction et a claqué la lourde, avant de la rouvrir pour me tendre une vieille enveloppe salie, avec mon nom dessus – l'écriture de Bassam. J'ai jeté un coup d'œil à la missive, elle ne datait pas d'aujourd'hui ; apparemment un vieux truc qu'il n'avait jamais posté, faute de savoir où l'envoyer. Sa mère a refermé la porte sans ménagement ni explication supplémentaire.

À seize heures j'avais rendez-vous dans la Zone Franche avec Jean-François pour ce nouveau travail ; je voulais me changer, me faire beau autant que possible, j'avais l'impression que le monde partait en morceaux. En retournant à la Diffusion, j'ai cru voir deux types louches qui tournaient autour de nos locaux ; des flics en civil, qui sait. J'ai regardé mes mails, il y avait un message de Judit, elle m'écrivait que finalement elle repassait à Tanger comme prévu, mais seule ; elle n'avait pas les moyens de prendre un nouveau billet pour Barcelone ; elle serait là un peu avant la date prévue, après-demain, disait-elle, après avoir mis Elena dans l'avion.

Cette nouvelle m'a réchauffé le cœur, même si j'étais un peu blessé qu'elle prenne cette décision non pas pour me revoir plus vite ou plus longtemps, mais pour de tristes raisons financières.

J'ai fait mon choix, sans attendre l'issue de l'entretien de l'après-midi. Tout le fric qu'il pouvait y avoir dans le bureau du Cheikh Nouredine, je l'ai rassemblé, même les pièces de dix centimes. J'avais près de quinze ou vingt mille dirhams en devises et en pièces. Plus de cash que personne n'en avait jamais vu, j'aurais pu aller en taxi jusqu'à la banlieue de Nador chercher Meryem, dire j'emporte cette jeune femme, voici dix mille dirhams pour votre peine, personne n'y aurait trouvé à redire.

C'était en avril, mois de la poussière et des mensonges.

J'ai rassemblé mes affaires, la centaine de polars prenait une place pas croyable, j'ai vidé des colis que nous venions de recevoir d'Arabie pour les y mettre : en tout, avec le *Kashshâf, Les Histoires des prophètes*, le dictionnaire, les livres que j'aimais, il y avait trois gros cartons ; mes quelques vêtements étaient répartis dans chacune des caisses ; en plus j'emportais l'ordinateur portable de la Diffusion, l'écran, le clavier et deux ou trois trucs que je devais conserver.

Un vrai déménagement, et nulle part où aller.

Quand tout a été prêt, je suis parti pour la Zone Franche en autobus ; j'ai laissé toutes mes affaires à la Diffusion, pris seulement le pognon et l'ordinateur portable, ça faisait important, un ordinateur portable. J'imaginais que Jean-François ne se souviendrait pas de moi, ou alors que les secrétaires (Marocaines très brunes, jupes courtes, collants noirs, belles jambes, mépris dans le regard et la voix) ne me laisseraient jamais accéder à leur patron, mais non, dix minutes après mon arrivée dans l'entreprise je serrais la main de Jean-François ; il me vouvoyait maintenant, il a dit tiens, voilà monsieur l'ami de la Série Noire, et du coup les femmes en bas noirs et minijupes ont commencé à considérer le jeune plouc qui venait d'arriver comme un être humain ; le patron a disparu très vite, on m'a enfermé dans une pièce minuscule qui jouxtait le bureau du directeur, un Français est apparu, il m'a tendu un livre ; il m'a dit bon voilà, notre métier c'est faire de ces choses des objets informatiques, recopiez-moi deux pages de ce bouquin sur cet ordinateur. J'ai pris l'objet, l'ai posé sur un lutrin, et j'ai recopié pendant que le Français regardait sa montre, un gros chronomètre brillant, au bout des deux pages j'ai dit ok, ça y est, il a répondu pas mal dites donc, vous avez du nerf, laissez-moi jeter un coup d'œil, ma foi c'est drôlement bien, attendez une seconde. Jean-François a réapparu, l'autre l'appelait monsieur Bourrelier, il a dit pour moi c'est bon monsieur Bourrelier, aucun problème, Jean-François m'a regardé en souriant, il a dit je savais que c'était un bon élément, voyez les détails ensemble, Frédéric.

Frédéric a rappelé la secrétaire, elle m'a pris mes papiers, qu'elle a photocopiés ; Frédéric m'a demandé quand je pouvais commencer, j'ai réfléchi une seconde : si Judit arrivait demain à Tanger j'aurais envie de passer du temps avec elle. Lundi prochain? Ça me va, a répondu Frédéric. Vous êtes payé à la page, 2 000 signes, 50 centimes d'euro. Ça veut dire à peu près 100 euros pour un livre moyen. Ensuite on vous décompte les corrections, à 2 centimes pièce. En recopiant 20 livres par mois, ça vous fait 2 000 euros, plus ou moins, si le travail est bien fait.

J'ai fait un calcul rapide : pour arriver à 20 livres par mois, disons 200 pages par jour, il fallait recopier 25 pages en 60 minutes. Une page toutes les deux minutes, plus ou moins. Ce Frédéric était un optimiste. Ou un esclavagiste, c'est selon.

— Ce ne serait pas plus simple de scanner les livres?

— Pour certains, non. Ceux dont le papier est un peu transparent, c'est presque impossible, on obtient n'importe quoi. L'OCR n'y comprend rien, et puis il faut démonter le bouquin, remettre en page, corriger, en fin de compte ça revient plus cher.

J'avais l'impression qu'il parlait chinois, mais bon, il devait savoir ce qu'il faisait.

— Est-ce que je peux emporter le travail à domicile?

— Oui, bien sûr. Mais vous devez travailler ici au moins cinq heures par jour, pour des raisons fiscales.

— C'est d'accord.

La secrétaire m'a fait signer un contrat, le premier de ma vie.

— Bon, eh bien à lundi. Bienvenue chez nous.

— À lundi, oui. Et merci.

— Merci à vous.

Je suis passé saluer Jean-François, il m'a serré la main en me disant à la semaine prochaine, alors.

Et je suis rentré à Tanger. Sur le trajet, la mer brillait.

Demain Judit arrivait. Dans quinze jours j'avais vingt ans. Le monde était un étrange mélange d'incertitude et d'espoir.

Dans le journal, toujours aucune nouvelle des auteurs de l'attentat de Marrakech.

Il était donc près de sept heures quand je suis arrivé dans le quartier ; la nuit tombait. J'avais eu le temps d'arranger un plan. D'abord je voulais mettre certaines choses au clair ; je me sentais plein d'énergie. Je suis retourné voir le bouquiniste.

Je n'en menais pas large en parvenant devant son magasin ; la devanture n'était pas sortie, mais le rideau était levé. J'avais une boule dans la gorge, j'ai rassemblé tout mon courage et j'ai poussé la porte ; après tout je fréquentais cet endroit depuis que j'avais quinze ou seize ans, je n'allais pas laisser le Cheikh Nouredine me le voler.

Le type était assis derrière son bureau, il a relevé la tête ; sur son visage j'ai vu de la surprise, puis de la haine, du mépris ou de la pitié. Je m'étais attendu à des insultes ; je m'étais imaginé lui demandant pardon, il m'aurait pardonné, et nous aurions repris nos conversations comme avant. Il restait silencieux, il me fixait, les sourcils froncés ; il ne disait rien ; il contemplait ma bêtise, me noyait dans ma propre lâcheté ; je rapetissais, écrasé de honte ; je n'arrivais pas à parler, pas à sortir l'enveloppe avec les dirhams que j'avais naïvement préparée pour lui, j'ai murmuré quelques mots, bonjour, pardon, je me suis étranglé et j'ai tourné les talons, j'ai fui une fois de plus, fui face à moi-même ; je suis reparti en courant ; il y a des choses qui ne se réparent pas. D'ailleurs rien ne se répare. En quittant le magasin j'ai imaginé qu'il allait me courir après en me disant "reviens, petit, reviens", mais non bien sûr, et en y repensant aujourd'hui il est tout à fait logique qu'il n'ait eu que mépris pour un gamin perdu qui avait choisi la trique et le Cheikh Nouredine, aucune pitié. Je marchais vite vers les locaux de la Diffusion, ma culpabilité se transformait en agressivité, j'insultais mentalement le pauvre type, qu'est-ce qui m'avait pris, bon Dieu, de retourner là-bas, et deux petites larmes de rage pointaient au coin de mes yeux, il y avait de la fumée dans la nuit, une fumée épaisse, blanchâtre, mêlée de cendres dispersées par le vent ; une vapeur de colère alourdissait l'air du printemps, une odeur de cramé m'envahissait la gorge et ce n'est qu'en parvenant au coin de la rue, en voyant l'attroupement et les camions de pompiers que j'ai compris que le Groupe pour la Diffusion de la Pensée coranique brûlait ; des flammes hautes de plusieurs mètres sortaient des fenêtres et léchaient l'étage supérieur de l'immeuble ; de l'extérieur, avec leurs lances, des pompiers arrosaient les ouvertures, des bouches aux langues de feu qui crachaient des tonnes de débris de papier à moitié consumés, pendant qu'une escouade de gendarmes essayait tant bien que mal de contenir la foule à distance de la catastrophe. Des centaines de livres partaient dans la brise, envahissaient l'air jusqu'à Larache ou Tarifa ;

j'imaginais les blisters fondre, la chaleur attaquer les pages compactes des ouvrages entassés qui finissaient par prendre et transmettre à leur tour la destruction à leurs voisins, je connaissais bien mon stock, près de cette fenêtre-ci c'était la réserve d'*Héroïnes*, de *Sexualité* et tous les petits manuels, là-bas les mètres cubes de commentaires du Coran, et au beau milieu, sur les tapis en synthétique qui avaient déjà dû se liquéfier, mes cartons, les Série Noire qui s'envolaient elles aussi, les Manchette, les Pronzini, les McBain, les Izzo et toutes mes belles chemises, mes pompes mirifiques, mes vernis ; le cirage devait bien brûler, la lotion capillaire attiserait le tout et bientôt, si les pompiers ne parvenaient pas à maîtriser le feu, ce serait la bouteille de gaz de la cuisine et celle de la salle de bains qui exploseraient, envoyant définitivement dans les airs ce qui restait de l'institution du Cheikh Nouredine.

Les voisins étaient là, je les reconnaissais ; il y en avait un en robe de chambre, il avait jeté une couverture de survie d'argent éclatant sur les épaules de sa femme, qui devait être en petite tenue ; certains étaient silencieux et contrits, d'autres au contraire braillaient et gesticulaient comme des perdus. Les pompiers semblaient avoir du mal à se rendre maîtres de la littérature faite flammes.

Après trois minutes de contemplation morbide et ébahie j'ai été soudain pris de peur ; j'ai dévalé la colline en direction du centre de Tanger. Tout le quartier savait que j'étais le libraire du Groupe de la Diffusion de la Pensée coranique. La police allait sans doute me rechercher, surtout si, comme je l'imaginais, le Groupe était lié de près ou de loin à l'attentat de Marrakech. Je n'avais nulle part où aller. Seules possessions : une sacoche contenant un ordinateur portable, du fric et l'exemplaire du *Pain nu* de Choukri que m'avait offert Judit et que j'avais pris pour lire dans le bus.

Au moins, je n'avais pas à me préoccuper de mes cartons, à quelque chose malheur est bon. Quand on part en voyage, disait le Prophète, il faut régler ses affaires comme si on allait mourir. J'avais revu le libraire ; la Diffusion brûlait, et toutes mes possessions avec ; il ne me restait que mes parents. Depuis quelques jours, et malgré l'altercation avec mon frère, j'avais très envie de revoir ma mère. Pas aujourd'hui. Pas la force. L'adrénaline refluait petit à petit, je me suis endormi dans l'autobus qui m'emmenait vers le centre. J'étais soudain épuisé. Je n'arrivais pas à penser. Savoir quoi ou qui avait pu provoquer l'incendie m'était complètement égal. Je suis descendu du côté du Grand Zoco, un peu hagard. Drôle de journée. Il fallait que je trouve maintenant un endroit où dormir ; j'ai hésité à prendre une chambre dans le même hôtel que Judit, mais c'était peut-être un peu violent, qu'elle me trouve installé dans la piaule d'à côté en arrivant à Tanger. Je n'étais d'ailleurs pas sûr qu'elle loge au même endroit, c'était probable mais pas certain. J'ai choisi une autre pension, pas très loin, un peu plus bas vers le port ; le patron m'a regardé comme si j'étais un lépreux, jeune, marocain et sans valise ; il a exigé que je paye trois nuits d'avance et m'a répété dix fois que son bouge était un endroit respectable.

La turne n'était pas mal, avec un petit balcon de fer forgé, une jolie vue sur le port, les toits de la vieille ville et surtout, le wifi. J'ai cherché des nouvelles de l'incendie sur Internet, ça ne devait pas être un événement de première magnitude, personne n'en parlait pour le moment.

J'ai envoyé un message à Judit, puis je suis sorti pour acheter quelques vêtements et manger un morceau.

J'étais prêt au départ. Je n'avais plus de famille depuis près de deux ans, plus d'amis depuis deux jours, plus de valises depuis deux heures. L'inconscient n'existe pas ; il n'y a que des miettes d'information, des lambeaux de mémoire pas assez importants pour être traités, des bribes comme autrefois ces bandes perforées dont se nourrissaient les ordinateurs ; mes souvenirs sont ces bouts de papier, découpés et jetés en l'air, mélangés, rafistolés, dont j'ignorais qu'ils allaient bientôt se remettre bout à bout dans un sens nouveau. La vie est une machine à arracher l'être ; elle nous dépouille, depuis l'enfance, pour nous repeupler en nous plongeant dans un bain de contacts, de voix, de messages qui nous modifient à l'infini, nous sommes en mouvement ; un cliché instantané ne donne qu'un portrait vide, des noms, un nom unique et pourtant multiple qu'on projette sur nous et qui nous fabrique, qu'on m'appelle Marocain, Maure, Arabe, immigré ou par mon prénom, appelez-moi Ismaël, par exemple, ou ce que vous voudrez – j'allais bientôt être fracassé par une partie de la vérité, et regardez-moi courir dans Tanger, ignorant, sans comprendre ce qui venait de brûler avec le Groupe de Diffusion de la Pensée coranique, accroché à l'espoir de Judit et de mon nouveau travail comme aux deux derniers vaisseaux sur la grève. Par moments j'ai l'impression de retrouver les agissements et les pensées de celui que j'étais à l'époque, mais c'est bien sûr une illusion ; ce jeune homme qui s'achète deux chemises noires, deux jeans, des tee-shirts et une valise est une imitation, comme les vêtements qu'il acquiert ; je croyais que la violence qui m'entourait ne m'affectait pas, qu'elle n'avait rien à voir avec moi, qu'elle n'avait pas de prise sur moi, pas plus que celle de Tripoli, du Caire ou de Damas. Aveuglé, je ne pensais plus qu'à l'arrivée de Judit, à ces vers trop sentimentaux de Nizar Kabbani que nous recopiions, au lycée, dans des messages secrets pour des filles qu'ils émouvaient, ceux que j'avais déjà récités à Meryem, عيناك آخر مركبين يسافران فهل هنالك من مكان؟ alors que nous contemplions le Détroit, sans oser nous prendre par la main, et surtout la suite, إنني تعبت من التسكع في محطات الجنون، ظلي معي, l'errance parmi les stations de la folie – les yeux de Judit étaient pour le coup, comme le disait ce poète pour dames, les derniers bateaux en partance. Je me souviens, Meryem s'inquiétait ; elle avait peur de notre relation, peur des conséquences, peur, peur de ce que je pouvais lui faire faire ; elle ne savait quelle solution trouver à cet amour adolescent, elle hésitait à se confier à sa mère, après tout elle-même n'était-elle pas mariée à son cousin germain et je me rappelle qu'un jour, alors que j'avais semé Bassam pour la retrouver, loin du quartier, elle me disait craindre que je l'abandonne pour émigrer, j'essayais alors de la rassurer avec les vers de Kabbani, et la vérité, si elle existe, c'est que je me souciais de Meryem comme d'une guigne, d'elle, je veux dire d'elle beaucoup moins que de la satisfaction de mon désir, de ma jouissance, de réussir à la déshabiller, à la caresser et lorsque j'ai enfin compris, après avoir lu sa dernière lettre, dans cette vieille enveloppe récupérée chez Bassam, lorsque j'ai enfin compris que j'étais responsable de sa mort, là-bas dans ce village perdu, de son hémorragie au cours d'un avortement paysan et clandestin, parce que je n'avais pas répondu à son désespoir, pas plus qu'à celui de sa mère, morte de tristesse quelques semaines après, dans ce paradis du Maroc moderne où en théorie aucune femme ne saigne à mort ni ne se suicide jamais ni même ne souffre jamais sous les coups d'aucun mâle car Dieu la famille et les traditions veillent sur elles et rien ne peut les atteindre, si elles sont décentes, si seulement elles étaient décentes, comme disait si bien le Cheikh Nouredine qui lui savait la vérité, comme tout le quartier l'avait apprise, Bassam en tête ; lorsque j'ai su que je ne pouvais plus échapper à cette réalité car elle était aussi sordide et tangible que le chiffre sur un billet de banque, aussi précise et réelle que l'abeille butinant la fleur de safran sur la nouvelle pièce de dix centimes que je rendais avec chacun des livres que je vendais ; quand la mort, figée et immuable tout autant que ces monnaies m'attrapa par l'oreille pour me dire ô mon gars, tu as raté une marche, voici dix-huit mois que tu vis en m'ignorant, il fallait que le monde, que mon monde, soit déjà bien détruit pour ne pas se ruiner encore plus, après cette déflagration ; il fallait qu'il y ait à mes côtés Judit pour que je ne me laisse pas aller aux sanglots, une fois la surprise passée : tout cela confirmait une intuition ; bien sûr moi aussi je savais, mon corps savait, mes rêves savaient même si à ce moment-là, au moment de la disparition de Meryem au bout du Rif, j'étais en train de me faire tabasser dans un commissariat à Casa ou de mendier une pomme sur un marché – mes cauchemars, élucidés, n'en sont devenus que plus douloureux, plus clairs, plus insupportables encore ; ma conscience, plus confuse et toujours moins sûre d'elle, pétrie de regrets et de cette terrible sensation, qui pouvait me tirer des larmes de peine honteuse, avoir, en rêve, pendant des mois, couché avec une morte : avec Meryem qui disparaissait dans le cercueil mangeur de chair quand je la voyais bien vivante au fil des saisons ; elle m'avait accompagné alors qu'elle n'était plus et cela était si mystérieux, si incompréhensible dans mon cœur encore jeune que j'y voyais une trahison dégueulasse, une saloperie plus grande que ma responsabilité dans son décès, une haine qui se retournait contre Bassam, contre ma famille, contre ceux qui m'avaient empêché de pleurer Meryem et m'avaient contraint à la désirer crevée – comme on retire doucement le linceul d'un cadavre pour observer ses seins. Sur la table de marbre, j'avais rêvé de son ventre et de son pubis froids. Elle était là, la honte, là, dans ce glissement du temps ; le temps est une femme de cimetière, une femme en blanc, qui lave des corps d'enfants.

Je m'achetais des chemises le dos courbé, pressentant une catastrophe, sans savoir qu'elle avait déjà eu lieu. J'attribuais ma fébrilité à l'incendie, à l'arrivée de Judit, à l'attentat et à la disparition de Bassam, sans sentir que le plus grave était déjà là ; j'hésitais devant un pyjama, longuement, en espérant que Judit me voie dedans ; j'avais une pensée fugace, un peu attristée tout de même, pour la seule femme qui ne m'avait jamais vu nu, sans savoir qu'elle n'existait plus.

La soirée fut des plus longues.

La solitude et l'attente.

Je traînais sur Internet pour avoir des nouvelles, des nouvelles de qui que ce soit, de Bassam, du Cheikh Nouredine, de Judit, du monde, de Libye, de Syrie. Les flammes étaient plus hautes que jamais. Je suis sorti faire un tour ; la nuit était tiède, il y avait foule en ville, Tanger savait, au printemps, être troublante et dangereuse. Tout y était tourné contre moi ; l'odeur de brûlé m'était restée dans les narines et cachait celle de la mer. Les jeunes gens marchaient trois par trois, quatre par quatre avec des airs fébriles, en roulant des épaules ; au détour d'une rue, j'ai vu un type de mon âge à moitié fou se mettre à attaquer violemment un arbre en pot, le balancer par terre en hurlant des insultes, sans raison, avant d'être à son tour pris à coups de poing par le propriétaire d'une boutique, sorti en trombe de son établissement – le sang a giclé sur son tee-shirt blanc, il a porté la main à son visage, l'air ébahi, avant de s'enfuir en criant. Je m'en souviens, l'arbre était un oranger ou un citronnier, il avait de petites fleurs blanches, le patron du magasin l'a redressé dans son pot en le caressant comme s'il s'agissait d'une femme ou d'un enfant, je crois même qu'il lui parlait.

J'étais à deux pas de la librairie française, j'y suis entré ; j'ai regardé un peu les rayonnages, ces livres sérieux étaient intimidants, chers et intimidants, on hésitait à les ouvrir de peur de tacher les couvertures crème, d'endommager la reliure. Il y avait une section de littérature tangéroise, et ils étaient tous là, les auteurs que Judit avait évoqués : Bowles, Burroughs, Choukri bien sûr, mais aussi un Espagnol du nom d'Ángel Vázquez, qui avait écrit un roman appelé *La Chienne de vie de Juanita Narboni* – ce que je cherchais dans les livres c'était plutôt oublier ma chienne de vie à moi, oublier Tanger ; j'ai trouvé le rayon "romans policiers", il y avait surtout d'énormes bouquins dont le format me paraissait gigantesque, disproportionné par rapport à mes vieilles Série Noire parties en fumée, tout aussi intimidants que les romans sérieux. Je suis sorti un peu triste de ne pas avoir trouvé une compagnie, un livre inconnu qui ait le pouvoir de changer le cours des choses, de remettre le monde en ordre ; je me sentais minuscule face à la vraie littérature. Je suis descendu vers la mer, j'ai pensé à Bassam ; s'il était vraiment complice de l'attentat de Marrakech, je me suis demandé si je le reverrai jamais.

Les enseignes des bars me clignaient de l'œil, des types étaient assis sur des chaises et profitaient du printemps ; ils avaient des têtes de contrebandiers. Je n'aurais jamais pu être aussi loin de chez moi, même à Barcelone, à Paris ou à New York ; ces rues respiraient quelque chose d'interdit dans le soir dangereux, si loin des quartiers de mon enfance, si loin de cette enfance dont je sortais à peine et que les venelles en pente me remettaient en mémoire pour leur radicale différence. Je me demandais si j'oserais jamais entrer dans un de ces rades aux lumières rouges sentant la cigarette, le désir et la déréliction, si j'aurais jamais l'âge de ces endroits. Après tout j'avais un peu d'argent, maintenant, et bien envie de boire un coup, peut-être même de parler à quelqu'un. J'appréciais l'alcool pour l'image qu'il donnait de moi, celle d'un type dur, adulte, qui ne craint ni la colère de sa mère ni celle de Dieu, un personnage, comme ceux auxquels je souhaitais ressembler, les Montale, les détectives sans nom, les Marlowe, les privés et les flics de romans noirs. Pourquoi nous accrochons-nous à ces images qui nous fabriquent, ces exemples qui nous modèlent et savent nous briser tout en nous construisant, l'identité toujours en mouvement, l'être à jamais en formation, et ma solitude devait être si grande ce soir-là que je suis entré dans un bar minuscule appelé *El Pirata*, dont l'enseigne marronnasse avait dû connaître les temps glorieux du statut international, et la tenancière aussi, une dame aux cheveux défrisés teints en blond platine qui m'observait en se demandant sans doute si j'avais bien l'âge d'être là. J'ai salué, je me suis assis au comptoir sur un tabouret, j'ai commandé une bière. La patronne m'a regardé comme pour me gronder, mais m'a servi. Je me suis demandé ce qu'elle imaginait, comment un jeune plouc comme moi arrivait-il là, tout seul ; peut-être qu'elle n'imaginait rien du tout. À peine cinq minutes plus tard, une fille est sortie de derrière un rideau, elle était d'une maigreur de fouet, les jambes osseuses dans ses collants noirs, les joues pâles malgré le maquillage, elle s'est hissée sur un siège à mes côtés, j'étais entré dans ce rade, il fallait faire avec ; ou peut-être étais-je entré précisément pour ça, pour parler avec quelqu'un, entraîneuse ou putain, contrairement aux personnages de mes romans j'ai détourné les yeux, un peu honteux, elle s'appelait Zahra, du moins c'est ce qu'elle disait ; elle avait des marques sur le visage, des lèvres tout étroites, elle sentait le jasmin, et sous le parfum ses vêtements exhalaient l'encens de cèdre du salon où je me suis laissé entraîner par la main dix minutes plus tard, un sofa verdâtre luisait d'usure sous une lampe halogène réglée au minimum, Zahra s'est assise et a défait les boutons de son chemisier, elle portait un soutien-gorge blanc dont les dentelles bâillaient, découvrant ses seins minuscules aux aréoles très sombres, elle m'a dit donne-moi deux cents dirhams, fouiller dans ma poche m'a permis de ne pas la regarder un instant, je lui ai tendu l'argent elle l'a mis sous un coussin du divan, elle a écarté les jambes et relevé sa jupe pour me montrer son sexe rasé à la peau presque noire, assortie aux lisières des bas qui barraient ses cuisses osseuses, j'étais partagé entre la honte et le désir, elle m'a fait signe d'approcher, je n'ai pas bougé, elle a murmuré viens, n'aie pas peur, elle m'a attrapé la main pour la coller sur sa poitrine tout en me caressant l'entrejambe, son haleine remontait le long de mon ventre, elle a commencé à essayer de défaire ma ceinture j'ai reculé d'un pas en la repoussant ; elle m'a regardé d'un drôle d'air, c'est finalement la honte qui a pris le dessus, je suis sorti. La dame derrière le bar a ricané "déjà ?", je ne me suis même pas retourné.

La rue était déserte, j'étais un peu désorienté, le cœur battant. Sale journée. J'ai pensé un moment à Meryem, puis à Judit, en marchant vers ma pension.

Demain sera un autre jour.

J'ai essayé de lire un peu du *Pain nu*, sans y parvenir, les images du sexe de Zahra s'inséraient entre le livre et moi. Elles sont restées longtemps dans la nuit, bien après que j'ai éteint la lumière.

Lorsque Ibn Batouta commence son périple, au moment où il quitte Tanger en direction de l'est, en 1335, je me demande s'il espère revenir un jour au Maroc ou s'il croit son exil définitif. Il passe plusieurs années en Inde et aux Maldives, au service d'une Sultane qui le nomme juge, Cadi, sans doute parce qu'il était docte et qu'il savait l'arabe ; il y épouse même la fille du Vizir. En quittant l'archipel, après un passage dans une ville où les femmes n'ont qu'un seul sein, il rencontre un homme établi en solitaire sur un îlot avec sa famille, et l'envie ; il possède, dit-il, *quelques cocotiers et une barque avec laquelle il pêche et se rend dans les îles voisines lorsqu'il le désire. Par Dieu, dit-il, j'ai envié cet homme, et si cette île m'avait appartenu, je m'y serais installé jusqu'à la fin de ma vie.* Il finit par rentrer au Maroc, et j'imagine qu'il termina ses jours dans un petit couvent de derviches où il trouva la paix, en rédigeant le récit de ses voyages, peut-être, ou en racontant à qui voulait l'entendre ses aventures au-delà des mers. Je ne me rappelle pas qu'il soit question de prostituées, dans ses souvenirs tels qu'ils nous sont parvenus ; Ibn Batouta a des esclaves, des chanteuses, et quelques femmes légitimes, épousées au fil du voyage alors que moi, plus tard, à Barcelone, au milieu des putains et des voleurs, dans la fumée des conteneurs en flammes, entre les matraques des flics casqués, j'avoue que le visage maigre et le con de Zahra me sont souvent revenus comme un regret, une tristesse de plus à ajouter à la liste, un remords ambigu, quel genre d'homme étais-je donc, pensait ma jeunesse, si j'étais incapable de profiter d'une femme que j'avais payée et qui me tendait, entre ses bas noirs, son intimité râpeuse ; plus d'une fois j'ai hésité à filer vingt ou trente euros à la prostituée éternellement assise sur le seuil de l'immeuble d'à côté de chez moi, dans le Raval, et à monter avec elle juste pour retrouver une estime, une confiance en moi dont la petite Zahra et le rire de sa patronne avaient conservé la plus grande part. Heureusement que j'étais seul, ce soir-là à Tanger ; je n'aurais pas aimé que Bassam se marre en me voyant fuir du réduit au canapé vert après deux minutes montre en main. Les hommes sont des chiens qui se frottent dans la solitude, seul l'espoir de Judit luisait dans la misère même si, timide comme je l'étais, assailli par les souvenirs de Meryem, j'allais sans doute trembler avant de l'embrasser, frémir avant de coucher avec elle, si l'occasion se présentait, et plus ce mirage approchait – seules quelques heures me séparaient de son retour à Tanger, debout dans le petit matin sur mon balcon – plus il m'effrayait. Les événements des derniers jours tournaient dans ma tête, les débris de cauchemars rougissaient les brumes de l'aube sur le Détroit.

L'incendie de la Diffusion me préoccupait, je me demandais combien de temps il me restait avant que les flics ne m'arrêtent.

Je me faisais l'effet d'être un fugitif.

Malgré mon nouveau travail, l'argent que j'avais d'avance, j'étais désemparé, inquiet, tout aussi démuni que face à Zahra la veille ; le costume de l'âge m'allait trop grand. Il me manquait une mère, un frère, un père, un Cheikh Nouredine, un Bassam.

L'arrivée de Judit fut un vrai désastre.

Je n'aurais peut-être pas dû aller l'attendre à la gare par surprise ; je n'aurais pas dû la saouler de paroles, je n'aurais pas dû faire comme si nous avions une relation intime, proche, qui n'existait pas – je suis allé trop vite ; j'avais conçu seul et rapidement, à la Bassam, sans me soucier de ce qu'elle avait pu vivre à Marrakech, une histoire qui n'existait pas. Judit me voyait comme ce que j'étais, un jeune inconnu qui la serrait de trop près. Elle avait peur, peut-être ; elle m'a dit c'était horrible, cette ambiance, après l'attentat, cette place si vivante où tout le monde faisait comme si de rien n'était sans y croire, où d'un coup la grande machine à enchanter les touristes s'était arrêtée dans la mort.

Elle m'a dit au fait, tu sais, à Marrakech j'ai aperçu ton ami, Bassam, celui qui était avec nous l'autre soir.

En disant cela elle me regardait dans les yeux. Je n'étais pas sûr qu'elle ait vraiment l'intuition de ce que cela signifiait. C'était inimaginable, de toute façon. Inimaginable de penser qu'elle avait pu croiser, quelques heures après, un de ceux qui avaient fait sauter cette bombe dans ce café. Moi-même, malgré tous les indices que j'en avais, je n'arrivais pas à réaliser. Que cet attentat existe réellement, au-delà des images à la télévision, était inenvisageable. Que Bassam ait pu participer à cela sans presque m'en parler était, au fond, impossible.

Judit n'a pas dit "c'est bizarre qu'il se soit trouvé à Marrakech, alors que nous l'avons vu la veille sans qu'il mentionne son voyage".

Je l'ai accompagnée à sa pension. Judit était distante, elle a à peine ouvert la bouche pendant tout le trajet, j'ai essayé de meubler le silence en parlant tout le temps, ce qui n'était sans doute pas une bonne idée. Mes bavardages semblaient la contraindre encore plus à un silence agacé.

Parfois nous sentons que la situation nous échappe, que les choses dérapent ; on prend peur et au lieu de regarder tranquillement, d'essayer de comprendre, on réagit comme le chien pris dans un barbelé, qui s'agite éperdument jusqu'à s'en déchirer la gorge.

Ma colère était une panique, elle n'avait pas d'autre objet que vaincre la froideur de Judit. J'ai pris pour cible son cadeau, le livre de Choukri dont j'avais lu cinq pages.

— C'est honteux, j'ai dit, ce bouquin, comment un musulman marocain a-t-il pu écrire des trucs pareils, c'est insultant.

Judit n'a rien répondu, nous arrivions au Grand Zoco avant de franchir la porte de la vieille ville. Elle m'a juste lancé un regard courtois que j'ai pris comme une immense gifle.

Je me suis enfoncé dans une diatribe idiote sur ce roman que je n'avais pas lu et son auteur, un pauvre type, un mendiant analphabète, un dégénéré, disais-je, et plus je balançais des absurdités, plus j'avais la sensation de me noyer, de m'abîmer dans une mer de connerie alors que Judit, toujours si belle, marchait sur les eaux. Je suais en traînant la valise à roulettes, finalement elle n'avait pas de sac à dos mais une saloperie de valise à roulettes et en bon chevalier servant j'avais exigé de la tirer moi-même.

J'étais essoufflé, je ne pouvais que poursuivre mon discours qui devenait haché, il y avait trop de pensées dans mon cerveau : les remous de mes mouvements désordonnés éloignaient la planche de salut. Je sentais qu'elle n'avait qu'une envie, arriver à son hôtel pour se débarrasser de moi, oublier le long voyage en train, oublier Marrakech, m'oublier et reprendre son avion, et au fond de moi, tout au fond de moi, je voyais bien qu'elle avait raison. Je voulais paraître littéraire et intéressant, j'ai poursuivi mon discours, bien pérorant, bien machiste, j'ai dit tu devrais plutôt lire Mutanabbî ou Jâhiz, voilà la vraie littérature arabe, Choukri ce n'est pas pour les filles. Je venais de me tirer une balle non pas dans le pied, mais bel et bien dans la tête, cette fois-ci le regard de Judit a été d'un mépris absolu. Elle a fait oui oui distraitement, et si j'avais été un tant soit peu courageux j'aurais balancé la valoche, je me serais arrêté, j'aurais poussé un énorme juron et j'aurais dit pardon, on arrête tout, on rembobine, on va faire comme si je n'avais rien dit depuis le début, comme si je n'étais pas obsédé par toi, comme s'il ne s'était rien passé les deux derniers jours, comme si rien n'avait explosé à Marrakech, comme si les incendies ne nous atteignaient pas.

— Ma maison a brûlé hier, j'ai dit tout à trac.

Elle a tourné son visage vers moi sans s'arrêter de marcher.

— Ah bon ?

Et je ne savais plus quoi dire ; j'aurais pu ajouter "hier je suis aussi allé aux putes sans réussir à baiser" ; mes yeux piquaient, la sueur sans doute. J'étais un enfant perdu qui demandait de l'aide à une étrangère inconnue.

— Qu'est-ce qui s'est passé ?

— Je ne sais pas, tout a brûlé. J'ai pris une chambre dans une pension.

Ses yeux me disaient qu'elle avait du mal à me croire ; j'y ai soudain vu l'invraisemblable de ma situation, plus de famille, plus d'amis, plus de maison, seul dans Tanger, ville à la dérive.

— C'est une longue histoire.

— Je m'en doute.

Elle a regardé droit devant elle ; il m'a semblé qu'elle accélérait le pas.

Bien sûr tout cela avait commencé par le péché originel, déshabiller Meryem, mais il me semblait que c'était maintenant devenu un complot international, une énormité, une aberration, comme les enfants monstrueux des couples consanguins.

— On est arrivés.

Il y avait du soulagement dans ces mots prononcés à l'unisson ; la main de Judit était serrée sur la valise dont je tenais l'autre extrémité, comme si elle avait peur que je parte avec.

— Merci d'être venu me chercher à la gare, c'est gentil.

Elle avait l'air sincère. Sincère et épuisée.

— De rien, c'est bien normal.

— *Ilâ-l-liqâ'*, alors. À une prochaine fois.

J'ai dit au revoir à mon tour, je ne lui ai pas tendu la main, ni la joue, ni rien et je suis parti.

Je devais être complètement crevé moi-même, lessivé, détruit psychologiquement parce que je me suis mis à pleurer. Ça a commencé dans la rue ; la brûlure dans les yeux est devenue plus forte ; j'ai senti une humidité sur mes joues, comme lorsque, enfant, on saigne du nez et qu'on découvre sa main soudain rouge de sang. Il ne s'agissait pas de sang. C'était de l'eau, des larmes qui dégoulinaient et j'avais beau les essuyer à grands coups de manche de chemise rien à faire, elles coulaient à nouveau, de plus belle, j'avais grand-honte de chialer comme ça dans la rue, j'ai monté l'escalier de ma pension quatre à quatre, j'ai claqué la porte derrière moi, je l'ai fermée à clé, je me suis passé de l'eau sur le visage, rien à faire, je sanglotais toujours comme un môme ; je me suis effondré sur le lit, j'ai mis mon visage dans l'oreiller pour étouffer ces pleurs, je me suis laissé aller au chagrin. J'ai dû m'assoupir. Une ou deux heures plus tard j'avais la tronche d'un boxeur après un combat inégal, les paupières enflées, les yeux rouges, mais je me sentais mieux. Une douche et il n'y paraîtrait plus.

L'enveloppe ouverte était par terre à côté de mon lit ; le vieux mot de Bassam, que m'avait refilé sa mère par erreur, sans doute, était écrit sur un morceau de page de cahier à carreaux ; il commençait par الرحمن الله باسم راجعون إليه وإنا لله إنا أخي، يا لك رسالة هذه الرحيم، ; plié à l'intérieur se trouvait la lettre de Meryem pour moi, qu'il avait gardée tout ce temps. J'ai compris pourquoi il ne me l'avait pas donnée ; il avait dû hésiter à la détruire, que je ne sache pas, que j'ignore jusqu'à la fin des temps ce que mon cœur avait deviné, qu'elle n'était plus, je n'arrivais même pas à dire qu'elle était morte, voilà, j'avais la vérité devant les yeux il n'y avait rien de plus, j'avais brisé l'Univers, la colère de Dieu était sur moi, sa rage, sa puissante rage aveugle mais juste détruisait tout autour de moi, je me suis senti minuscule dans ma chambre d'hôtel, perdu au cœur du monde, j'ai recommencé à pleurer, sur le balcon en regardant ces bateaux idiots traverser le Détroit.

On ne se souvient jamais tout à fait, jamais vraiment ; on recons-
truit, avec le temps, les souvenirs dans la mémoire et je suis si
loin, à présent, de celui que j'étais à l'époque qu'il m'est impossible de retrouver exactement la force des sensations, la violence
des émotions ; aujourd'hui, il me semble que je ne résisterais pas
à des coups pareils, que je me briserais en mille morceaux. Qu'on
ne devrait pas survivre à des chocs de cette puissance.

Pourtant, si j'étais sûr de la mort de Meryem, elle n'avait jamais
été aussi vivante, puisque je découvrais sa voix dans son écriture ;
sa lettre était un appel au secours qui retentissait au milieu des
ténèbres, dans le désert. Un cri sorti tout droit des grottes d'Hercule, par où l'on entre sans doute aux Enfers ; une saloperie du
Sort. Elle me disait qu'elle m'aimait, m'appelait son amour, elle
disait qu'il fallait qu'on se marie, sinon elle devrait abandonner
l'enfant à l'orphelinat ; son désespoir était trop pour moi, j'ai brûlé
la lettre dans le lavabo de la chambre d'hôtel, إنا لله وإنا إليه,
راجعون avec celle de Bassam. Je ne saurai jamais ce qui s'était
passé là-bas entre Al-Hoceima et Nador, jamais personne ne le
saura. Bassam m'expliquait des détails avec des mots étranges et
médicaux, dans sa calligraphie enfantine. Il ne disait rien de lui-
même, mais très certainement, pour écrire une telle lettre, il devait
être persuadé de disparaître lui aussi ; pourquoi, sinon, me dire
maintenant ce qu'il aurait pu m'expliquer la veille de vive voix.

Je tournais en rond dans ma chambre ; la nuit tombait doucement. Je me suis roulé un joint, je l'ai fumé au balcon ; j'ai allumé
l'ordinateur ; j'ai cherché sur Internet des informations à propos
de l'attentat, sur le Groupe de Diffusion de la Pensée coranique ;

rien de neuf. Des détails, des précisions sur la bombe, le type d'explosifs, mais aucune arrestation. J'ai trouvé un entrefilet de deux lignes, incendie criminel dans une librairie religieuse, des centaines d'ouvrages détruits. Criminel. La police devait se demander pourquoi aucun des membres de cette association n'avait reparu.

Le muezzin venait d'appeler à la prière du soir.

J'avais un message de Judit qui s'excusait de ne pas avoir été plus loquace tout à l'heure, elle était épuisée. Si je voulais boire un thé dans la soirée, je pouvais passer la prendre à l'hôtel.

Bizarrement, je n'en avais plus envie. Je n'avais envie de rien.

Je suis allé au lavabo, je me suis longuement lavé, les pieds, les mains, les avant-bras, le visage. J'ai mis ma couverture sur le tapis, tournée vers l'est, et j'ai prié. J'ai fait quatre prosternations sans penser à rien d'autre qu'à Dieu.

La nuit était là, elle contemplait les traits de feu des ferries qui allaient à Tarifa.

En récitant la Fatiha, en exhalant les versets sans qu'aucune pensée ne les trouble, en répétant les mots saints, j'ai retrouvé le calme.

Il y avait une force intime dans le silence, un chant précieux.

Il restait cela en moi.

La côte espagnole brillait, à gauche de ma kibla improvisée.

Je me suis demandé si j'aurais assez de fric pour me payer un passage clandestin vers l'Espagne. J'étais de plus en plus persuadé que le Cheikh Nouredine avait laissé cet argent à mon intention. C'était inexplicable autrement ; il avait sans doute eu pitié de moi. Il connaissait l'horrible histoire de Meryem et de ma tante. Avec moi, il avait toujours été juste et bon. Au fond j'espérais qu'ils n'aient rien à voir avec Marrakech, ni le Cheikh, ni Bassam ; malheureusement ce que j'avais pu voir moi-même, les triques et les sermons, me laissait peu d'espoir.

Qu'est-ce que je foutrais en Espagne ? Il y avait bien mon oncle qui travaillait dans la province d'Almería, mais ce n'était pas la peine d'aller le voir. Et puis c'était la crise là-bas. Pas de travail. De toute façon je n'avais pas de papiers. Partir à l'aventure ?

Je pensais que Paris serait plus clémente. Paris ou Marseille, villes des livres et des romans policiers. Je les imaginais assez semblables, peuplées de fils d'Italiens ronchons, d'Algériens bagarreurs et de truands qui parlaient argot. J'avais cinquante ans de retard, mais bon, il devait bien en rester quelque chose, après tout Izzo avait écrit *Total Khéops* peu de temps auparavant, croyais-je. J'ai imaginé lui rendre visite, lui envoyer un message en lui disant *Cher Monsieur, je suis un jeune fan marocain et j'aimerais beaucoup vous rencontrer.* J'ai regardé sur Wikipédia et je me suis aperçu qu'il était mort. Manchette aussi était mort longtemps auparavant. À part quelques cousins lointains et débiles je ne connaissais plus personne en France.

Ce qu'il fallait, c'était parer au plus pressé : trouver un logement qui ne coûte pas les yeux de la tête comme cette turne, acheter des vêtements, commencer à travailler. Cette histoire de recopiage de textes m'intriguait. Demander un passeport, au cas où. Attendre des nouvelles de la police, qui finirait bien par venir ; lire tout ce que je pourrais pour me former. Oublier Meryem, Bassam et le Cheikh Nouredine.

Mettre en place un programme.

Avoir un plan.

Œuvrer pour l'avenir.

Après tout, vingt ans, c'est le plus bel âge de la vie.

J'avais un nouveau message de Judit sur Facebook, posté quatre minutes plus tôt, il disait tu ne passes pas finalement ?, j'ai répondu j'arrive.

Lakhdar, m'a dit Judit au milieu de la nuit. Lakhdar, et j'aimais sa façon de m'appeler, sa pointe d'accent espagnol, son insistance sur le *dad*, cette lettre qui n'existe qu'en arabe.

— Lakhdar, ce n'est pas très fréquent, non?

J'avais la tête contre son épaule.

— Non, c'est plutôt rare au Maroc. Mais courant en Algérie. Mon père aimait ce prénom, je ne sais pas trop pourquoi.

— Qu'est-ce que ça signifie, à part "le vert"?

— En fait Lakhdar a deux sens, "vert", c'est sûr, mais aussi "prospère". Le vert, c'est la couleur de l'Islam. C'est peut-être pour ça que mon père l'a choisi. C'est aussi un prophète important pour les mystiques. Le Khidr, le Vert. Il apparaît dans la sourate de la Caverne.

— Lakhdar. Je vais t'appeler le Frelon Vert.

— Tu es plus belle que Cameron Diaz.

Et elle a doucement attrapé ma main pour la descendre vers son bas-ventre.

Les semaines, les mois qui ont suivi, jusqu'en novembre et mes débuts comme serveur sur les ferries de la compagnie de navigation Comarit ont passé si vite que les souvenirs sont à leur mesure, brefs et rapides. Le travail pour Jean-François était pénible, aride et abrutissant ; ma chambre, à mi-chemin entre le centre et la Zone Franche, froide et inhospitalière ; je partageais l'appartement avec trois travailleurs un peu plus âgés que moi dont je sentais qu'ils n'avaient jamais eu mon âge. Ils me paraissaient d'une débilité sans fond. Dès qu'ils possédaient quelques dirhams c'était pour s'acheter un nouveau jogging, des baskets, du shit ; ils s'imaginaient une jolie vie dont le moment culminant serait l'achat d'un lit double chez le marchand de meubles du coin et d'une bagnole chez le concessionnaire Nissan ou Toyota ; ils surfaient tous les jours sur voitureaumaroc.com et rêvaient de caisses de luxe qu'ils ne pourraient jamais s'offrir, regarde, il y a une Jaguar de 1992 pour cent mille dirhams ; ils avaient d'énormes lunettes de soleil qui leur bouffaient la figure et l'oreillette du mains-libres de leur téléphone toujours en place. Ils étaient lisses, interchangeables et bruyants. Mais c'était une compagnie, un mouvement humain à mes côtés ; ils draguaient les ouvrières de la confection, les petites mains douces endolories par le vrombissement des machines à coudre, ou à défaut les poissonnières de l'usine de surgélation, qui sentaient le mérou ou la crevette depuis le menton jusqu'au tréfonds du con, et toutes étaient sensibles aux avances vulgaires de mes coturnes à fausses Ray-Ban qui les amenaient en grande pompe, comme des princesses, gober un hamburger dans ces grandes enseignes américaines qui donnaient un peu l'impression de vivre la vie, la vraie vie, pas celle des caves, des ploucs qui n'avaient pas la chance de travailler dans la Zone Franche et donc non seulement gagnaient moins, beaucoup moins, mais surtout étaient bien moins distingués, n'ayant ni lunettes de soleil ni téléphone de luxe, et tout ce cirque faisait l'effet d'un gigantesque gâchis, loin, bien loin certes des quartiers où j'avais grandi, mais aussi et surtout de ceux où j'avais envie de vivre.

Quoi qu'il en soit j'avais peu de loisirs, pas beaucoup de temps pour communiquer avec mes camarades de logement, le travail était terriblement prenant et ressemblait à celui des forçats de la machine à coudre ou des éplucheuses de gambas, l'odeur à part : je passais douze à seize heures par jour devant l'écran, le dos plié comme un ramasseur de haricots verts, à recopier fidèlement, avec mes quatre ou six doigts, des livres, des encyclopédies culinaires, des lettres manuscrites, des archives, tout ce que M. Bourrelier me passait. Le job portait bien son nom : saisie kilométrique, travail au kilomètre ; plus précisément "double saisie", car ce travail d'abruti était fait deux fois, par deux abrutis différents, et on croisait ensuite les résultats, ce qui donnait un fichier fiable qui pouvait être remis au commanditaire. Les clients de M. Bourrelier étaient des plus divers : des maisons d'édition qui voulaient exploiter numériquement ou réimprimer un vieux fonds, des ministères qui avaient des tonnes et des tonnes d'écritures à gérer, des villes, des mairies dont les archives débordaient, des universités qui envoyaient de vieilles bandes magnétiques de cours magistraux et de conférences à retranscrire – on avait l'impression que toute la France, tout le verbiage de la France atterrissait ici, en Afrique ; le pays entier vomissait du langage sur M. Bourrelier et ses nègres. Il fallait taper vite, bien sûr, mais pas trop vite, car on payait les corrections de notre poche : chaque fois que le croisement de la double saisie révélait une erreur, le mot ou la phrase en question étaient vérifiés et la coquille décomptée de mon salaire. Le premier livre que j'ai recopié était un récit de voyage sur les côtes de l'Afrique, à la fin du xviiie siècle ; il était question de pirates et d'esclaves. Il devait y avoir un filon dans ce genre de littérature, parce qu'après je suis parti en Russie, en tapant *Un Français en Sibérie*, écrit en 1872 ; et on aurait pu croire que ce boulot était divertissant, mais c'était surtout épuisant, il fallait faire attention à l'orthographe, aux noms propres ; on se perdait dans la chair des mots, dans les lettres, les phrases, au plus près du texte et parfois j'aurais été bien incapable de dire de quoi parlait telle ou telle page que je venais de recopier. Au moins, me disais-je sans doute avec raison, après quelques mois de ce traitement mon français serait impeccable, mais c'était surtout frustrant – je n'avais bien sûr pas le temps de chercher les mots inconnus dans le dictionnaire ; je les recopiais tels quels, sans les comprendre, et nombre de coquilles venaient de mon incompréhension, de ma méconnaissance d'un terme ou d'un autre.

M. Bourrelier était plutôt sympathique avec moi ; il me disait souvent ah, désolé, toujours pas de polars à l'horizon, mais si jamais il y en a, je te jure qu'ils seront pour toi. J'étais plutôt un bon élément, je crois, j'essayais d'être sérieux et je n'avais pas grand-chose d'autre à faire.

Un jour, mon zèle m'a valu un cadeau empoisonné : en arrivant un matin, M. Bourrelier m'a convoqué dans son bureau. Il était joyeux, il rigolait comme un enfant, je viens d'avoir une excellente nouvelle, il m'a dit. Une magnifique nouvelle. Une très grosse commande du ministère des Anciens Combattants. Il s'agit de la numérisation des fiches individuelles des combattants de la Première Guerre mondiale. C'est un très gros contrat. Nous avons répondu à l'appel d'offres, et nous avons été retenus. Ce sont des fiches manuscrites, impossibles à traiter automatiquement, il va falloir les saisir à la main. On commence par les morts.

— Ils ne sont pas encore tous morts ? j'ai dit naïvement.

— Si si, bien sûr qu'ils sont tous morts, il n'y a plus de combattant de la Première Guerre mondiale français vivant. Je veux dire qu'on va commencer par les "Morts pour la France", qui sont un lot de fiches à part.

— Et combien il y en a ?

— Un million trois cent mille fiches, au total. Après il restera les blessés et ceux qui s'en sont tirés, ce sera plus gai.

Un million trois cent mille putain de morts, on ne se rend pas bien compte de ce que ça représente, mais je peux vous assurer que ça fait du boulot pour la saisie au kilomètre. Des gigaoctets et des gigaoctets de fiches scannées, un programme spécial pour rentrer les données, nom, prénom, date et lieu de naissance, matricule, date lieu et genre de mort, tel quel, *genre de mort*, ils ne s'embarrassaient pas de fioritures, à l'époque, pensez-vous, ils en avaient des centaines de milliers, de fiches à remplir. Le tout manuscrit, d'une belle calligraphie à la plume : Achille Brun, soldat, 138ᵉ régiment d'infanterie, Mort pour la France le 3 décembre 1914 à l'hôpital de Châlons-sur-Marne, Genre de mort : blessure de guerre (raturé) fièvre typhoïde (rajouté), né le 25 janvier 1891 à Montbron en Charente ; Ben Moulloub, Belkacem ben Mohammad ben Oumar, deuxième classe, 2ᵉ régiment de tirailleurs algériens, Mort pour la France le 6 novembre 1914 à Soupir, dans l'Aisne, Genre de mort : tué à l'ennemi, né en 1884 à (illisible), département de Constantine, et ainsi de suite un million trois cent mille fois, même avec le programme spécial il fallait bien une ou deux minutes par fiche, surtout pour déchiffrer les noms de bleds inconnus, les douars algériens, les villages sénégalais, les hameaux français dont j'ignorais tout ; certains des soldats me sont restés en mémoire, comme cet Achille Brun et ce Belkacem ben Moulloub, et il était étrange de penser que ces fantômes de Poilus faisaient un voyage posthume au Maroc, à Tanger, dans mon ordinateur.

Nous nous répartissions le travail, mes collègues (des étudiantes de littérature française ou de jeunes dactylos pour la plupart) et moi : cent cinquante ou deux cents fiches le matin, et soixante pages de livres minimum l'après-midi. Le problème était qu'on ne pouvait pas abandonner un chantier pour l'autre ; tout devait se faire en même temps : recopier les Mémoires de Casanova pour une maison d'édition québécoise était au moins aussi urgent que les Tués à l'ennemi. Les volumes de l'*Histoire de ma vie* étaient immenses, interminables. J'avoue avoir pris un grand plaisir, malgré les nuits blanches, à les saisir kilométriquement. Ce Casanova était drôle et sympathique, courtois, roublard ; il passait son temps à se réveiller avec le sexe en feu, et donc à courir soigner ses maladies vénériennes, qui semblaient ne lui procurer aucune honte ; pour lui, le corps, les femmes et la jeunesse n'avaient rien de honteux. Il y avait chez lui une intelligence ironique qui me rappelait Isâ ibn Hishâm et Abû al-Fath al-Iskandarî, les héros de Hamadânî – en plus long, c'est certain. C'est un des rares livres que j'aie vraiment *lu* en le recopiant : plus de trois mois de travail, sans chômer.

Je me suis toujours demandé combien Jean-François Bourrelier facturait nos services, et donc quel était son bénéfice ; je n'ai jamais osé lui poser la question. Ce qui est sûr, c'est que les Tués à l'ennemi ou M. Casanova ne touchaient pas un centime, et que moi-même, une fois les comptes apurés (retenues pour corrections, etc.), j'arrivais rarement à percevoir plus de cinq cents euros par mois, pour soixante heures de travail minimum, ce qui était un salaire extraordinaire pour un jeune plouc comme moi, mais loin des dizaines de milliers de dirhams promis. Quand venait le jour de la paye, M. Frédéric avait toujours un petit air désolé, il disait ah, il y a eu beaucoup de corrections, ou alors bon, ce mois-ci ce n'est pas terrible, mais tu feras mieux le mois prochain, il faut t'habituer à ces fiches de soldats morts et accélérer la cadence.

Je racontais toutes mes histoires à Judit dans des lettres interminables, c'était ma récréation, chaque soir, alors que j'aurais dû haïr l'ordinateur et surtout son clavier j'écrivais longuement à Judit pour lui expliquer ce que nous avions fait dans la journée, Casanova, les Poilus et moi ; je lui parlais d'Achille Brun le typhoïdeux et de Belkacem ben Moulloub mort à Soupir, de Casanova et Tireta assistant à une exécution capitale place de Grève depuis une fenêtre, en compagnie de deux dames, sans aller jusqu'à oser lui raconter les détails scabreux mais hilarants de l'erreur de tir de Tireta.

J'ai commencé à lui écrire aussi des poèmes, pour la plupart en français et volés à Nizar Kabbani ; la poésie française ou espagnole me paraissait sèche et peu fleurie. Je terminais toujours mes missives par un vers, الحب يا حبيبتي قصيدة جميلة منقوشة على القمر *L'amour, mon amour, est un beau poème brodé sur la lune*, et ainsi de suite. Judit était plus discrète sur ses sentiments mais je sentais, dans ses mails parfois en français, parfois en arabe, qu'elle appréciait notre correspondance ; elle me racontait sa vie à Barcelone, son quotidien, ses énervements contre la nullité de ses cours, son ennui à l'université, où les professeurs eux-mêmes paraissaient mépriser les textes qu'ils enseignaient comme du mauvais latin. À travers elle, je commençais à haïr ces arabisants souffreteux en short colonial qui regrettaient chaque jour que l'Espagne ait quelques siècles été arabe, en soupirant sur des textes andalous dont ils ne percevaient que la difficulté lexicale. Elle me disait tiens, nous étudions tel poème d'Ibn Zaydûn, tel fragment d'Ibn Hazm qu'ils appelaient Abenházam, et je me précipitais dans une librairie pour trouver le livre en question ; la plupart du temps c'était pour moi une merveille, un joyau d'un autre temps dont l'arabe me remplissait la bouche et les tympans d'un plaisir inouï. Malgré les Poilus morts et Casanova, je me sentais très arabe grâce à Judit ; je suivais ses études au jour le jour : elle me posait des questions de grammaire, j'ouvrais les grammairiens et les commentateurs classiques pour lui trouver une réponse ; elle entendait parler d'un auteur et je lui livrais dès le lendemain une fiche documentée avec extraits et exégèses.

Bien évidemment, ces activités étaient incompatibles avec le mode de vie de mes colocataires, dégottés par une espèce de solidarité des entreprises françaises, qui essayaient tant que faire se pouvait de faciliter l'obtention d'un logement à leur personnel ; Adel, Yacine et Walid venaient tous les trois de Casablanca, ils étaient "techniciens supérieurs" et travaillaient dans une usine de pièces détachées automobiles, à la chaîne. Ils me voyaient chaque soir plongé dans mes fiches de soldats morts ou dans mes livres, et me prenaient pour un fou. Parfois ils me criaient Lakhdar *khouya*, tu vas te rendre sourd et aveugle, c'est pire que la masturbation tout ça, viens faire un tour au grand air, tu verras des filles! Non non, lui il verra juste la mer, mais ça peut pas lui faire de mal! *Moulay* Lakhdar, t'es pâle comme une culotte de prépubère, viens respirer le pot d'échappement de notre bagnole! Et ils finissaient par partir, l'oreillette à l'oreille, vers Tanger et ses délices, tourner en voiture la musique à fond pendant des heures pour finir par bouffer un hamburger vers minuit, rentrer excités comme des puces et se vautrer devant la télé en fumant joint sur joint avant de retourner à l'usine le lendemain.

Je ne savais rien du Cheikh Nouredine ni de Bassam depuis l'attentat, ils n'avaient pas reparu ; petit à petit mes craintes de voir débarquer la police s'étaient atténuées et le Groupe pour la Diffusion de la Pensée coranique paraissait loin, là-bas, dans ces banlieues interminables peuplées de centaines de ploucs comme moi, pourtant toutes proches ; bien sûr j'avais suivi les informations à la télé ; on avait fini par arrêter trois suspects, je n'en connaissais aucun : ils avaient de drôles de gueules qui ne respiraient pas l'intelligence, mais les photos de criminels sont rarement flatteuses. J'attendais tous les jours la nouvelle de l'arrestation du Cheikh Nouredine et de Bassam, elle ne venait pas.

À peine quelques jours après le départ de Judit, il y a eu un autre attentat horrible, qui m'a profondément touché, comme si j'avais moi-même été présent, peut-être parce que nous étions sur les lieux peu de temps auparavant. Le *Café Hafa* se trouve à flanc de falaise, suspendu au-dessus de la Méditerranée, perdu entre les bougainvillées et les jasmins des luxueuses villas du quartier ; c'est peut-être l'endroit le plus célèbre de Tanger et un des plus agréables aux beaux jours (une table un peu à l'écart, où Judit m'avait pris la main avant de m'embrasser, je m'en souviens, j'y ai souvent pensé depuis, j'avais eu honte, très honte, j'avais peur qu'on nous voie, s'embrasser en public est un délit) surtout lorsqu'il n'y a pas grand monde, en fin de matinée par exemple, et qu'on a l'impression d'avoir la mer et tout le Détroit pour soi. J'ai appris par le journal qu'un homme était arrivé dans le café, avait sorti un long poignard ou un sabre et avait attaqué un groupe de jeunes à une table, sans doute parce qu'il y avait des étrangers ; un Marocain de mon âge est mort, et un autre a été blessé à la cuisse, un Français ; il y avait deux filles espagnoles avec eux : tous étaient étudiants à l'université de traduction de Tanger. Le type a pris la fuite par la falaise, pourchassé par les clients et les serveurs du café, et a réussi à s'échapper. Son portrait-robot était joint à l'article ; il avait la tête ronde et la figure enfantine de Bassam, ça aurait pu être lui. Il était peut-être devenu subitement fou. D'abord Judit le croise à Marrakech peu après l'explosion et ensuite un visage qui ressemble au sien apparaît dans *Le Journal de Tanger*. Je ne l'imaginais pas poignarder de jeunes étudiants tranquillement attablés au soleil ; il était impossible qu'il ait changé aussi vite, et pourtant, je ne pouvais m'empêcher de me rappeler avec quelle facilité il avait bastonné le libraire. Il me semblait que la question *pourquoi ?* resterait à jamais sans réponse, même si c'était bien Bassam qui avait aidé à poser la bombe du *Café Argan* et planté un grand couteau dans le dos d'un Marocain de notre âge, même si je l'avais eu devant moi, si je lui avais demandé pourquoi ? pour quoi faire ? il aurait haussé les épaules ;

il aurait répondu pour Dieu, par haine des chrétiens, pour l'Islam, pour le Cheikh Nouredine, que sais-je, mais il mentirait, je savais qu'il mentirait et qu'il ignorait très certainement la raison de son acte qui, en fait, n'en avait aucune, pas plus qu'il n'y avait de cause au tabassage du bouquiniste, c'était comme ça, c'était dans l'air, la violence était dans l'air, ce vent soufflait ; il soufflait un peu partout et avait emporté Bassam dans la bêtise. Je pensais à ce que j'avais déclenché malgré moi, le malheur et la mort ; Bassam, lui, tenait la trique et peut-être le sabre, mais les causes idéologiques que je pouvais percevoir du haut de mes vingt ans ne me convainquaient pas : je connaissais Bassam, je savais que sa haine de l'Occident ou sa passion pour l'Islam étaient toutes relatives, que quelques mois avant de rencontrer le Cheikh Nouredine aller à la mosquée avec son paternel l'emmerdait plus que tout, qu'il n'avait jamais été foutu de se lever une seule fois à l'aube pour la prière du *fajr*, qu'il rêvait d'aller vivre en Espagne ou en France. Mais en y réfléchissant bien j'étais aussi conscient que, *a contrario*, ce n'était pas parce qu'il aimait les filles ou rêvait d'Allemagne et d'États-Unis que cela empêchait quoi que ce soit. Je savais que le Cheikh Nouredine avait grandi en France, et lorsque j'en parlais avec lui il appréciait certains aspects du pays et il reconnaissait que, quitte à vivre au milieu des *kuffar*, des Infidèles, il valait mieux vivre en France qu'en Espagne ou en Italie, où, disait-il, l'Islam était méprisé, écrasé, réduit à la misère.

Tous ces mois passés avec le Groupe pour la Diffusion de la Pensée coranique m'avaient rapproché de Nouredine ; il était bon avec moi et je savais (ou j'aimais croire) qu'il m'avait recueilli sans arrière-pensée ; il me donnait des leçons de morale, certes, mais pas plus qu'un père ou un grand frère. Il répétait souvent en rigolant que mes romans policiers me pourrissaient l'esprit, que c'étaient des livres diaboliques qui me poussaient vers la perdition, mais il n'a jamais rien fait pour m'empêcher de les lire, par exemple, et si je ne l'avais pas vu moi-même commander le groupe de bastonneurs dans la nuit j'aurais été incapable d'imaginer une seule seconde qu'il puisse être lié, de près ou de loin, à un acte violent.

Apparemment, les trois brutes de l'attentat de Marrakech avaient agi seules, c'est du moins ce que disait la police ; ils avaient appris sur Internet comment fabriquer une bombe et la faire exploser. Mais la présence de Bassam là-bas ces jours-là, attestée par Judit, me laissait entrevoir des réseaux, des connexions, des conspirations paranoïaques ; j'ai même envisagé un instant que le Cheikh Nouredine soit en réalité au service du Palais, un agitateur, un agent double, qui aurait eu pour mission de faire échouer les réformes et le progrès vers la démocratie, ce qui expliquerait l'incendie des locaux du Groupe, pour ne pas laisser de traces, et aussi le fait que je n'ai jamais été inquiété.

L'assassinat du *Café Hafa* me paraissait particulièrement lâche et inquiétant, peut-être parce que ça aurait pu être moi la victime, Judit et moi, peut-être parce que c'était sur mes terres, ici et maintenant, et non plus un bruit certes furieux mais lointain. Je dois bien l'avouer, j'ai longtemps eu peur, en m'asseyant dans un café à Tanger, d'y voir surgir Bassam un sabre à la main.

Il fallait que j'évite de trop penser à ces questions si je ne voulais pas devenir complètement paranoïaque.

Heureusement les soldats morts, Casanova et mes poèmes pour Judit me laissaient peu de loisirs. عيناك آخر مركبين يسافران فهل هنالك من مكان؟ *Tes yeux sont le dernier bateau en partance, tu m'y fais une place ?* إنني تعبت من التسكع في محطات الجنون، ظلي معي *Car je suis fatigué de l'errance dans les ports de la folie. Reste avec moi ! Pour que la mer conserve sa couleur*, et ainsi de suite, toujours Nizar Kabbani. Mon idée était bien sûr de finir par composer mes propres vers sans l'aide de mes prestigieux aînés, mais il y avait du travail. Mon poème numéro un, le premier qui fût vraiment mien, était le suivant :

Début de la saison chaude
Me voilà
Explorateur perdu sous son ventilateur
Un téléphone
Un ordinateur
Un amour en cire dont je regarde les gouttes tomber
Pour cacheter mes lettres
Ce soir je vais lire Casanova
En pensant à toi
Je vais me baigner dans tes yeux à chaque page il y a une femme
Qui va te ressembler
Chaque soir
Je tiens un bal costumé au bout du monde
Pour les méchants fantômes comme toi

Judit aurait préféré que je lui écrive des poèmes en arabe, après tout c'est ta langue, disait-elle, c'est celle que tu connais le mieux, et elle avait raison bien sûr, mais je n'y arrivais pas : la poésie arabe, c'est infiniment plus beau et plus complexe que les vers français ; en arabe, j'avais l'impression d'écrire du sous-Kabbani, du sous-Sayyâb, du sous-sous-Ibn Zaydûn ; alors qu'en français, comme je n'avais rien lu, aucun poète ou presque, à part Maurice Carême et Jacques Prévert à l'école, je me sentais bien plus libre. L'idéal aurait été d'écrire en espagnol, c'est certain : je me voyais bien composer un recueil intitulé *El libro de Judit*, mais ce n'était pas pour demain.

Pour changer un peu d'air, chaque samedi j'allais en ville, le matin à la bibliothèque du centre Cervantès et l'après-midi à celle de l'Institut français, ou l'inverse, et entre les deux, je traînais dans les cafés, à observer les gens. Je ne me sentais pas seul, j'avais juste l'impression de ne plus appartenir à la ville, que Tanger me quittait, s'en allait. Elle était sur le départ. Judit me donnait de l'espoir. Je pressentais que j'allais quitter le Maroc, que j'allais devenir autre, laisser derrière moi une partie du malheur et de la misère passée, oublier les bombes, les sabres, mes morts ; oublier les fantômes des soldats tués à l'ennemi, les heures et les heures passées à recopier, à l'infini, des noms sans chair et enfin débarquer, pensais-je, dans un pays qui ne soit rongé ni par le ressentiment, ni par la pauvreté, ni par la peur.

Le 2 mai, lendemain de la fête du Travail, Oussama ben Laden a été abattu dans la nuit par des commandos américains et son corps balancé depuis un avion dans l'océan Indien. La nouvelle était dans tous les journaux : l'homme maigre à la longue barbe et au regard envoûtant avait été écrasé comme un nuisible, au milieu de ses femmes et de ses médicaments, pris au piège de sa villa étrange, avec des remparts comme un château fort – c'est du moins ce que laissaient entendre les journalistes. Le terroriste le plus recherché du monde se trouvait à cinquante kilomètres d'Islamabad, et ce depuis des années, disait l'article. On se demandait pourquoi on l'avait buté aujourd'hui, et pas hier ou demain ; pourquoi on ne l'avait pas arrêté, pourquoi avoir jeté ses restes aux poissons. Ça n'avait pas vraiment d'importance, on sentait que Ben Laden avait perdu son corps, sa présence physique depuis longtemps – il était devenu une voix qui parlait de temps en temps depuis une grotte imaginaire, cachée au fin fond des siècles ; la réalité de son existence même paraissait de plus en plus douteuse et son immersion achevait de le transformer en un personnage, un démon ou un saint : celui qui pour moi, dans la confusion de l'enfance, inspirait à la fois horreur et admiration, espoir et effroi, celui qui avait victorieusement défié les États-Unis d'Amérique en semant la destruction devenait maintenant un mythe un peu dérangeant, un symbole boiteux, qui claudiquait entre la grandeur et la misère. Je me suis rappelé qu'à l'école, c'était un des héros de Bassam ; nous jouions dans la cour aux combattants afghans ; aujourd'hui Bassam avait disparu et Ben Laden avait rencontré son Destin sous la forme de Navy Seals capuchonnés de noir, des *phoques*, d'après leur nom, qui l'avaient entraîné dans les profondeurs de l'abîme. En soi, cela n'avait aucun sens, à part un adieu de plus au monde d'hier.

Lorsque Judit m'a appris qu'elle allait participer à un stage d'arabe à l'institut Bourguiba de Tunis tout le mois de juillet et qu'elle m'a proposé de la rejoindre, je me suis dit que ce serait un premier voyage, comme Ibn Batouta, quittant Tanger pour l'Est, s'arrêtait en Tunisie. J'avais aussi très envie de voir de mes yeux ce qu'était une révolution en cours ; il me semblait que j'avais l'âge de la Révolte et en vérité je me sentais bien plus proche d'un jeune Tunisien de vingt ans que de n'importe qui d'autre – j'imaginais que Tunis devait ressembler un peu à Tanger, que je ne m'y sentirais pas étranger, les Tunisiens étaient maghrébins, arabes et musulmans et de plus toute cette jeunesse, mes frères, mes cousins plutôt, avait réussi à se débarrasser du dictateur – la perspective de voir cela de près me réjouissait. J'ai donc couru négocier des vacances avec M. Bourrelier – j'imaginais naïvement qu'on devait avoir droit à un genre de congés, et effectivement, c'était bien le cas, mais il n'était possible de les prendre (sauf dans des cas précis liés à l'état civil, mariage, naissance, décès auxquels je ne pouvais prétendre) qu'après un an de travail. Jean-François était bien ennuyé. Il me disait qu'il ne pouvait pas faire une exception qui risquait de créer un précédent, mais en revanche, m'a-t-il dit, et juste pour une semaine, on peut s'arranger ; vous vous engagez à faire vos fiches et vos pages, et nous fermons les yeux sur votre obligation de présence pendant cinq jours. Si jamais un de vos collègues pose la question, on dira que vous êtes malade et que vous travaillez de chez vous, et voilà. Mais surtout qu'il ne vous arrive rien là-bas et ne ratez pas l'avion du retour, hein, on serait obligé de vous virer.

Il allait donc me falloir voyager avec des Poilus morts et Casanova, drôle de compagnie, mais bon, Judit avait cours toute la journée, je travaillerais au même rythme qu'elle, voilà tout. Et une semaine, c'était mieux que rien. En plus, pour me rendre à Tunis, fraternité maghrébine oblige, je n'avais pas besoin de visa, juste d'un passeport, et le vendredi 15 juillet 2011, en fin d'après-midi, après avoir fait un trou quasi définitif dans mes économies, je prenais l'avion pour la première fois. L'aéroport Ibn Batouta jouxte la Zone Franche, j'y suis allé à pied en sortant du travail ; je m'étais bien habillé, j'avais mis une veste et une chemise malgré la chaleur ; peigné, les pompes cirées, un peu ému, je devais puer le néophyte aéroportuaire à plein nez. J'essayais de passer pour un habitué, comme si l'aéroport était une boîte de nuit ou un bar dont on pouvait vous refuser l'entrée, affichant un mépris lassé face aux formalités, au déshabillage obligatoire, l'angoisse au cœur – j'avais peur que quelque chose ne se passe mal, que le douanier, en tapant mon nom dans son ordinateur, ne m'apprenne que j'étais recherché par la police, que son écran ne se mette à clignoter, qu'une sirène ne retentisse et qu'une escouade de gros flics à casquettes grises ne me sautent sur le râble, mais non, rien de tout cela, on m'a rendu mon passeport sans presque me regarder et après une attente qui m'a paru très longue face aux baies vitrées qui donnaient sur la piste, je suis monté dans l'avion, pas mort de trouille, n'exagérons rien, mais pas rassuré tout de même ; j'ai vu, par le hublot, un type avec un casque sur les oreilles marcher aux côtés de l'avion qui reculait, comme s'il menait un chien en laisse, c'était tout à fait étrange ; j'ai été très surpris par le bruit des moteurs et la puissance de l'accélération quand l'Airbus a roulé sur la piste, en me disant que ce truc n'arriverait jamais à s'envoler, j'ai eu un léger haut-le-cœur quand il s'est finalement arraché du sol, et ressenti une grande exaltation lorsque, penché sur l'aile, pressé contre le hublot par l'angle du virage, Tanger et le Détroit sont apparus, sous moi, comme je ne les avais jamais vus.

Judit était revenue trois jours au début juin, trois jours de bonheur, d'entente parfaite et de plaisir qui m'avaient laissé triste et plus solitaire que jamais quand ils avaient pris fin et que j'étais rentré retrouver mes colocataires – je n'avais pas souhaité la recevoir chez moi, d'abord parce que je n'avais qu'un lit simple, ensuite parce que j'étais jaloux, je ne voulais pas qu'un autre Marocain l'approche, et surtout pas les trois énergumènes qui partageaient ma vie quotidienne. Rien que de les imaginer voir Judit en pyjama, l'espionner dans la salle de bains peut-être, me donnait des envies de meurtre. L'idée de ne pas être le seul, l'unique Arabe de Judit me rendait fou. Je savais qu'elle avait déjà eu des *fiancés*, comme elle disait, qu'elle avait des camarades d'université, des amis, bien sûr, mais ces Catalans étaient une catégorie à part dans ma tête. Moi j'étais autre chose. J'étais son Arabe. Je voulais être le seul Arabe dans la vie de Judit. (J'appréhendais donc, il faut le reconnaître, son séjour en Tunisie ; je l'imaginais être la cible des avances incessantes de hordes de jeunes Tunisiens frustrés ; j'étais bien placé pour savoir ce qu'ils pouvaient ressentir.)

Je m'étais donc démené pour trouver deux chambres côte à côte dans un petit hôtel – la loi marocaine, championne des bonnes mœurs, nous interdisant de prendre une seule chambre sans être mariés. Nos balcons communiquaient, et nous n'étions même pas obligés de passer par le couloir pour nous retrouver. C'était assez amusant, ça avait un côté aventuriers. Mais j'avais tout de même un peu honte, lorsque Judit me demandait pourquoi nous ne pouvions pas avoir une chambre double, de lui répondre que c'était parce que j'étais marocain : si j'avais été étranger, personne ne nous aurait emmerdés.

Nous n'étions pas beaucoup sortis de l'hôtel pendant ces trois jours, à part pour quelques excursions, cap Spartel, grottes d'Hercule, musée de la Casbah et au cimetière de Marshan pour voir la tombe de Choukri ; les remarques des garçons de café, des employés de musée ou même des passants, quand ils me voyaient seul avec Judit, ne m'encourageaient pas à sortir : c'était agréable comme un coup de pied au cul, ce mélange de mépris, de jalousie et de vulgarité crasse qui me donnait envie de répondre en levant le majeur avec une phrase bien sentie sur les sœurs ou les mères des intéressés. Me promener avec Judit c'était recevoir, à chaque coin de rue, une sérieuse quantité de mollards symboliques, parce que j'étais jeune, marocain et que je déambulais en compagnie d'une Européenne sans appartenir, apparemment, à la classe sociale qui fréquentait les plages privées ou les bars des palaces et qui, elle, pouvait tout se permettre. Judit elle-même s'en rendait compte, et je sentais qu'elle était désolée pour moi, ce qui m'attristait encore plus. Même sur la tombe de Choukri, un crétin de mon âge est venu nous emmerder ; il m'a demandé en arabe ce qu'on faisait là, ce qui est tout de même une drôle de question à poser dans un cimetière – je lui ai répondu on vient se faire enterrer, bien sûr, alors que j'avais envie de lui dire "On vient à ton enterrement, connard", mais je n'ai pas osé. Après tout, il était peut-être sincère, il cherchait peut-être à nous aider.

J'étais devenu un peu sauvage, en fait, je crois. Enfermé dans mes livres, dans la solitude, en tête à tête avec Judit, je n'avais plus de contact avec le monde extérieur, à part avec mes trois colocataires, qu'on ne pouvait pas vraiment appeler "monde extérieur".

Entre-temps, j'avais lu *Le Pain nu*, et même la suite, *Le Temps des erreurs* ; j'avais été obligé de m'excuser auprès de Judit : ce Choukri était hors du commun. Son arabe était sec comme les coups de trique qu'il recevait de son père, dur comme la famine. Une langue nouvelle, une façon d'écrire qui me paraissait révolutionnaire. Il n'avait pas peur, il racontait sans rien dissimuler, ni le sexe, ni la violence, ni la misère. Ses errances me rappelaient mes mois de vagabondage, par moments ; la sensation était si forte qu'il me fallait fermer le livre, comme on s'éloigne d'un miroir dont le reflet ne vous convient pas. Judit était contente que je me sois rendu à l'évidence ; elle me racontait l'histoire unique du texte du *Pain nu* : publié d'abord en traduction, interdit au Maroc en arabe pendant près de vingt ans. Il n'était pas difficile d'imaginer pourquoi : la misère, le sexe et la drogue, voilà qui ne devait pas être du goût des censeurs de l'époque. L'avantage, c'est qu'aujourd'hui les livres ont si peu de poids, sont si peu vendus, si peu lus que ce n'est même plus la peine de les interdire. Et Choukri a été enterré en grande pompe, avec ministres et représentants du Palais, à Tanger il y a une vingtaine d'années – comme si tous ces notables fêtaient sa mort en l'accompagnant dans la tombe.

Le départ de Judit, après nos trois jours et trois nuits, m'avait plongé dans la tristesse et la solitude ; je les combattais comme d'habitude, par le travail, la lecture jusqu'à en avoir les yeux brûlants de fièvre, et la poésie amoureuse. Je pensais aux quarante-cinq jours qui me séparaient de mon voyage. Je regardais des pages et des pages d'information sur la Tunisie, sur la Révolution. Ibn Batouta consacrait seulement quelques lignes à Tunis, où il y avait, disait-il, de nombreux Ulémas d'importance ; il s'y trouvait au moment de la fin du Ramadan, et participa à la fête. J'y serais moi-même juste avant le début du jeûne, ce qui me donnait à peine un mois de décalage sur mon illustre prédécesseur.

Comme un fait exprès, un nouveau coup du sort, j'ai reçu le premier mail de Bassam deux jours avant de prendre l'avion. J'avoue que je pensais un peu moins souvent à lui et au Cheikh Nouredine, que je n'étais pas retourné dans le quartier depuis l'incendie du Groupe pour la Diffusion de la Pensée coranique, que je vivais un peu comme en exil et un matin, en jetant un coup d'œil comme toujours dès le lever à ma boîte aux lettres, pour voir si j'avais déjà la réponse de Judit à ma missive de la veille, j'ai remarqué un message bizarre, que j'ai tout d'abord pris pour un de ces courriers vous proposant d'allonger de cinq centimètres votre virilité sans effort, ou d'acheter à bon prix du Viagra pour la renforcer, dont l'expéditeur avait pour nom "Cheryl Bang" ou un truc du genre. Ce qui m'a intrigué c'est le sujet du courriel : *Nouvelles*, et je l'ai ouvert – c'était un texte de trois lignes seulement :

Mon très cher frère, comment ça va pour toi ? Ici je suis loin et c'est difficile mais In cha' Allah *on se retrouvera bientôt sur cette terre ou au Paradis. Prends soin de toi* khouya, *pense à moi et tout ira bien.*

Ce n'était pas signé, et je me suis demandé pendant un moment si ce n'était pas un spam, mais je ne sais pas, j'avais l'impression d'entendre Bassam dans ces lignes, j'étais sûr que c'était lui. Pourquoi un message pareil ? Pour me rassurer ? Il était loin, c'était difficile, où est-ce qu'il avait bien pu aller se fourrer ? En Afghanistan ? Au Mali ? Non, il n'y avait sans doute pas Internet, là-bas. Qui sait peut-être les combattants d'AQMI avaient-ils le wifi dans leurs tentes. Ou alors il m'écrivait depuis une prison secrète.

Ou peut-être tout simplement que ces quelques mots n'étaient pas de lui, mais générés automatiquement par une machine, et je me trompais complètement.

J'avoue que j'ai hésité à répondre à cette Cheryl ; je ne l'ai pas fait. J'avais peur ; après tout, s'il m'avait écrit depuis cette boîte bizarre et sans signer son message ce n'était sans doute pas pour rien. Je l'ai imaginé dans son Pays de Ténèbres, avec le Khidr qui portait ses messages jusqu'à moi, ce Pays de Ténèbres où il maniait le sabre, le fusil ou la bombe, enhardi par la prière, avec d'autres combattants, comme lui, le front ceint d'un bandeau, tels qu'on les voit dans les vidéos sur Internet. Mais c'était sans doute bien différent, les montagnes désertiques d'Afghanistan ou les coins les plus perdus du Sahara.

Prends soin de toi, khouya, *pense à moi et tout ira bien*, c'est cette phrase en tête que je suis parti pour Tunis.

Je n'ai rien raconté à Judit.

Je lui avais pourtant tout expliqué, dans la nuit, dans les premières nuits, Meryem, Bassam, le Cheikh Nouredine, mes mois d'errance, les bastonneurs de libraires et elle avait eu pitié de moi, elle m'avait caressé dans le noir comme on pose le baume magique d'un baiser sur les douleurs d'un enfant qui pleure ; je lui avais confié mes craintes pour l'attentat de Marrakech, elle m'avait avoué qu'elle y avait pensé, elle aussi, quand elle s'était retrouvée nez à nez avec Bassam en sortant de son hôtel. Au départ, disait-elle, j'ai cru qu'il était avec toi, que tu m'avais fait cette surprise, de venir jusqu'à Marrakech avec lui. Et puis j'ai eu un peu peur, il m'a fait peur, il avait l'air extraordinairement nerveux, disait-elle, fébrile, comme s'il était malade. Il regardait tout le temps autour de lui. Je me suis longtemps demandé, ajoutait-elle, si nous avions évoqué le nom de cet hôtel lors de nos conversations à Tanger. C'est possible, mais je ne m'en souviens pas. Tout ça est assez effrayant.

J'étais d'accord, tout cela était un peu effrayant ; je lui avais parlé, par mail, de l'attentat du *Café Hafa* et je lui ai montré le portrait-robot quand elle est revenue à Tanger. Elle m'a dit tout simplement c'est lui, c'est horrible, il faut faire quelque chose.

C'est lui, c'est atroce, c'est Bassam, il est devenu fou, il faut que tu ailles voir la police pour leur dire.

J'ai essayé de la convaincre, ce n'est pas lui, s'il était à Tanger je le saurais, il aurait repris contact avec moi d'une façon ou d'une autre, et elle s'est un peu calmée.

Nous sommes en train de jouer à nous faire peur, j'ai dit.

Je ne voulais pas l'inquiéter plus en lui disant que j'avais reçu ce mail énigmatique. J'avais envie que Tunis soit parfaite, magique, comme avait été magique Tanger six semaines plus tôt ; je voulais être là pour elle, l'aider dans ses cours, lui parler pendant des heures de grammaire et de littérature arabes, baiser souvent, baiser le plus souvent possible et voir ce qu'il était advenu de la Révolution.

Rien de moins.

Judit est venue me chercher à l'aéroport ; les douaniers tunisiens ressemblaient aux gabelous marocains, gris et mastocs ; ils m'ont engueulé parce que je n'avais pas rempli la fiche de débarquement, dont j'ignorais jusqu'à l'existence, mais m'ont pris en pitié et m'ont laissé revenir sans avoir à refaire la queue.

Judit m'attendait juste à la sortie, j'ai hésité une seconde à la serrer dans mes bras – après tout nous étions dans l'aéroport d'un pays révolutionnaire. J'ai posé ma petite valise, j'ai attrapé Judit par la taille, elle a jeté ses mains autour de mon cou et nous nous sommes embrassés, jusqu'à ce que ce soit elle, un peu gênée, qui mette fin aux effusions.

Je venais de prendre l'avion pour la première fois, et pour la première fois, j'étais à l'étranger. Judit parlait beaucoup, très vite, de Tunis, de ses cours, de la ville, de son logement, de ses camarades ; je la regardais, ses cheveux longs éclaircis par l'été, ses traits fins, précis, une certaine rondeur autour des pommettes ; ses lèvres, que tous ces sons sortant de sa bouche ne laissaient jamais tranquilles.

La nuit tombait.

Judit avait décidé de m'offrir un taxi pour aller en ville ; à notre gauche on apercevait la lagune, le lac de Tunis ; le ciel rougissait encore un peu à l'ouest.

Elle habitait dans un minuscule appartement assez charmant à dix minutes à pied de l'institut où elle prenait ses cours ; en rez-de-chaussée, sur le côté d'un immeuble, deux pièces blanches donnant sur un petit patio tout aussi blanc, carrelé de faïence bleue : une chambre avec un grand matelas à même le sol et un petit bureau, et une cuisine-salon-salle à manger ; le tout ne devait pas mesurer plus de trente mètres carrés, mais les proportions étaient parfaites ; j'avoue avoir pris beaucoup de plaisir à saisir mes Poilus morts chaque matin en regardant l'ombre se réduire dans la cour, puis le soleil de l'été exploser sur les carreaux bleutés ; le soir, quand Judit rentrait, nous arrosions le sol et nous allongions sur les dalles, nus dans la fausse fraîcheur de l'humidité, jusqu'à ce que la nuit tombe.

Le samedi, Judit m'a fait visiter le centre de Tunis et la vieille ville ; la chaleur était moins étouffante qu'on n'aurait pu croire : un peu comme à Tanger, une légère brise soufflait de la mer. La réverbération était pourtant si puissante que la lagune paraissait une immense étendue de sel, d'un blanc éclatant. Le dialecte tunisien était amusant, plus chantant que le marocain ou l'algérien, avec déjà quelque chose d'oriental, me semblait-il. La Médina était un vaste labyrinthe à dévorer les touristes et il fallait se perdre dans les ruelles pour qu'on ne vous hèle plus toutes les deux minutes, *mon ami, mon ami, un thé mon ami ? Un tapis, un souvenir ?* Et j'étais assez fier, parce qu'en compagnie de Judit, on m'adressait le plus souvent la parole en français.

La veille, jour de mon arrivée, il y avait eu de violents affrontements entre manifestants et policiers devant le palais du gouvernement, place de la Casbah ; tout le quartier avait été bouclé, et le sit-in de jeunes qui demandaient entre autres la démission du ministre de l'Intérieur avait été dispersé à coups de matraques et de gaz lacrymogènes. Les sites internet appelaient à faire revivre la Révolution, dont on sentait bien qu'elle était en train de mourir, ou de se terminer, c'est selon, et les élections, en octobre, ont remis comme il fallait s'y attendre le pouvoir aux mains des Islamistes d'Ennahda. Les jeunes sentaient bien qu'ils allaient se faire voler les fruits de la révolte, et que l'émeute allait accoucher d'un gouvernement des plus conservateurs, pour ne pas dire réactionnaire – certes démocratique, mais on n'allait pas beaucoup plus rigoler que sous Ben Ali. J'imaginais sentir, en parvenant sur la place de la Casbah encore barricadée, encombrée de cars de flics et d'hommes casqués, l'odeur piquante des lacrymos – les larmes acides des révolutionnaires. Les combats de la veille s'étaient étendus à une bonne partie du pays et à Sidi Bouzid, bastion de la contestation, la police avait même tiré à balles réelles – soi-disant pour effrayer la foule, mais un gamin de quatorze ans avait tout de même été tué par un ricochet. D'après ce que je lisais sur Internet, beaucoup de militants pensaient que le rassemblement de vendredi avait été organisé par les Islamistes.

Dans la chaleur de l'été, les Tunisiens se plaignaient plus de l'absence (relative) de touristes que du gouvernement provisoire. Ils s'accrochaient tous à la date du 23 octobre, qui mettrait un terme démocratique, semblait-il, aux gaz et aux coups de gourdin.

Il y avait, pour moi, peut-être parce que j'étais étranger, une certaine tristesse dans cette transition, dans l'après-Révolution, et Tunis semblait comme paralysée, pétrifiée dans la fumée des grenades et la blancheur de l'été.

Je n'étais pas Ibn Batouta : je n'allais pas rencontrer les Ulémas importants, ni écouter les sermons dans les mosquées, même si ça ne m'aurait pas déplu, mais il aurait fallu que j'y aille seul : en Tunisie, ainsi qu'au Maroc, les mosquées sont interdites aux non-musulmans. Comme Judit trouvait cette mesure assez discriminatoire – elle m'assurait qu'au Caire ou à Damas ce n'était pas du tout le cas – j'en ai cherché la cause, et ce sont les Français, plus précisément le premier résident général au Maroc, Lyautey, qui instaurèrent cette loi, qui s'étendit ensuite à tout le Maghreb sous domination française, pour assurer le respect entre les différentes communautés religieuses. J'ignore si c'est bien ou mal, mais il me semblait étrange que les groupes de touristes puissent librement entrer dans la mosquée des Omeyades ou celle d'Al-Azhar et pas à Kairouan ou à la Zitouna, sans parler de Judit qui, sans être musulmane, savait de nombreux passages du Coran par cœur et était tout à fait respectueuse à l'égard de la religion. Par solidarité, je ne suis donc pas entré voir la fameuse cour aux colonnes antiques et les salles de prière de la plus célèbre mosquée du Maghreb, qu'à cela ne tienne. Au fond je n'étais là que pour être avec elle, et la semaine a passé vite ; je trouvais que nos liens étaient chaque jour plus forts, plus intimes, à tel point qu'il serait bientôt très difficile de nous séparer. Nous parlions une langue qui n'appartenait qu'à nous, un mélange d'arabe littéraire, de dialecte marocain et de français ; Judit faisait chaque jour des progrès énormes en arabe. Et effectivement, quand il m'a fallu quitter Tunis, après sept jours de soldats morts, de Casanova – Judit me regardait travailler, par-dessus mon épaule, elle rigolait de mes Poilus et trouvait la langue du Vénitien assez difficile à comprendre –, de séances de piscine du pauvre dans le patio, de promenades à la Goulette, à Carthage et à La Marsa, plus l'heure du départ approchait et plus je me sentais déprimé de rentrer à Tanger, d'autant que cette fois-ci nous n'avions aucune perspective de retrouvailles proches, aucun projet. Judit me promettait qu'elle reviendrait à l'automne, mais elle ignorait quand et comment, elle n'aurait sans doute pas d'argent.

Et puis il a fallu se résoudre au départ.

— C'est à mon tour de venir, j'ai dit en la prenant dans mes bras à l'aéroport de Tunis.

— Ce serait bien…

— Je vais trouver une solution pour aller à Barcelone. *Allah karim.*

— *Sahih.* Je t'attends, alors.

— *In cha' Allah.*

— *In cha' Allah.*

Et je suis reparti, le cœur dans les godasses.

Le retour a été très dur, il a fallu que je mette les bouchées doubles au boulot parce que je n'avais pas réussi à tenir mon rythme de crevés ; je n'avais plus d'argent ; mes colocataires me sortaient par les yeux, ils étaient épuisants de connerie ; je comptais sur le Ramadan pour me remonter le moral, mais le jeûne, dans la chaleur et les longues journées d'été, était pénible et moi-même, au-delà des circonstances, j'avais du mal, dans la solitude, à retrouver le côté festif et spirituel qui aurait rendu supportable la faim et la soif ; je repensais sans cesse au Ramadan précédent, avec Bassam, le Cheikh Nouredine et les compagnons de la Pensée coranique, nos *iftar* dans le petit restaurant d'à côté, les lectures du Coran jusque tard dans la nuit et le goût d'enfance, le goût familier et familial qu'avait le mois du jeûne et qui me revenait certes maintenant, mais pour me plonger dans une triste mélancolie. Seul, l'*iftar* n'était qu'un moment de tristesse et même si nous nous efforcions, avec mes terribles compagnons, d'être ensemble, les soupes lyophilisées, les boîtes de sardines ou les nouilles (sans mentionner leurs commentaires) ajoutaient à la tristesse. Puis je me plongeais seul dans mon Coran et mon Ibn Kathir, mais sans réussir à me concentrer, les noms des Poilus et les Mémoires de Casanova me dansaient devant les yeux – j'ai eu beau essayer de rompre le jeûne au restaurant et d'aller à la mosquée écouter les lectures, rien n'y a fait.

Au bout de deux semaines, j'ai arrêté de jeûner, furieux contre moi-même, mais tant pis, mieux valait ne pas faire semblant. Je passais plus de temps au bureau, parce que l'air conditionné était agréable pour travailler : chez moi, même torse nu, je suais sur mon clavier. J'imaginais mes combattants souffrir de la soif en été, dans les tranchées, la boue devait sécher et croûter, c'était saisissant le nombre de ces tués, ils avaient tous un nom, un lieu, parfois je consultais la base de données pour voir ceux qui étaient morts au même endroit, au fur et à mesure de la saisie on apercevait l'étendue de la catastrophe, Verdun, la Somme et le Chemin des Dames arrivaient en tête des massacres, du coup après le travail je regardais des documentaires à propos de la Première Guerre mondiale sur Internet : l'enfer des obus, la vie des tranchées, les décisions militaires terrifiantes de cynisme. Je reconstituais, avec les documents que nous numérisions, la campagne de Belkacem ben Moulloub et de bien d'autres : *Journal de marche et d'opérations du 3ᵉ régiment de tirailleurs algériens, novembre 1914. 5 novembre 14 : À 1 heure attaque allemande sur le front des sections les plus avancées. Cette attaque a été arrêtée par notre feu. À 6 heures violente attaque allemande sur tout le front du 2ᵉ bataillon. Celui-ci a presque brûlé toutes ses cartouches, il se replie mais se cramponne dans les anciennes tranchées le long de la route occupées par lui le 3. Le 3ᵉ bataillon s'installe dans ses boyaux de communication face au nord. La 12ᵉ compagnie est envoyée en renfort mais ne peut enrayer totalement le mouvement de repli. Lutte ardente toute la journée. Les renforts qui lui sont envoyés arrivent trop tard : l'ennemi a vu le point faible et a attaqué avec des forces très supérieures. Mais l'Allemand n'a pu franchir le canal de l'Yser. 6 novembre 14 : à 5 heures violente fusillade sur toute la ligne accompagnée d'une violente canonnade. Pas de mouvements de troupes. La 9ᵉ compagnie a trois tués par des feux d'enfilades,* et parmi eux Belkacem, il ne verra pas la fin de la guerre, il ne rentrera pas à Constantine.

J'ai reçu un deuxième message de Bassam, j'étais maintenant absolument sûr qu'il s'agissait bien de lui :

Ramadan karim, Lakhdar khouya! *Ici on souffre, mais on tient bon.*

Le mail était envoyé d'une boîte aux lettres tout aussi étrange, mais différente, un Robert Smith ou quelque chose du genre.

Toujours mystérieux.

Parfois, pour me changer les idées, tard le soir, j'allais me baigner sur une des plages de l'autre côté de l'aéroport ; l'Atlantique était froid et agité, c'était agréable, je pensais fort à Judit et je rêvais qu'elle venait me rejoindre à l'improviste, ou que je partais la retrouver. Elle était en vacances quelque part en Espagne avec ses parents, et n'écrivait pas beaucoup, seulement un mot de temps en temps, depuis son téléphone. J'avais peur qu'elle m'abandonne, qu'elle se lasse ou qu'elle rencontre quelqu'un d'autre.

Il fallait que je parte. Tanger me sortait par les yeux.

J'avais décidé d'en parler à M. Bourrelier, il aurait peut-être une idée – après tout, entre amateurs de polars, il faut s'entraider. Je lui ai demandé si par hasard il ne pouvait pas m'obtenir un travail dans son entreprise en France. Il a ouvert de grands yeux : en France ! Mais justement, si on est implantés ici c'est pour que ça coûte moins cher, pas pour envoyer les travailleurs en France ! En plus, elle n'est pas en Espagne, ta copine ? (Il s'était remis à me tutoyer quand nous étions seuls.) J'ai acquiescé, en disant que je ne parlais pas trop bien l'espagnol, et que de toute façon, avec un visa Schengen, on pouvait aller partout.

— Pas de chance, il m'a dit, si vous aviez fait la Révolution au Maroc, vous auriez pu débarquer par milliers à Ceuta ou à Tarifa comme les Tunisiens à Lampedusa. Ensuite Zapatero vous aurait filé des papiers pour vous envoyer vers le nord, en cadeau à Sarkozy, comme Berlusconi… C'est dommage…

Ça le faisait marrer, le salaud.

— Effectivement, ça aurait été une bonne solution. Mais la Révolution est finie ici. La Réforme de la Constitution est adoptée, et les élections vont avoir lieu pour élire un nouveau gouvernement.

— Et tu es content ?

— Je ne sais pas. Tout ce que je veux, c'est être libre de voyager, de gagner de l'argent, de me promener tranquillement avec ma copine, de baiser si j'en ai envie, de prier si j'en ai envie, de pêcher si j'en ai envie et de lire des romans policiers si ça me chante sans que personne n'y trouve rien à redire à part Dieu lui-même. Et ça, ça va pas changer tout de suite, j'ai dit.

Il m'a regardé avec un air grave ; tout d'un coup j'ai eu l'impression qu'il me prenait au sérieux.

— Oui, pour ça, c'est pas gagné.

— Tous les jeunes sont comme moi, j'ai ajouté. Je me sentais soudainement en verve. Les Islamistes sont de vieux conservateurs qui nous volent notre religion alors qu'elle devrait appartenir à tous. Ils ne proposent qu'interdictions et répression. La gauche arabe, ce sont de vieux syndicalistes qui sont toujours en retard d'une grève. Qui est-ce qui va me représenter, moi?

Jean-François avait soudain les yeux ailleurs.

— Tu sais, en France, je ne suis pas sûr qu'on soit mieux lotis sur le plan politique. En plus, avec la crise…

Il a eu l'air de réfléchir un moment.

— Écoute, pour ton projet de voyage, j'ai peut-être une idée. Je ne te promets rien, mais je connais très bien un des directeurs de la Comarit. Ils ont des lignes pour l'Espagne, mais aussi pour la France. Au moins, tu pourrais voir du pays. Ça m'ennuierait de te perdre, mais bon, si ce que tu veux c'est bourlinguer, ici, à part dans les livres, tu ne vas pas voyager beaucoup.

Tous les Tangérois connaissaient la Comarit, une compagnie de navigation, parce que son nom était écrit en grand sur les ferries qui entraient au port en provenance de Tarifa ou d'Algésiras. Je ne voyais pas trop ce que je pouvais faire sur un ferry, je n'avais aucune connaissance de la mer, mais cette conversation m'a redonné espoir. Parler franchement avec M. Bourrelier m'avait fait réaliser qui j'étais : un jeune Marocain de Tanger de vingt ans qui ne désirait que la liberté. J'ai écrit longuement à Judit pour lui raconter cette histoire et les possibilités qui allaient avec, elle m'a répondu presque immédiatement *Siiiiiiiiiiiiiiiiiiiiiiiiiiiiiiiiiiiiiiiiiiiiiiiiiiiiii* ; j'ai senti mon cœur briller.

Cette nuit-là, j'ai été rattrapé par mes cauchemars. J'ai rêvé que je giflais Judit, très fort, que je la battais parce qu'elle était jalouse de Meryem ; je la frappais de toutes mes forces, et elle criait, elle hurlait en se débattant entre deux coups, mais ne s'enfuyait pas – au bout d'un moment je rejoignais Meryem dans sa chambre, je commençais à la caresser, à la déshabiller, je mettais ma main entre ses jambes, c'était tiède, alors je me retournais vers un vieux Cheikh qui était là à côté du lit, et il me disait c'est normal Lakhdar, la mort réchauffe les cadavres au bout d'un certain temps, c'est comme ça, et je disais à mon tour c'est ennuyeux tout ce sang qui sort de là, et il me répondait mais c'est de toi qu'il provient, ce sang, et j'ai regardé ma verge, un liquide rouge s'écoulait de l'urètre, sans discontinuer : plus je m'excitais au contact du corps brûlant de Meryem, au contact de sa dépouille rendue incandescente par la longue mort, plus le sang jaillissait ; j'ai pénétré Meryem, mon sexe se consumait dans le sien ; elle avait toujours les yeux clos. Judit avait remplacé le Cheikh sur le côté du lit : elle disait oui, oui, comme ça, c'est bien, tu vois, tu la remplis, c'est bon, regarde, et effectivement le sang sortait des lèvres immobiles de Meryem, débordait par ses narines sur ses dents blanches, j'étais effrayé mais je ne pouvais pas m'arrêter, j'allais et venais en elle dans une tiédeur collante.

Je me suis réveillé le bas-ventre poisseux de semence, le cœur à cent à l'heure.

Je me suis dit que j'étais fou, atteint d'une terrible maladie mentale ; je me suis recroquevillé dans la nuit comme un clébard, en gémissant d'angoisse.

II
BARZAKH

Pour toute trace matérielle de mon enfance, il me reste les deux photos que j'ai toujours gardées dans mon portefeuille, une de Meryem petite, en vacances au village, assise contre un arbre, et une autre de ma mère avec ma petite sœur Nour dans ses bras. Rien de plus. Je me suis longtemps demandé ce qui se serait produit si, au lieu de fuir toujours plus loin, au lieu d'essayer d'échapper aux conséquences de mes actes j'étais retourné chez mes parents, si j'avais insisté, si j'avais essayé de m'imposer coûte que coûte, de faire pénitence, d'accepter tous les châtiments, toutes les humiliations, je me suis longtemps demandé s'ils auraient fini par me reprendre, si j'aurais pu retrouver une place auprès d'eux. Très certainement la question ne se pose pas, il faut accepter les voyages, qui sont l'autre nom du Destin. Comme ces soldats de 1914, partis de leurs villages ou de leurs douars sans savoir ce qui les attendait, le 21 septembre 2011 je grimpais sur le ferry *Ibn Batouta* de la compagnie Comanav-Comarit au port de Tanger Méditerranée pour ma première traversée du Détroit en direction d'Algésiras, en tant que serveur au bar et homme à tout faire, enfin surtout homme à tout faire. Mousse, quoi. Le nom du navire, *Ibn Batouta*, me semblait un Signe, un bon présage. L'équipage regardait d'un drôle d'œil ce pistonné qui n'avait jamais mis un pied sur l'eau, mais bon, pensais-je, le tout serait de se faire accepter petit à petit. J'essayais d'être serviable et de répondre avec gentillesse aux regards de mépris, ce qui risquait de me faire passer pour un faible ou un imbécile mais qu'à cela ne tienne, j'étais sur la mer, en route pour l'Espagne. Évidemment, je n'avais pas de visa pour sortir du port d'Algésiras ; pour le moment je devais faire des allers-retours, des ronds dans le Détroit, mais qui finiraient bien par me permettre de débarquer un jour ou l'autre.

Je n'avais pas de plan.

L'ami de Jean-François avait accepté de m'embaucher pour un salaire de misère, qui payait tout juste mon loyer à Tanger, mais ne t'inquiète pas, disait-il, il y a les pourboires, les primes, les extras. M. Bourrelier avait été désolé de me laisser partir, il restait encore des kilomètres de crevés auxquels donner une existence informatique et de livres qui attendaient une nouvelle vie électronique, mais au fond il était content pour moi, je crois. Alors, bon vent, il m'a dit en me tendant la main, et surtout n'oublie pas, si tu veux revenir tu seras le bienvenu.

L'*Ibn Batouta* n'était pas le *Pequod*, pas un seul mât, pas d'huile de baleine : c'était un vieux bâtiment britannique de cent trente mètres de long construit en 1981, qui pouvait transporter mille passagers et deux cent cinquante bagnoles à dix-neuf nœuds, malgré le bon mètre d'épaisseur des différentes couches de peinture qui devait bien finir par l'alourdir un peu, à force. Il fallait entre une heure et demie et deux heures pour rejoindre l'Andalousie, nous faisions deux rotations par jour ; soit je commençais à aider à l'embarquement des camions et des voitures à six heures du matin pour rentrer à dix-huit heures, soit à onze heures du matin, auquel cas j'étais à la maison à vingt-trois heures.

Je me souviendrai de ma première traversée. La mer, je l'avais vue tous les jours depuis ma naissance : ces ferries, je les avais observés des heures durant traverser le Détroit, et maintenant j'étais à bord de l'un d'entre eux. On était en septembre, la saison de la migration vers le nord n'était pas encore terminée, le bateau était rempli de Marocains qui rentraient chez eux, en Espagne, en France ou en Allemagne. Des caisses chargées à bloc, des remorques, des familles entières (grand-père – grand-mère – père – mère – fils – fille et même parfois oncle – tante – cousins) s'entassaient souvent dans deux ou même trois voitures, en convoi, et leur désir de rentrer paraissait inversement proportionnel à leur âge : les jeunes étaient aussi impatients que les vieux soupiraient. La traversée était pour tous ces gens une petite récréation avant la longue route qui les attendait, douze, vingt voire trente heures de bagnole.

C'était mon premier jour et je ne savais rien faire ; j'étais censé aider aux manœuvres des véhicules, mais comme je ne savais pas guider les conducteurs pour se garer le responsable du chargement m'a vite viré en me disant d'aller me faire pendre ailleurs, et même plus vulgairement que ça, alors je suis monté sur le pont supérieur, là où se trouve la cafétéria, et j'ai aidé le barman à ranger quelques caisses de Pepsi dans des frigos, jusqu'à ce qu'il me dise à son tour d'aller me faire mettre parce que j'ai cassé une bouteille par maladresse. Je suis allé m'accouder au bastingage en attendant l'appareillage. Le pont sentait un mélange de marée et de gasoil, le métal vibrait doucement sous mes bras, au rythme des diesels ; la file de voitures et de camions diminuait, ils disparaissaient dans le ventre du ferry, c'était merveille que de voir la quantité de matière, inerte et vivante, que pouvait transporter la gigantesque bestiole sur laquelle nous nous trouvions. L'officier qui m'avait accueilli avait une quarantaine d'années, il m'avait souhaité la bienvenue à bord, c'était le second du bâtiment – j'ignorais absolument tout des bateaux, c'en était comique. Surtout les noms des choses. La marine, c'est avant tout du vocabulaire. Proue, poupe, bâbord, tribord. J'ai pris plus de coups de pied au cul, propres et figurés, pendant ces quatre mois que toute ma vie durant. Mais j'ai fini par apprendre, un peu du moins ; j'ai su faire garer les véhicules comme des sardines dans une boîte ; j'ai su m'orienter dans l'immense rafiot, des machines jusqu'à la passerelle, et surtout j'ai su petit à petit me faire, sinon apprécier, du moins accepter par les marins.

Il y avait très peu de jeunes sur l'*Ibn Batouta*. La plupart de l'équipage avait dépassé la quarantaine. Il faut dire que nous n'étions pas nombreux pour un navire de cette taille ; l'absence de service de cabine, comme de restauration (enfin, je vendais des sandwiches et des chips à la cafétéria, ça oui) permettait un effectif aussi réduit : la traversée était bien trop courte pour s'embarrasser de détails.

Je n'étais pas Sindbad, ça c'est certain. Malgré le calme de la mer, les mouvements du bateau me provoquaient une sensation étrange, comme si j'avais fumé trop de joints – pas vraiment malade, mais pas tout à fait en forme non plus. Mon corps, mes jambes en particulier ne semblaient plus obéir aux mêmes lois que sur la terre ferme, pris d'une légère ondulation, ou plutôt une oscillation, un rythme neuf qui faisait que même le plus anodin des mouvements – grimper un escalier, parcourir un pont – requérait une acuité différente de la normale : soudain, le déplacement n'était plus un phénomène si naturel qu'on puisse l'accomplir sans y penser, au contraire, tout vous rappelait qu'il fallait en être terriblement conscient, sous peine de zigzaguer, de glisser légèrement ou même, en novembre, pendant les deux ou trois tempêtes que j'ai pu essuyer, de vous retrouver carrément sur le cul, projeté sans ménagement contre le plancher par un hoquet de l'embarcation.

Mais c'était tout de même magnifique d'être là : le paysage était grisant. Le matin, quand le soleil était encore bas, les collines du Maroc s'éloignaient, brillantes, jusqu'à devenir des taches vertes et blanches, des promontoires pour géants, pour Hercule, et la lumière paraissait jouer avec ses colonnes, du côté du cap Spartel ; puis la côte andalouse se rapprochait, et on pensait alors à l'expédition de Tareq ibn Ziyad, le conquérant de l'Espagne, et à ces Berbères qui avaient défait les Wisigoths : je commandais ma propre armée de camions, de vieilles Renault, de Mercedes ; ensemble nous allions reprendre Grenade, et ce n'était pas la Guardia Civil du port d'Algésiras qui allait nous en empêcher. Il fallait d'abord anesthésier tout le pays avec quelques tonnes de bon shit rifain, parachuté gratuitement au-dessus des grandes villes, notre offensive aérienne ; des régiments de Gnawas feront trembler les murailles des dernières cités hostiles avec leurs instruments et enfin mes poids lourds et mes bagnoles d'émigrés quitteront le ventre de l'*Ibn Batouta* dans une procession glorieuse pour se diriger vers l'Alhambra : l'Espagne redeviendra marocaine, ce qu'elle n'aurait jamais dû cesser d'être.

Les flics du port d'Algésiras devaient partager ma façon de voir, parce qu'ils se méfiaient de nous comme de la peste ; ils nous soupçonnaient d'essayer de les rouler, de faire de la contrebande, de laisser passer des clandestins. Enfin, je dis nous, mais je devrais plutôt parler des vieux marins du bateau : moi, ils se contentaient de me mépriser. Lorsque nous arrivions à quai, nous commencions le débarquement ; j'étais alors sur le sol de l'Europe, et cette sensation était étrange, au début – avant que les grillages et les baraques de la Douane dans mon dos ne me fassent comprendre qu'en réalité je n'étais nulle part.

À la fin octobre, alors que les Tunisiens venaient de porter démocratiquement les Islamistes d'Ennahda au pouvoir et que les Espagnols se préparaient à élire les catholiques du Parti populaire, tout comme les Marocains, à peu près au même moment, étaient sur le point d'aller aux urnes, j'ai commencé à me lasser de ces allers-retours stériles sur le Détroit. Mon salaire tardait à arriver, on ne me payait pas, mes économies se réduisaient à pas grand-chose ; le boulot était assez fatigant et monotone. Je m'étais certes fait un ami au sein de l'équipage, Saadi, un vieux marin d'une soixantaine d'années qui avait navigué sur toutes les mers du globe, et était en préretraite dans le Détroit. Il me racontait des histoires inouïes, des récits dignes des romans d'aventures, et je feignais de les croire ; en tout cas, ça faisait passer le temps.

Je n'avais plus trop l'occasion de poursuivre ma carrière de poète : je rentrais trop crevé à la maison pour me mettre à écrire et même lire devenait une activité du dimanche, quand je ne travaillais pas. Mon appartement était très loin du port de Tanger Méditerranée et il me fallait trois bons quarts d'heure de bus pour aller au boulot ou en revenir. Enfin bref, je me demandais si je n'avais pas fait une énorme connerie de quitter M. Bourrelier et les soldats morts. Même ma correspondance avec Judit n'était plus aussi suivie. Je pensais à elle, très souvent même ; les premiers temps, je profitais de l'escale d'Algésiras pour envoyer une lettre manuscrite à Barcelone – *Je t'écris depuis l'Andalousie* – mais très vite, nous nous sommes rendu compte que ces missives et ces cartes postales mettaient au moins autant de temps à lui parvenir que si je les avais expédiées de Tanger. Judit s'investissait de plus en plus dans la contestation anti-système, comme elle disait ; elle avait rejoint un groupe de réflexion lié au mouvement des Indignés, ils préparaient plusieurs actions d'envergure pour après les élections. Ce qu'elle décrivait de la situation en Catalogne était assez effrayant ; la droite nationaliste au pouvoir détruisait systématiquement, disait-elle, tous les services publics, l'Université en tête : on supprimait des matières, les enseignants voyaient leur salaire se réduire de trimestre en trimestre. Elle était inquiète : déjà que la qualité n'est pas extraordinaire, on se demande ce que ça va devenir, disait-elle. Elle était à la croisée des chemins, en dernière année avant son diplôme, et il lui faudrait choisir une orientation, un master sans doute, ou un long séjour dans le Monde arabe ; elle hésitait à essayer de devenir interprète, enfin bref, elle était un peu perdue, et donc de plus en plus indignée.

J'avais reçu un ou deux mails de Bassam, toujours aussi énigmatiques, envoyés chaque fois de boîtes différentes. Il ne demandait pas de mes nouvelles ; il ne me donnait pas des siennes ; il se plaignait juste de la difficulté de l'existence et citait des versets coraniques. Un jour, la Sourate de la Victoire : *Quand viendra la victoire de Dieu et la Conquête*, etc. ; un autre la sourate du Butin : *Et ton Seigneur révéla aux Anges : "Je suis avec vous : affermissez les croyants. Je vais jeter l'effroi dans les cœurs des impies. Frappez donc au-dessus des nuques."*

L'attentat du *Café Hafa* n'avait pas été revendiqué et l'on n'en parlait plus dans les journaux. Seules les élections retenaient l'attention de la presse, les élections en Tunisie, au Maroc, en Espagne, on avait l'impression qu'une vague de démocratie déferlait sur notre coin du monde.

J'étais suspendu, j'habitais le Détroit ; je n'étais plus ici et pas encore là-bas, éternellement sur le départ, dans le *barzakh*, entre la vie et la mort.

Mes cauchemars étaient récurrents et me pourrissaient la vie ; soit je rêvais de Meryem et des fleuves de sang, soit de Bassam et du Cheikh Nouredine ; je voyais des attentats, des explosions, des combats, des massacres à l'arme blanche. Je me souviens, une nuit particulièrement horrible j'ai rêvé que Bassam, le regard vide, un bandeau sur le front, égorgeait Judit comme un mouton, en la tenant par les cheveux. Cette scène atroce m'a hanté plusieurs jours.

Quand j'avais le temps, j'essayais de prier à heures régulières, pour me reposer l'esprit ; je recouvrais un peu de calme dans les prosternations rituelles et la récitation. Dieu était clément, il me consolait un peu.

Il fallait que je trouve un moyen de reconstituer mon stock de polars, le seul qui me restait était le cadeau de départ de Jean-François : un exemplaire de *Morgue pleine*, de Manchette, qu'il m'avait offert parce qu'il l'avait en double. C'était un bon livre, un très bon même, écrit à la première personne, l'histoire d'un ex-gendarme appelé Eugène Tarpon devenu détective privé sans boulot, buveur de Ricard qui a comme seule perspective de retourner vivre chez sa mère au fin fond de la France. Assez désespérément drôle, ça me changeait les idées.

Judit n'avait pas d'argent pour venir me rendre visite ; je n'avais pas de visa pour prendre le bus à Algésiras et monter la voir. Je ne pouvais que regarder l'Espagne derrière les grilles de la Douane, comme des centaines de types dans mon genre regardaient les barbelés autour de Ceuta ou Melilla ; la seule différence étant que j'étais sur le continent. J'ai longtemps imaginé me planquer dans un camion ou essayer de passer en douce dans la file de bagnoles, et j'aurais sans doute pu y parvenir, mais à quoi bon. L'énergie commençait à me manquer. La force que m'avait donnée la présence de Judit, le corps de Judit à Tunis s'estompait peu à peu. Je me contentais de laisser passer les jours, de naviguer, sans grand espoir, prêt à passer l'éternité entre les deux rives de la Méditerranée.

C'est arrivé en janvier. Un coup du Destin, un de plus ; alors que nous n'avions pas touché un centime de nos salaires depuis septembre, que je finissais par désespérer, par envisager très sérieusement de rempiler chez les Poilus morts, que Judit ne me donnait presque plus de nouvelles, répondait très laconiquement à mes messages et que je commençais à soupçonner qu'elle avait rencontré quelqu'un d'autre, un soir, alors que nous étions arrivés à Algésiras le matin comme d'habitude et avions attendu toute la journée l'ordre d'appareiller sans comprendre pourquoi nous ne partions pas, le capitaine nous a convoqués. Nous étions trente-deux dans la cafétéria. Il faisait une drôle de tête, surpris, peut-être, ou abattu, ou les deux à la fois. Il n'y est pas allé par quatre chemins. Il a dit les gars, les bateaux sont saisis par la justice espagnole. On ne peut pas bouger d'ici jusqu'à nouvel ordre. La compagnie doit des millions d'euros de carburant et de droits portuaires. Voilà. Il a levé les yeux vers la salle. Tout le monde a commencé à parler en même temps. Il a répondu aux questions les plus proches. Oui, vous pouvez rentrer à Tanger sur un ferry de la concurrence, ils vous prendront, bien sûr. Mais ce sera considéré comme un abandon de poste, une rupture de contrat et vous perdrez tous vos droits sur vos salaires impayés en cas de vente des navires. Enfin c'est ce que j'ai cru comprendre.

Ça paraissait complètement absurde. On était bloqués dans le port d'Algésiras. Bon, moi, je vais rentrer, j'ai pensé. Retrouver M. Bourrelier et la guerre de 14, que je n'aurais jamais dû quitter.

Le capitaine continuait à répondre aux questions.

— Par chance les réservoirs sont pleins, on a du carburant pour l'électricité et le chauffage pour un bon bout de temps. On devrait pouvoir se débrouiller aussi pour ne pas mourir de faim. Au pire on se fera ravitailler depuis Tanger par les collègues.

— Moi je suis obligé de rester, oui. Mais vous… C'est comme vous voulez.

— Deux semaines, peut-être. Peut-être moins. Il suffirait que la compagnie paye une partie de l'ardoise pour que la saisie soit levée.

— C'est pas la place qui manque, hein. On a toutes les cabines… Doit même y avoir des draps et des couvertures en rab.

— Je ne sais pas, on peut jouer aux charades. Si on était dans la marine militaire, on en profiterait pour repeindre la coque.

Il s'est mis à se marrer. Il y avait plusieurs types qui rigolaient, d'ailleurs. Mais aussi d'autres qui trouvaient ça beaucoup moins drôle. Ceux qui avaient femmes et enfants à Tanger, par exemple. C'était une étrange sensation que d'être coincés ici à dix milles de chez nous : moins d'une heure de vélo en terrain plat.

Le lendemain, la nouvelle était dans le journal local, que nous ont apporté les dockers espagnols :

Un nuevo drama laboral en el sector marítimo recala en el puerto de Algeciras. Un total de 104 marineros, los que componen la tripulación de los buques Ibn Batouta, Banasa, Al-Mansour *y* Boughaz, *afrontan una situación muy precaria, abandonados a su suerte por la naviera marroquí Comarit, que se encuentra en graves problemas económicos que están motivando un drama social que salpica también a otros puertos del Mediterráneo.*

Il y avait une photo de l'*Ibn Batouta* ; on y voyait quelques marins sur le pont, dont moi. C'était la première fois que j'étais dans le journal, j'aurais voulu passer le lien à Judit par Internet, mais évidemment nous n'avions pas de connexion. Je lui ai envoyé un SMS pour la prévenir, elle m'a répondu presque immédiatement *Ça alors ! Incroyable ! Tiens-moi au courant !*

J'ai imaginé un temps qu'elle prenne un bus et vienne me voir, après tout elle pouvait entrer dans la zone sous douane sans aucune difficulté. J'ai rêvé d'être le dernier marin sur l'*Ibn Batouta* – nous aurions eu le bateau pour nous, j'aurais aménagé la plus belle cabine et nous aurions passé des vacances de songe, une magnifique croisière immobile, à regarder les conteneurs valser sous les grues et le va-et-vient des transbordeurs.

Mais bon, il y avait tout de même une bonne trentaine de marins entre moi et mes rêves. Je ne me voyais pas trop dire au capitaine ou à Saadi "Il me faudrait une cabine double, j'ai invité ma copine à passer quelques jours avec nous", comme si notre ferry était une maison de campagne. Nous recevions quelques visites – des journalistes ou des dockers, principalement – mais personne ne restait dormir, bien sûr.

Le temps passait très lentement. Le matin j'allais me promener un peu sur le port, dans la Zone ; je saluais les Espagnols qui travaillaient là, souvent ils m'offraient un café et on bavardait cinq minutes ; ils me demandaient alors, quelles nouvelles, et je répondais invariablement rien de neuf pour le moment. Ils me disaient c'est dingue, *qué locura*, ils pourraient au moins te donner un visa pour aller faire un tour en ville, je répondais toujours, ah oui, *no estaría mal*, en espérant sans y croire que l'un d'eux prenne un jour l'initiative d'aller parlementer avec les flics de la *Policía nacional*. Qu'ils vous envoient des oranges de chez vous, c'est la saison, disait l'un, qui venait de décharger un vraquier d'agrumes, et il rigolait, aussitôt grondé par un autre, plus solidaire, qui disait ça doit pas être drôle, quand même, mets-toi à leur place, si on était bloqués dans le port de Tanger, ce serait pas franchement marrant.

Après le café je poursuivais mon tour des docks, j'enregistrais mentalement les mouvements des navires, il y avait des bateaux pour tout, de formes différentes selon leur contenu ; des volaillers qui transportaient des milliers de poules caquetantes dans des cages ; des bâtiments chargés de bananes et d'ananas qui sentaient si fort qu'on avait l'impression de plonger la tête dans un jus de fruits ; des réfrigérés regorgeant de produits congelés dans des conteneurs spéciaux ; des barges immenses alourdies de rails de chemin de fer, de sable ou de béton ; des céréaliers comme des silos flottants et des porte-conteneurs modernes, vrais immeubles multicolores de dix étages. Certains venaient de très loin *via* Suez ou l'Atlantique, d'autres de Marseille, du Havre ou d'Europe du Nord ; ils restaient rarement à quai plus de quelques heures.

Quelques-uns étaient neufs ou fraîchement repeints, d'autres charriaient, en plus de leur cargaison, des tonnes de rouille et on se demandait par quel miracle ils ne se brisaient pas à la première vague.

Puis je retrouvais l'*Ibn Batouta*, il y avait toujours une corvée à effectuer, ménage, lavage de pont, lessive, épluchage de patates ; on ne repeignait pas encore la coque, comme disait le capitaine, mais on s'emmerdait tellement ferme que si une bonne âme nous avait donné de la peinture, je crois qu'on s'y serait mis. Je découvrais la vie à bord – à quai, plutôt.

La plaie de la marine, c'est les cafards. Ce sont les vrais propriétaires du bateau. Il y en a partout, par milliers, à tous les étages ; ils sortent la nuit, à tel point qu'il ne vaut mieux pas se réveiller à trois heures du matin et allumer la lumière : on en découvre toujours trois ou quatre, un ou deux sur sa couverture, un sur le mur et un tranquillement installé sur le front de son voisin, sur la couchette d'en face, et on imagine qu'ils agissent de même avec vous lorsque vous dormez, qu'ils se promènent doucement sur vos paupières closes, ce qui me terrifiait au début, me faisait frémir d'horreur – au bout du compte on s'habitue. Les blattes viennent des ponts inférieurs, de la chaleur des machines ; c'est là qu'elles sont le plus nombreuses, et les diésélistes vivent avec elles. J'ignore de quoi elles peuvent bien se nourrir, je suppose qu'elles se servent dans nos réserves et bouffent dans nos assiettes. Toute tentative d'éradication est paraît-il vouée à l'échec : dès qu'un bateau est contaminé par le cafard, c'est foutu, il n'y a rien à faire. On avait beau lessiver le pont et les coursives à la Javel et poser des pièges dans nos cabines, on en retrouvait toujours. Saadi me racontait qu'on pouvait les apprivoiser, un peu comme des oiseaux. Il avouait qu'autrefois, la nuit, sur son cargo, pendant les longues heures de son quart, il leur parlait.

Saadi m'avait pour ainsi dire adopté : nous partagions une cabine, et dans le long ennui des soirées à bord, sa compagnie était magique. Il était diéséliste ; c'était lui qui bichonnait les deux moteurs Crossley du bord. L'écouter, c'était comme parcourir un livre infini dont on ne se lasserait jamais, car son contenu était vaste et chaque fois légèrement différent. Il me parlait des mers du Sud, des îles Sous-le-Vent, qui sont, que Dieu me pardonne, disait-il, la version terrestre du Paradis – les hommes qui les ont vues gardent toujours dans leur cœur cette blessure et n'ont de cesse d'y retourner. Il connaissait aussi les grands ports de la mer de Chine, Hong Kong, Macao, Manille. Singapour est la cité la plus propre du monde ; Bangkok la plus bruyante, la plus troublante aussi. Il me racontait l'alignement interminable des bordels et des boîtes à strip-tease de Patpong, où vont les Américains par centaines ; beaucoup font le voyage exprès, à croire qu'il n'y a pas de putains aux États-Unis.

Il avait vu Célèbes à la forme d'un chat, Java et Bornéo, la longue Malaisie et le détroit de Malacca, où les bateaux sont si nombreux qu'ils y font la queue comme des voitures dans un embouteillage.

Il me parlait des vaches de Bombay, que n'importe qui peut traire dans la rue pour mettre du lait directement dans sa tasse de thé et du port de Karachi, la ville la plus dangereuse de la planète, disait-il, tu n'y survivrais pas une journée. C'est le royaume de la contrebande, de la drogue, des armes. La douane n'existe pas, là-bas. Tout se paye en bouteilles de whisky. Les putains de Karachi sont si maltraitées qu'elles ont toutes des cicatrices, des bleus, des brûlures de cigarettes.

Saadi avait traversé je ne sais combien de fois le canal de Suez, franchi l'équateur pour se rendre au Brésil, en Argentine, en Afrique du Sud. Il avait vu des tempêtes si violentes qu'un immense cargo pouvait y danser comme une barcasse de pêcheurs et où tout le monde était malade, tout le monde, même le pilote qui barrait avec un seau à portée de bouche pour pouvoir dégobiller sans lâcher les commandes ; il avait vu des marins mourir en mer, tomber à l'eau et disparaître dans l'immensité tourbillonnante ou bien crever d'une fièvre, d'une subite tristesse sans qu'on puisse rejoindre à temps la terre ferme pour les soigner : on balançait alors le corps à la flotte, ou on pliait le cadavre pour le tasser dans un congélateur, selon le bon vouloir du capitaine ; il avait vu des marins ivrognes qui ne pouvaient naviguer que la bouteille à la main, des matelots se battre à coups de couteau pour une fille ou un mot de travers et même des pirates, dans le golfe d'Aden, arraisonner son navire puis l'abandonner après une bataille rangée contre une frégate militaire, alors que tout l'équipage était enfermé à fond de cale. Mais étrangement, les endroits dont il parlait avec le plus d'émotion, c'était Anvers, Rotterdam et Hambourg, il aimait les ports du Nord, immenses, actifs, sérieux, qui jouxtaient de grandes villes où il y avait tout le confort moderne, le métro, des bordels de grand luxe, des vitrines, des supermarchés, des bars de toutes catégories, où la bière était bon marché et où l'on pouvait se promener sans craindre un coup de couteau dans le dos comme à Karachi.

Imagine des dizaines de kilomètres de docks, disait-il, des bassins de plus de vingt mètres de profondeur où les plus grands bateaux du monde peuvent accoster – des bateaux de haute mer, qui ne voient normalement jamais aucun port : avec nos conteneurs, nous on avait l'air d'être des barques, des plaisanciers à côté de ces mastodontes quand on les croisait dans les chenaux. Et les villes, ah fils, malheureusement on ne restait jamais bien longtemps, mais tu n'as jamais vu autant de tours, d'édifices de toutes sortes, de toutes les couleurs comme à Rotterdam, par exemple. Jamais vu autant d'immigrants, de toutes les nationalités possibles. C'est bien simple, je ne suis pas sûr d'avoir croisé plus d'un ou deux Hollandais. Il y avait un bordel rempli uniquement de Thaïlandaises, par exemple. J'ai même appris récemment que le maire de Rotterdam est marocain. C'est pour te dire à quel point ils respectent les étrangers, là-haut. Un peu comme dans le Golfe, j'ai dit. Ça l'a fait marrer. Petit con. Je vois que tu m'écoutes : Rotterdam et Doha, rien à voir, imbécile ! Et Hambourg ! À Hambourg il y a des supermarchés à putes et des lacs au milieu de la ville. À Anvers, dans le centre, tu as l'impression d'être au Moyen Âge. Mais pas un Moyen Âge crasseux comme la Médina de Marrakech ou de Tanger, non, un Moyen Âge élégant, ordonné, avec des places magnifiques et des bâtiments à couper le souffle.

— Alors ce serait plutôt la Renaissance, j'ai dit, pour faire le malin, pour montrer que moi aussi je connaissais des choses.

— Qu'est-ce que ça peut foutre ? Je t'assure que tu n'as jamais vu des ports comme Anvers, Rotterdam et Hambourg. Rotterdam a été complètement détruite pendant la guerre et regarde-la aujourd'hui. Chez nous, il faut deux ans pour reboucher un trou dans une avenue, imagine le nombre de siècles nécessaires pour reconstruire Tanger si jamais elle était bombardée, à Dieu ne plaise.

Saadi avait passé trente années en mer, sur une dizaine de bâtiments différents, et depuis quatre ans, il arpentait le Détroit à bord de l'*Ibn Batouta*. Saadi était divorcé et remarié avec une toute jeune femme qui venait de lui donner un fils dont il était très fier.

— C'est pour ça que tu n'es pas resté quelque part en Europe? À cause de la famille?

— Non, fils, non. C'est parce que quand tu passes des mois et des mois sur une barcasse d'acier, tu n'aspires qu'à retrouver ton fauteuil, ton chez-toi. L'Europe c'est bien, c'est beau, c'est agréable d'y être en escale. Mais Tanger, ce n'est pas pareil, c'est ma ville.

Moi mon expérience dans la marine venait de se solder par ce naufrage au fond du port d'Algésiras, pas très glorieux – j'ai demandé à Saadi s'il avait déjà vu un cas semblable, de bateaux coincés au fond d'un port. Il m'a raconté qu'à Barcelone, un cargo ukrainien avait été abandonné par son armateur, incapable de payer la carène et les réparations : tout l'équipage était parti sauf un matelot, qui restait pour toucher le produit de la vente du navire et rapporter l'argent à ses camarades. L'Ukrainien est resté plus de deux ans seul sur son rafiot, disait Saadi, à vivre de la charité et des quelques billets que l'ancien équipage lui envoyait d'Odessa. Tout le monde le connaissait dans le port ; c'était un vrai héros. À ce moment-là nous faisions une ligne Le Pirée – Beyrouth – Larnaca – Alexandrie – Tunis – Gênes – Barcelone, on appelait ça faire l'autobus. Je voyais l'Ukrainien toutes les deux semaines. C'était un sacré bonhomme, avec une volonté incroyable. Chaque jour il allait emmerder les bureaux d'armateurs et les autorités du port pour trouver un acheteur pour son tas de rouillé et éviter la vente aux enchères, où il aurait presque tout perdu – et crois-moi Lakhdar, un vieux cargo, même plus ou moins réparé, ça ne se vend pas comme une 205. Je lui donnais un coup de main pour faire tourner ses diesels ; je me souviens, c'étaient de magnifiques modèles soviétiques, de vraies horloges, même avec leurs dizaines de milliers d'heures au compteur, ils auraient pu faire le tour du monde. La barcasse était en mauvais état, c'est sûr, il aurait fallu changer l'axe de l'hélice et refaire une partie du système électrique, mais quelqu'un allait bien finir par la racheter, c'était juste une question de temps. Alors l'Ukrainien attendait. Il avait toute une série de combines pour subsister. Comme il était là à plein temps, il connaissait tous les dockers, tous les types de la capitainerie, il jouait aux cartes avec eux, organisait de petits trafics avec les bateaux de passage, des cigarettes, de l'alcool et même des boîtes de caviar russe qu'il revendait à un épicier de luxe du haut de la ville. Un chouette gars. Il fréquentait toujours le même bordel et a fini par épouser une prostituée colombienne – un jour quand on a accosté comme d'habitude à Barcelone, le bateau n'était plus là. Il avait été vendu à une compagnie grecque. Il navigue encore, d'ailleurs, ce rafiot, je l'ai croisé il n'y a pas si longtemps. Le type a organisé une fiesta de tous les diables pour fêter son départ ; il a invité des dizaines de connaissances dans une boîte pourrie et c'était une bringue extraordinaire, crois-moi, légendaire, les amies de la mariée dansaient à moitié nues, tout le monde a fini ivre mort – à la fin de la soirée, complètement saoul, il nous a annoncé solennellement qu'il partait s'installer avec sa femme à Bogotá, grâce aux quelques millions de pesetas que lui avait rapportées la vente du bateau ; il abandonnait à Odessa fiancée et camarades ; il partait en Amérique, loin dans les terres, avec sa belle mulâtresse.

Les mauvaises langues ajoutaient qu'il avait le projet de se lancer dans la contrebande avec le pognon.

Plus tard on a su qu'il avait été abattu d'une balle dans la tête en pleine rue à Barranquilla, sans que les rumeurs ne précisent si la vengeance des marins d'Odessa l'avait rattrapé, si un trafiquant colombien lui avait réglé son compte ou s'il avait été tout simplement victime de la guigne.

C'est la seule histoire que je connaisse de quelqu'un qui soit resté aussi longtemps dans un port à part nous, fils.

C'était rassurant.

Les histoires de Saadi avaient toujours un côté noir, tragique, sans que je réussisse à savoir si c'était l'aspect le plus sombre de sa personnalité ou si, réellement, la vie des marins comportait cette face obscure – nous, nous étions une centaine de matelots coincés à Algésiras, sur quatre ferries ; je doutais que l'un d'entre nous parvienne à s'enfuir en Colombie ou au Venezuela avec le moindre sou : les nouvelles étaient mauvaises ; la compagnie de navigation avait une dette gigantesque, en Espagne, en France, au Maroc ; nous ne reverrions sans doute jamais nos salaires perdus. Au bout d'un mois d'attente, démoralisés, morts de froid et d'ennui, alors que personne ne paraissait s'intéresser à notre sort de naufragés économiques, nous avons eu l'idée de nous adresser à la presse, pour attirer l'attention de l'opinion publique. Le syndicat des dockers nous a donné un coup de main. Il y eut plusieurs articles dans les journaux :

> Comme leurs confrères bloqués à Sète, les marins de la Comanav-Comarit à Algésiras connaissent des moments difficiles. La ligne Tanger-Algésiras n'est plus desservie par la compagnie depuis début janvier. Bloqués à Algésiras, les marins voient se dégrader davantage leur situation au fil des jours. Manque de vivres et de combustible, pas de salaires depuis plusieurs mois, non-versement des cotisations sociales…
>
> Cependant, contrairement aux hommes de mer actuellement au port français, les marins à Algésiras s'adressent aux médias. Ils ont tenu une conférence de presse récemment avec le soutien des Espagnols. Ils en ont assez et veulent rentrer chez eux. Ce sont des hommes qui ont généralement laissé femmes et enfants au Maroc. Ces derniers vivent, parfois, dans des conditions déplorables.
>
> Une centaine de marins sont ainsi au port d'Algésiras où quatre ferries au total sont stationnés : le *Banasa*, le *Boughaz*, l'*Al-Mansour* et l'*Ibn Batouta*, mis sous saisie conservatoire en janvier dernier pour des raisons d'impayés.

Rien n'y a fait. Tout ce que nous avons réussi à obtenir, c'est une visite de plus de Mme le Consul.

Ce qui me désespérait plus que tout, c'était l'absence d'Internet. Mon ordinateur était resté à Tanger, dans ma chambre ; il y avait bien un "parloir" dans le port avec des cabines téléphoniques et deux ordinateurs, mais il fallait payer, et l'argent nous faisait défaut. Je ne pouvais pas retirer de fric à l'étranger depuis mon compte à Tanger. Le crédit de ma carte de téléphone s'était épuisé en sms à Judit. C'était la misère. Une association caritative espagnole nous avait apporté des vêtements ; j'avais touché deux jeans rapiécés, des chemises trop grandes, un pull à rayures et une vieille parka kaki doublée de laine synthétique.

Judit semblait s'être complètement désintéressée de moi. En y repensant, les six derniers mois avaient distendu nos relations ;

nous nous écrivions moins souvent, nous nous parlions moins au téléphone, et maintenant, enfermé dans le port d'Algésiras, je n'avais presque plus de nouvelles d'elle, ce qui me plongeait dans une tristesse mélancolique. Je racontais mes déboires à Saadi, qui compatissait tout en m'encourageant à l'oublier ; tu as vingt ans, il disait, tu en aimeras d'autres. Il me parlait des putains, des bordels du monde entier, où il avait trouvé du plaisir et de la compagnie, une famille immense éparpillée aux quatre coins de la terre. Il se souvenait des prénoms de toutes les filles qu'il fréquentait. Il me disait tu sais, quand on fait la même route, on repasse régulièrement dans les mêmes ports, alors on retrouve les mêmes claques, les mêmes putains, les mêmes clients. On prend des nouvelles d'un tel ou d'un tel qui sont passés la semaine précédente ; on boit des petits verres, on joue aux cartes – ce n'est pas juste tirer un coup. C'est du temps libre.

J'avoue que dans ma solitude miséreuse, j'ai rêvé en l'écoutant d'avoir mes habitudes dans un boxon amical, où des filles m'aimeraient et une mère maquerelle au grand cœur prendrait soin de moi – puis je repensais à Zahra, la petite pute de Tanger que je n'avais pas osé toucher, et ces rêves s'évanouissaient, comme tous les autres. Il ne doit pas y avoir plus d'amour dans les bordels que de poils au con d'une putain marocaine.

Saadi était un peu comme un grand frère ou un père, il s'inquiétait pour moi, me posait des questions ; je lui racontais ma vie, et il s'exclamait oh là là, ben dis donc, Lakhdar mon fils, tu as bien morflé quand même ; il plaignait mon père, disait-il, d'avoir si peu de cœur ; il partageait mes doutes quant à Bassam et au Cheikh Nouredine. Il disait à voix basse si tu veux mon avis, tout ça c'est la faute de la religion, que Dieu me pardonne. S'il n'y avait pas la religion, les gens seraient bien plus heureux.

Il comprenait que j'aie envie d'émigrer, de quitter Tanger – il me disait juste avec ce rafiot, tu n'as pas vraiment choisi le bon moyen.

Plus les jours passaient et plus je me disais tant pis, je pars à Barcelone, je trouve un moyen pour quitter le port, et advienne que pourra. Et quelques heures plus tard je pensais tant pis, je rentre à Tanger retrouver M. Bourrelier.

Le plus pénible était de ne rien avoir à bouquiner, à part le journal à la cafétéria du port ; je ne pouvais pas relire en boucle *Morgue pleine*. J'avais récupéré un Coran minuscule qu'une bonne âme m'avait donné, je m'esquintais les yeux dessus pour apprendre par cœur quelques sourates, celle de Joseph, celle des Gens de la Caverne, c'était un bon exercice.

Un apprentissage de la prison.

Nous n'avions commis aucun crime, l'armateur l'avait commis pour nous, mais nous étions en taule. Il y avait bientôt deux mois que je n'avais pas payé mon loyer, je me demandais si je n'allais pas trouver mes valises devant la porte ou plutôt dans les poubelles en rentrant. Si je rentrais.

Le silence de Judit finissait par me rendre cinglé. Février était glacial ; un vent gelé s'engouffrait dans le Détroit, la mer était invariablement vert-de-gris et parcourue d'écume. Tous mes camarades étaient déprimés. Même Saadi faisait grise mine, sa barbe blanchissait, il ne se rasait plus. Il passait le plus clair de son temps à dormir.

— On ne peut pas rester comme ça jusqu'au jour du Jugement, j'ai dit.

Il a sursauté sur sa couchette, s'est redressé.

— Non, c'est vrai, petit, on ne peut pas. Enfin toi tu ne peux pas. Moi, tu sais, je pourrais rester comme ça jusqu'à la retraite. Ils finiront bien par trouver une solution. C'est encombrant, une centaine de marins et quatre ferries immobilisés dans un port.

— Ta femme ne te manque pas ? Tu n'as pas envie de rentrer chez toi ?

— Tu sais j'ai passé les neuf dixièmes de ma vie loin de chez moi. Ça ne change pas grand-chose. J'ai l'habitude.

— J'ai l'impression d'être en taule. Je n'en peux plus. Je vais devenir fou, ici, à tourner en rond entre les bateaux et à faire le ménage.

Il m'a regardé avec un air un peu attendri.

— Je te vois bien devenir fou, oui. C'est une possibilité à ne pas négliger. Je me souviens dans le temps quand je naviguais sur le *Kairouan*, un des matelots est devenu fou. Il ne pouvait plus quitter la passerelle ou le pont. Il était impossible de le faire rentrer dans les coursives ou descendre aux machines, impossible.

Il était soudainement terriblement claustrophobe. On a décidé de ne rien remarquer, on ne s'occupait pas de lui, on faisait son boulot à sa place. En attendant qu'il guérisse, tu vois ? Et puis ça a empiré : il s'est recroquevillé en boule dans un coin du pont. Il était dehors, assis, tout le temps trempé par les embruns, la pluie. On lui avait installé de force un ciré sur les épaules. Le capitaine a commencé à s'en inquiéter, il a dit mais il est complètement cinglé, celui-là, il va attraper une pneumonie, il faut faire quelque chose, descendez-le à l'infirmerie. On a répondu que ce n'était peut-être pas une bonne idée de l'enfermer, rapport à la claustrophobie subite, mais les officiers n'ont rien voulu savoir. Il a fallu s'y mettre à cinq costauds pour le transporter, il se laissait pas faire, il s'arc-boutait contre les tuyauteries, s'accrochait désespérément aux portes. Finalement on a réussi à le faire entrer, il hurlait de frayeur quand on a fermé la lourde, il a tapé du poing pendant des heures en suppliant qu'on lui ouvre, ça faisait mal au cœur ; j'ai vu plusieurs bonshommes avoir la larme à l'œil en l'entendant et finalement le capitaine a ordonné qu'on le libère immédiatement. Quand on est entrés ce n'était plus qu'une boule de nerfs gémissante, il s'était pissé dessus, il tremblait comme un épileptique. On l'a pris doucement pour le ramener au grand air, mais c'était trop tard, il était totalement brisé : dès qu'on l'a lâché il a enjambé le bastingage et s'est balancé à la flotte – on n'a pas pu le récupérer.

— Quelle horrible histoire. J'espère ne pas devenir fou comme ça. En même temps si je me balance dans le port, j'en serai quitte pour sentir le mazout jusqu'à la fin de mes jours, mais pas grand-chose de plus.

Il me regardait en rigolant du haut de sa couchette.

— Fils, je crois qu'effectivement il est temps que tu mettes les bouts.

Ça a pris plus de temps que prévu pour organiser "mon évasion", comme disait Saadi, mais une fois de plus, la chance, le Destin ou le Diable m'ont souri et deux semaines plus tard, à la mi-février, je marchais pour la première fois sur le sol de l'Europe, et pas entre les conteneurs ; je me souviens d'être allé à pied, sans bagage, jusqu'au centre-ville d'Algésiras, et là j'ai dépensé mes premiers euros, dans un bar, pour une bière et un sandwich au thon. Personne ne faisait attention à moi, personne ne me regardait, j'étais un pauvre Maure comme un autre ; j'ai essayé de lire le journal, mais j'étais trop fébrile pour me concentrer. La bière avait le goût du bonheur, que Dieu me pardonne. Sur mon passeport j'avais un visa d'un mois accordé "pour raisons humanitaires", c'est-à-dire pour aller se faire voir ailleurs – je ne pouvais ni travailler, ni passer dans un autre pays européen ; j'avais juste la possibilité de ramper jusqu'à Tarifa pour embarquer sur un ferry vers Tanger. Mais avant je voulais aller à Barcelone voir Judit.

En sortant du bar j'ai demandé au patron où est-ce qu'il y avait un webcafé, il m'a indiqué un genre de bureau de télécommunications avec des ordinateurs en libre-service. L'endroit était tenu par des Marocains – je ne sais pas pourquoi, j'ai eu un peu honte, j'aurais préféré que les propriétaires soient espagnols. J'ai envoyé un mail à Judit : Ya habibati, *j'arrive, si tu veux de moi. J'ai un visa, je suis sorti du port. Je peux prendre un bus depuis Algésiras et demain je suis à Barcelone. Si tu veux.* Je ne lui posais pas toutes les questions qui me rongeaient à propos de son silence, mais la formulation un peu désespérée du message, pensais-je, le faisait pour moi. Ensuite j'ai tourné en rond dans Algésiras ; je regardais les boutiques, l'air qu'avaient les gens. Je me suis payé une deuxième bière dans un bar que je trouvais assez chic. Il y avait des femmes dans le café ; toutes sortes de femmes. Des filles jeunes, en groupe discutaient avec des camarades ; d'autres plus âgées avaient l'air de boire un coup en sortant du travail. Et même une serveuse, qui devait avoir mon âge ; c'est elle qui m'a apporté ma pression. J'essayais de passer inaperçu, de faire comme si tout n'était pas nouveau – la langue, les visages. J'avais l'impression d'être passé à l'intérieur de la télévision et du coup, avec ma parka kaki un peu noircie aux coudes, j'imaginais que tout le monde me regardait en devinant qu'elle m'avait été offerte par Caritas.

Deux heures plus tard je suis retourné voir si Judit avait donné signe de vie, pas de réponse. J'ai décidé de lui donner un peu plus de temps, j'ai parcouru la ville en quête de l'hôtel le moins cher – je l'ai trouvé. C'était miteux, pour ne pas dire dégueulasse ; il y avait des cheveux sur l'oreiller, des poils de cul dans la douche, ça puait la friture du restaurant d'en bas et il fallait payer d'avance, mais les tarifs étaient presque marocains.

La liberté avait un goût de tristesse. J'ai pensé à Saadi et aux copains du bateau, à Jean-François Bourrelier, au Cheikh Nouredine, à Bassam, à tous ceux qui m'avaient aidé avant de disparaître. À Judit aussi, bien sûr.

J'avais encore fait une énorme connerie, j'étais seul, avec deux cents euros prêtés par Saadi, je n'avais rien d'autre qu'un Coran, un polar et une parka pourrie, il me fallait tout reconstruire, avec un visa de charité, obtenu comme traitement de faveur auprès des autorités du port. Ma vie me paraissait extraordinairement fragile ; je me revoyais mendier, comme deux ans plus tôt, sur les marchés, revenu au point de départ.

J'ai passé la soirée dans le bar *El Estrecho*, qui portait bien son nom, étroit comme le Détroit lui-même ; il y avait la télé, le Real Madrid a fait match nul un partout à Moscou, ça m'a occupé la soirée.

En rentrant je suis repassé jeter un coup d'œil à mes mails et à Facebook, toujours pas de nouvelles de Judit. J'ai décidé de l'appeler sur son portable, il était vingt-trois heures trente ; dans le *locutorio* il y avait une série de cabines téléphoniques. J'ai composé son numéro, elle a décroché presque immédiatement.

— *Hola* c'est Lakhdar, j'ai dit. Je suis à Algésiras.

J'essayais de contrôler ma voix, d'avoir l'air gai, qu'elle ne devine pas mon angoisse.

— Lakhdar, *¿qué tal? Kayfa-l hal?*

— Tout va bien, j'ai dit. J'ai un visa, tu as vu mon message?

Je sentais qu'elle était embarrassée, que quelque chose n'allait pas.

— Non… Ou plutôt oui, j'ai vu ton message… Elle a hésité un moment. Mais je n'ai pas eu le temps de te répondre.

J'ai tout de suite su qu'elle mentait.

La conversation était pleine de silences, elle se forçait à me demander de mes nouvelles, du coup je ne savais plus trop quoi dire.

— Tu… Tu veux que je vienne à Barcelone?

Je connaissais déjà la réponse, mais j'attendais, comme un déserteur face au peloton d'exécution.

— Euh oui, bien sûr…

Nous étions en train de nous humilier l'un l'autre ; elle m'humiliait en mentant et je l'humiliais en l'obligeant à mentir.

J'ai essayé de sourire en parlant ; j'ai dit c'est pas grave, ne t'inquiète pas, je te rappellerai dans quelques jours, entre-temps, on s'écrit ; et alors que d'habitude il nous fallait de longues minutes pour nous résoudre à mettre fin à la conversation, j'ai senti son soulagement quand elle a soufflé à très vite alors, avant de raccrocher.

Je ne suis pas sorti immédiatement de la minuscule cabine téléphonique ; j'ai regardé le combiné un long moment, la tête vide. Puis j'ai pensé que les Marocains, dehors, étaient en train de se foutre de ma gueule, de m'appeler jeune plouc cocu en pouffant ; j'avais honte d'avoir les yeux brûlants. J'ai quitté le réduit pour payer.

J'ai retrouvé mon palace après avoir acheté deux bières dans une épicerie encore ouverte sur le chemin, j'ai bu, allongé sur le lit, en pensant que j'étais vraiment tout seul, maintenant. J'ai arraché des pages d'une vieille revue touristique qui traînait par là pour essayer d'y écrire un long poème ou une lettre à Judit, mais j'en étais incapable.

Elle était avec un autre, on sent ces choses-là ; petit à petit ma rage a grandi avec l'alcool, une rage désespérée, dans le vide et le bruissement d'un continent qui venait de perdre son sens, il ne me restait plus que cette chambre minable, toute la vie se résumait à cette piaule merdeuse, j'étais encore enfermé, il n'y avait rien à faire, rien, on ne se libérait jamais, on se heurtait toujours aux choses, aux murs. J'ai pensé à ce monde en flammes, à l'Europe qui brûlerait de nouveau un jour comme la Libye, comme la Syrie, un monde de chiens, de gueux abandonnés – il est bien difficile de résister à la médiocrité, dans l'humiliation continuelle où nous tient la vie, et j'en voulais à Judit, j'en voulais à Judit pour la douleur de l'abandon, la noirceur de la solitude et la trahison que j'imaginais derrière ses mots embarrassés, le futur était un ciel d'orage, un ciel d'acier, plombé au nord, le Destin se joue à petits coups, à petits mouvements, des sommes de minuscules erreurs de cap qui vous précipitent sur les brisants au lieu d'atteindre l'île paradisiaque tant désirée, les îles Sous-le-Vent ou Célèbes la féline : je pensais à Saadi, à Ibn Batouta, à Casanova, aux voyageurs heureux – moi j'étais seul accroché à une bière tiède au cœur de la tristesse, dans la ténèbre occidentale, et il n'y avait pas de phare dans la nuit d'Algésiras, aucun, les lumières de Barcelone, de Paris étaient éteintes, il ne me restait qu'à retrouver Tanger, Tanger et la saisie kilométrique de noms de soldats morts, vaincu par de trop nombreux naufrages.

Toutes ces séries de coïncidences, de hasards, je ne sais comment les interpréter ; appelons-les Dieu, Allah, le Destin, la prédestination, le karma, la vie, la chance, la malchance, comme on veut – je ne suis pas immédiatement allé à Barcelone, je n'ai pas couru retrouver Judit, parce que j'étais persuadé qu'elle était avec un autre type, c'est vrai, mais aussi parce que j'avais peur, peur de retomber dans l'errance, la pauvreté, que j'étais un peu lâche sans doute, que sais-je. J'étais fatigué. Pas de révolution, pas de livres, pas d'avenir. Je ne pouvais pas rentrer à Tanger parce que je savais qu'il me serait impossible d'en repartir, pas vers le nord, du moins, ou alors clandestinement ; sur l'*Ibn Batouta* j'avais entendu beaucoup d'histoires, de terribles histoires d'exil, de noyés dans le Détroit ou sur la côte atlantique, entre le Maroc et les Canaries – les Africains préféraient les Canaries parce que l'archipel était plus difficile à surveiller. Comme tous ces nègres et ces bougnoules traînant dans les rues sans rien à faire n'étaient pas bon pour le tourisme, le gouvernement canarien les envoyait se faire pendre ailleurs par avion, sur le continent, à ses frais, et les Subsahariens, les Maures, les Nigérians et les Ougandais se retrouvaient à Madrid ou à Barcelone, à tenter leur chance dans un pays où le chômage était le plus élevé d'Europe – les filles devenaient putes, les hommes finissaient dans des campements clandestins et misérables à la campagne, en Aragon ou dans la Manche, planqués entre deux arbres, à vivre champêtrement au milieu des ordures, des bidons crevés, du froid, et ils développaient de magnifiques maladies de peau, des abcès, des parasitoses, des engelures, en attendant qu'un agriculteur leur donne un peu de boulot pénible en échange de son pain rassis et de ses épluchures de patates pour leur soupe, ils épierraient des champs en hiver, ramassaient des cerises et des pêches en été – très peu pour moi, merci. On trouve toujours plus misérable que soi, par rapport à ces galériens j'étais un nanti, j'avais un peu d'éducation, un peu d'argent et un pays où, dans le pire des cas, on pouvait vivoter – j'étais un enfant de la ville, j'avais lu des livres, je parlais des langues étrangères, je savais me servir d'un ordinateur, je finirais bien par trouver quelque chose, et effectivement j'ai trouvé très vite un travail à côté d'Algésiras, grâce à Saadi bien sûr, je n'aurais jamais eu l'idée de prospecter dans cette branche, à supposer qu'une telle branche existe vraiment : alors que je me morfondais dans ma pension puante à quelques centaines de mètres de l'*Ibn Batouta* en imaginant Judit avec son nouveau type, il m'a envoyé un SMS pour me demander de l'appeler, ce que j'ai fait immédiatement. Il avait parlé sur le port à un "entrepreneur" de la région qui avait besoin d'un Marocain pour un petit boulot, et c'est comme ça que je suis entré au service de Marcelo Cruz, pompes funèbres : ma Fortune me jouait des tours, elle n'en avait pas assez, elle en voulait toujours plus. Le *señor* Cruz m'a donné rendez-vous dans un café du centre d'Algésiras, il avait un 4x4 noir, il l'a garé en double file sans aucun scrupule, il m'a reconnu à cause de la parka verte, m'a dit c'est toi Lakhdar ? j'ai répondu oui en souriant, c'est moi Lakhdar, je suis l'ami de Saadi, il m'a demandé de qui ? J'ai dit du marin de l'*Ibn Batouta*, il a dit ah oui, bon alors, est-ce que tu voudrais travailler pour moi, j'ai répondu bien sûr, bien sûr, de quoi s'agit-il ? Eh bien c'est un travail très simple, a-t-il dit, il s'agit de s'occuper de morts.

M. Cruz avait un visage grave et suant, une chemise ouverte jusqu'au milieu de la poitrine, une veste en cuir noire.

Je ne voyais pas très bien ce que cela signifiait, s'occuper de morts, à part mon expérience des Poilus, mais j'ai accepté, évidemment.

Le *business* de Marcelo Cruz avait été florissant ; pendant des années, c'était lui qui avait ramassé, stocké et rapatrié tous les corps des clandestins du Détroit, les noyés, les morts de peur ou d'hypothermie que la Guardia Civil ramassait sur les plages, de

Cadix à Almería. Après le passage du juge et du légiste, quand on s'était assuré que le ou les pauvres types étaient bien crevés, le visage grisé par la mer, le corps gonflé, on appelait Marcelo Cruz ; il mettait alors la dépouille dans sa chambre froide et essayait de deviner la provenance du macchab, ce qui n'était pas une partie de plaisir, comme il disait. *On n'a pas des métiers faciles*, me répétait le *señor* Cruz pendant le trajet en 4x4 qui m'emmenait à l'entreprise de pompes funèbres, à quelques kilomètres d'Algésiras en direction de Tarifa. S'il n'y avait pas de pistes matérielles et pas de témoins survivants, s'il était impossible de mettre un nom sur le cadavre, on finissait par enterrer le mort aux dépens de l'État dans une niche anonyme d'un des cimetières de la côte ; quand on devinait sa provenance, soit parce qu'il avait sur lui un passeport, un mot manuscrit ou un numéro de téléphone, on le gardait au frais jusqu'à son possible rapatriement dans un beau cercueil de zinc plombé : M. Cruz montait alors dans son corbillard, prenait le ferry à Algésiras et ramenait le trépassé vers sa dernière demeure. Il connaissait le Maroc comme sa poche, la plupart de ses "clients" étant marocains ; des villages entiers se mettaient à pleurer quand ils voyaient arriver son fourgon de la mort. Selon ses dires, Marcelo Cruz y était tristement célèbre.

Évidemment, les derniers temps, la crise et des radars plus performants en mer avaient mis un peu à mal les affaires, alors il rapatriait surtout des travailleurs décédés tout à fait légalement en Espagne – accidents, maladies ou vieillesse, tout ce que voulait bien lui confier la Camarde, qui fauchait mes compatriotes comme les autres, Dieu merci ; mais il espérait toujours, à la fin de l'hiver, une bonne cargaison de cadavres illégaux – les eaux du Détroit étaient dangereuses à cette saison, les *pateras* partaient de plus loin vers l'est pour éviter les patrouilles et prenaient plus de risques : elles naviguaient quand la houle rendait difficile l'observation radar. Mon travail serait simple, il s'agirait principalement de manutention, chargement, déchargement, mise en bière, etc. ; il avait besoin d'un musulman, expliquait-il, pour que les dépouilles soient traitées dans le respect de la religion – l'Imam de la mosquée du coin viendrait me donner un coup de main.

Je serai donc son musulman à tout faire. Payé au noir. Logé sur place. Je remplaçais un autre jeune Marocain qui l'avait quitté quelque temps auparavant, parti tenter sa chance à Madrid.

Je pensais à ce salaud de Saadi, qui ne m'avait pas prévenu de la nature de ce boulot. Trois cents euros logé, nourri, blanchi. Ce n'était pas si mal.

L'idée de renvoyer de vrais macchabées au Maroc après y avoir importé virtuellement des soldats morts était assez plaisante, ma foi. Je n'avais jamais vu de cadavre. Je me demandais ce que ça me ferait. J'ai pensé à Judit, je n'étais pas du tout sûr d'avoir envie de lui apprendre en quoi consistait mon nouveau métier. Et puis ça devait lui être égal.

Les semaines auprès de M. Cruz ont été un abîme de malheur. J'ai vécu dans la mort. J'habitais une cabane de jardin à l'arrière de l'entreprise, un réduit rempli d'outils et de pots de désherbant, qui sentait l'essence de tondeuse ; le moteur de la chambre froide était contre ma cloison et me réveillait toutes les nuits par ses vibrations. M. Cruz m'enfermait dans l'enceinte en partant le soir, me libérait en arrivant le matin – il limitait au maximum mes déplacements, par peur des contrôles des flics ou de la Sécurité sociale, sauf exception rare. Quand j'avais besoin de quelque chose – vêtements, objets de toilette – il me l'achetait lui-même. Je ne recevais pas de visites. Après dix-neuf heures, quand M. Cruz remontait dans son 4x4 pour rentrer chez lui, j'étais seul avec les cercueils.

Je n'ai pas réussi à m'habituer au contact des cadavres, heureusement qu'il n'en arrivait pas beaucoup – il fallait les déballer, les tirer de leurs sacs plastique, un masque sur le nez ; la première fois j'ai failli m'évanouir, c'était un pauvre noyé, un jeune, dans un état horrible ; heureusement, Cruz était là – c'est lui qui a doucement retourné le corps sur la table en inox, qui a placé ces restes dans la boîte étanche en zinc, qui a sorti la visseuse pour sceller la bière, le tout en silence. Le souffle me manquait. Le masque spécial m'empêchait de respirer, son odeur de camphre ou de Javel se mélangeait dans ma gorge aux remugles du Détroit, à la fétidité cadavéreuse de la tristesse, à la charogne oubliée et encore aujourd'hui, parfois, des années plus tard, l'odeur des produits de nettoyage me fait encore venir, au fond de la bouche, le relent des souvenirs de ces pauvres bêtes que Cruz manipulait sans ciller, sans trembler, respectueusement, posément.

Puis l'Imam venait, et nous prions devant la dépouille ou le cercueil, selon l'état du corps, l'un derrière l'autre, comme il se doit ; Cruz nous laissait. L'Imam était un Marocain de Casablanca, un homme entre deux âges auquel la solennité de la tâche donnait l'air vieilli et lustré des choses sérieuses, sans un sourire, sans une marque de sympathie ni d'antipathie, certain qu'il était de notre égalité à tous devant Dieu, peut-être.

Prier pour des morts inconnus, de vagues restes d'existences totalement étrangères était tristement abstrait. Pour certains, nous n'étions même pas sûrs qu'ils soient musulmans ; c'était une présomption, et peut-être les envoyions-nous au mauvais Dieu, vers un Paradis dans lequel ils seraient une fois de plus clandestins.

Après la prière, nous rangions les cercueils en zinc étanches dans la chambre froide, où ils rejoignaient les autres décédés "en attente". Le plus ancien était là depuis trois ans, c'était un autre noyé du Détroit.

Le gouvernement payait soixante euros par corps et par jour de stockage : voilà le bénéfice du *señor* Cruz.

Quand M. Cruz avait reçu l'argent du rapatriement ou déterminé la provenance d'un inconnu, il organisait "un chargement" ; il mettait deux ou trois boîtes macabres dans sa fourgonnette et prenait le ferry à Algésiras ; les formalités de douane étaient tatillonnes, il fallait faire plomber les caisses mortuaires, déclarer la cargaison, etc.

L'entreprise de pompes funèbres était entourée de hauts murs surmontés de tessons de bouteille qui délimitaient un petit jardin ; la maison de M. Cruz se trouvait à quelques centaines de mètres de là – la nuit, j'étais enfermé avec les morts, dans cette banlieue au bord de la nationale et c'était triste, triste et effrayant.

Je m'occupais aussi du ménage et de l'entretien du jardin ; je lavais la voiture de M. Cruz et donnais à manger à ses chiens, deux beaux clébards polaires aux allures de loups des steppes et aux yeux bleus – ces bêtes étaient sauvages et douces, elles semblaient venir d'un autre monde. Je me suis demandé comment elles supportaient les étés écrasants de l'Andalousie, avec une telle fourrure. Cruz était un mystère, sombre et fuyant ; le visage jauni, les yeux cernés ; à l'entreprise de pompes funèbres, quand il n'arrivait pas de corps, il était toute la journée derrière son bureau, un whisky à la main, à écouter d'une oreille distraite la fréquence radio de la police pour être le premier sur place en cas de découverte mortelle ; il ne buvait que du Cutty Sark, hypnotisé par Internet et des centaines de vidéos, des reportages de guerre, des clips atroces d'accidents, de morts violentes : ce spectacle ne paraissait pas l'exciter, au contraire ; il passait son temps dans une espèce de léthargie, d'apathie informatique – seule sa main sur la souris semblait encore vivante ; il s'abrutissait à la bestialité et au whisky tout le jour et, à la tombée de la nuit, il chancelait un peu en se levant, enfilait sa veste de cuir et partait sans rien dire, en mettant deux tours de clé dans la serrure. Il m'appelait son petit Lakhdar, quand il s'adressait à moi ; il avait une voix menue qui contrastait avec sa grande taille, sa corpulence, sa figure épaisse : il parlait comme un enfant et cette fausse note le rendait plus effrayant encore.

C'était un pauvre type, et je ne savais pas s'il m'inspirait de l'horreur ou de la pitié ; il m'exploitait, m'enfermait comme un esclave ; il répandait une terrible tristesse, l'odeur de la pourriture de l'âme dans la solitude.

Il fallait que je m'en aille ; j'ai hésité, la première fois où il m'a laissé me promener un après-midi en ville, à disparaître sans laisser de traces, à monter dans un autobus partant vers le nord ou un ferry pour rentrer au Maroc – mais je n'avais rien, pas d'argent, pas de papiers, il avait conservé mon passeport, que j'avais été assez idiot pour lui donner, et il était probable qu'on m'arrête et me jette en taule avant de m'expulser si j'étais contrôlé.

Je me suis confié à l'Imam de la mosquée qui venait prier pour nos morts ; je lui ai expliqué que ce M. Cruz était plutôt bizarre, ce qu'il n'a pas nié, tout en haussant les épaules avec un air d'impuissance. Il m'a raconté qu'il pensait que mon prédécesseur s'était enfui pour cette excellente raison, parce que Cruz était un être étrange, mais qui avait du respect pour les morts et pour la religion. C'est tout.

Vu d'ici, les longues journées sur l'*Ibn Batouta* avaient un goût de paradis.

J'ai envisagé de faire le mur, après tout ce n'était pas si difficile, Cruz n'irait pas jusqu'à me courir après ; mais il me fallait avant tout récupérer mes papiers et de l'argent.

Un jour, M. Cruz est parti à l'aube avec le corbillard ; il est revenu avec une cargaison de morts – dix-sept, une *patera* avait chaviré au large de Tarifa et le courant avait saupoudré les plages de cadavres. Il était bien content de cette moisson, d'un bonheur bizarre, surtout il ne voulait pas paraître heureux de s'engraisser sur le dos des pauvres crevés, mais je sentais, derrière son masque de circonstance, à sa façon de caresser ses chiens, de me dire *mon petit Lakhdar*, qu'il était ravi de la reprise des affaires, tout en en ayant honte.

Dix-sept. C'est un petit nombre gigantesque. On ne se rend pas compte, en entendant, à la radio ou à la télévision, le nombre de cadavres laissés par telle ou telle catastrophe ce que représentent dix-sept corps. On se dit ah, dix-sept, ce n'est pas beaucoup, parlez-moi de mille, de deux mille, de trois mille macchabées, mais dix-sept, dix-sept ce n'est rien d'extraordinaire, et pourtant, et pourtant, c'est une quantité énorme de vie disparue, de viande crevée, c'est encombrant, dans la mémoire comme dans la chambre froide, ce sont dix-sept visages et plus d'une tonne de chair et d'os, des dizaines de milliers d'heures d'existence, des milliards de souvenirs disparus, des centaines de personnes touchées par le deuil, entre Tanger et Mombassa.

J'ai enveloppé un par un ces types dans leurs linceuls, en pleurant ; la plupart étaient jeunes, de mon âge, voire moins ; certains avaient les membres brisés ou des ecchymoses sur le visage. La grande majorité paraissait arabe. Parmi ces corps se trouvait celui d'une fille. Elle s'était tatoué au henné un numéro de téléphone sur le bras, un numéro marocain. Elle avait les cheveux longs, très noirs, le visage gris. J'étais gêné ; je ne voulais pas entrevoir ses seins, son sexe ; normalement je n'aurais pas dû la mettre en bière moi-même, c'était une femme qui aurait dû s'en occuper. J'avais peur de mon propre regard sur ce corps féminin ; j'imaginais Meryem morte – c'était elle que je mettais en bière, elle que j'enterrais enfin, seul dans la nuit de mes cauchemars, j'ai imaginé la police appeler à ce numéro de téléphone tatoué, une mère ou un frère décrocher, une voix presque mécanique les informer, en répétant très fort pour être compris, de la fin de leur sœur, de leur fille, tout comme le téléphone avait dû retentir chez mon oncle, un jour, pour annoncer cette terrible nouvelle, comme il sonnera un jour aussi pour nous, les uns après les autres, et tendrement, fraternellement, j'ai disposé cette inconnue dans son sarcophage de métal avec honte et précaution.

Peut-être n'imagine-t-on vraiment la mort qu'en voyant son propre cadavre dans celui des autres, jeunes comme moi, marocains comme moi, candidats à l'exil comme moi.

Le soir j'écrivais des poèmes pour tous ces disparus, des poèmes secrets que je glissais ensuite dans leur cercueil, un petit mot qui disparaîtrait avec eux, un hommage, une *ritha'* ; je leur donnais des noms, j'essayais de les imaginer vivants, de deviner leur vie, leurs espoirs, leurs derniers instants. Parfois je les voyais en rêve.

Je n'ai jamais oublié leurs visages.

Ma haine contre Cruz grandissait ; elle était irrationnelle ; à part ma semi-captivité, il n'était pas méchant ; il croulait sous le poids des cadavres ; il avait juste cette étrange perversion qui consistait à regarder, à scruter toute la journée des vidéos extraordinairement violentes ; des égorgements en Afghanistan, des pendaisons datant de la Seconde Guerre mondiale, des accidents de voiture en tout genre, des corps brûlés par un bombardement.

Il me fallait partir au plus vite.

Je regrettais Casanova et mes soldats tous les jours. Je pensais à Judit, je lui envoyais des SMS et je lui téléphonais parfois ; la plupart du temps elle ne répondait pas aux messages ni ne décrochait et j'avais l'impression d'être dans les limbes, dans le *barzakh*, inatteignable entre la vie et l'au-delà.

Pour tous livres je n'avais que le Coran et deux polars espagnols achetés d'occasion en ville, pas extraordinaires, mais bon, ça faisait passer le temps. Puis j'ai eu trois jours de vacances parce que Cruz est parti livrer un chargement de cadavres de l'autre côté du Détroit. Il ne pouvait pas me laisser enfermé tout ce temps, alors il m'a donné un peu d'argent de poche (jusque-là je n'avais pas encore vu la couleur de mon salaire) pour m'amuser en ville, comme il disait. J'ai passé mes journées aux terrasses des cafés, tranquille, à lire en buvant des *petites bières*.

Je suis allé relever mes mails et là, surprise : un message du Cheikh Nouredine. Il m'écrivait d'Arabie, où il travaillait pour une fondation pieuse ; il me demandait de mes nouvelles. Je lui ai répondu en lui disant que j'étais en Espagne, sans lui préciser ma triste activité. J'ai hésité à lui raconter l'incendie de la Diffusion de la Pensée coranique, je me demandais s'il était au courant. Sa lettre était sympathique, fraternelle même ; mes soupçons quant à sa possible participation à l'attentat de Marrakech me paraissaient maintenant ridicules, même si le mystère de sa disparition soudaine restait entier – je lui ai demandé s'il savait où se trouvait Bassam.

J'ai repensé avec nostalgie aux longues séances de lecture à la Diffusion, allongé sur les tapis. Tanger était loin, dans un autre monde.

J'ai écrit longuement à Judit pour lui expliquer un peu ma vie de forçat à Algésiras ; je n'ai pas mentionné les cadavres, juste l'entretien, le ménage et l'étrange Cruz. Je lui disais que j'espérais la voir bientôt.

J'ai téléphoné à Saadi, qu'il vienne prendre un café avec moi dans le centre d'Algésiras ; il avait un visa, lui, il pouvait aller et venir comme bon lui semblait, c'était l'injustice de l'administration : plus on était vieux et moins on en avait envie, plus il était facile de se déplacer.

Il était content de me retrouver, et moi aussi. Je lui ai demandé s'il y avait des nouvelles de la compagnie – il m'a expliqué que le gouvernement marocain allait trouver une solution d'un jour à l'autre maintenant. J'étais encore à temps d'en profiter, d'après lui.

J'ai hésité. C'était une façon de quitter Cruz ; ce serait aussi dire adieu à Judit. J'étais sûr que si je rentrais à Tanger il me serait presque impossible de revenir en Espagne.

Saadi a deviné la raison de mon hésitation, il n'a pas insisté.

Je lui ai raconté mes journées chez Cruz, la grande tristesse de ce travail horrible, il écoutait en ouvrant de grands yeux et en secouant sa tête grise ; il disait eh ben, fils, si j'avais su, je ne t'aurais pas envoyé dans ce cloaque – j'ai essayé de le rassurer, sans grande conviction, en lui disant que ça me faisait un peu de fric pour partir à Barcelone dans un mois ou deux.

On est restés jusqu'au soir, assis à la même terrasse, à profiter de la brise, du lent mouvement des palmes qui versaient un peu d'ombre sur la place. Et puis il est reparti. Il m'a pris dans ses bras, il m'a dit sûr que tu ne veux pas rentrer avec moi sur le bateau ? Ça me fait quelque chose de te renvoyer là-bas.

J'ai hésité une seconde, c'était tentant de rester avec lui, de retrouver la cage flottante de l'*Ibn Batouta*, où rien ne pouvait vous arriver, à part écraser un cafard pieds nus par inadvertance.

Finalement j'ai refusé, j'ai promis de l'appeler très bientôt et après une dernière embrassade je suis parti prendre mon bus.

J'ai aussi profité de l'absence de mon patron pour échafauder un plan. Je savais qu'il conservait – du moins quand il était là – une certaine somme d'argent dans un petit coffre-fort, pour ce qu'il payait de la main à la main, que ce coffre-fort avait une clé et qu'il la gardait dans son trousseau.

L'idée du vol m'a été donnée par le polar que j'étais en train de lire, par tous les polars que j'avais lus ; après tout n'étais-je pas enfermé dans un roman noir, très noir – il était logique que ce soient ces lectures qui me suggèrent une façon d'en sortir.

Ibn Batouta raconte dans ses voyages que lors de sa visite à La Mecque, il croise un étrange personnage, un muet que les Mecquois connaissent tous et appellent Hassan le Fou, touché par la démence dans des circonstances étranges : lorsqu'il était encore sain d'esprit, Hassan accomplissait ses déambulations rituelles autour de la Kaaba la nuit et, chaque soir, il croisait un mendiant dans le sanctuaire – ils ne se voyaient jamais de jour, uniquement la nuit. Une nuit, donc, le mendiant s'adressa à Hassan : Hé, Hassan, ta mère s'ennuie de toi et pleure, tu n'aimerais pas la revoir ? Ma mère ? Bien sûr, répondit Hassan dont le cœur s'était serré à ce souvenir, bien sûr, mais ce n'est pas possible, elle est loin. Un jour le mendiant lui proposa de le retrouver au cimetière, et Hassan le Fou accepta ; le mendiant lui demanda de fermer les yeux et de s'agripper à son vêtement et lorsqu'il les ouvrit de nouveau, Hassan était devant chez lui, en Irak. Il passa quinze jours auprès de sa mère. Deux semaines plus tard, il croisa le mendiant au cimetière du village ; celui-ci lui proposa de le ramener à La Mecque, chez son maître Najm Ed-Din Isfahâni, par le même moyen, les yeux fermés, les mains accrochées à la robe de tiretaine, en lui faisant promettre de ne jamais rien révéler de ce voyage. Isfahâni s'inquiéta de la longue absence de son serviteur, quinze jours, ce n'est pas rien – Hassan finit par raconter l'histoire du mendiant et Isfahâni, dans la nuit, voulut voir l'homme en question : Hassan le mena à la Kaaba et désigna le vagabond d'un cri à son maître, c'est lui ! C'est lui ! Aussitôt le mendiant lui mit une main en travers de la gorge et dit Par Dieu, tu ne parleras jamais plus, et ainsi fut fait ; le mendiant disparut et Hassan, fou et muet, tourna autour du sanctuaire des années durant, sans dire de prières, sans faire d'ablutions : les gens de La Mecque prenaient soin de lui, le nourrissaient comme un saint étrange, car la bénédiction de Hassan augmentait les ventes et les bénéfices ; Hassan le Fou tournait, tournait autour de la pierre noire, en orbite, dans le silence éternel, pour avoir voulu revoir sa mère, pour avoir trahi un secret, et dans mes ténèbres, auprès des petits cadavres de Cruz, parmi les chiens, je priais pour qu'un mendiant magique me sorte quelque temps de l'obscurité, me ramène en arrière, dans la lumière de Tanger, chez ma mère, dans les bras de Meryem, de Judit, avant de me laisser tourbillonner comme une météorite fragile autour de la planète, des années durant. Je repense aujourd'hui à cette noire parenthèse, à cette première réclusion à Algésiras, cette antichambre, alors qu'autour de moi tournent les perdus, qu'ils déambulent, aveugles, sans le secours des livres ; Cruz en réalité profitait des possibilités du monde, des fastes de la mort ; il vivait comme ces bousiers, ces vers, ces insectes qui pullulent sur les cadavres et avait sa conscience pour lui, sans doute, il pensait faire le Bien ; il rendait service ; il parasitait la misère : autant reprocher à un chien de mordre. C'était le gardien du château, le batelier du Détroit, un homme perdu, lui aussi, au fond de sa forêt mortelle, qui tournait, à l'infini, dans le noir.

C'est peut-être cette longue fréquentation des cadavres qui m'a facilité les choses ; ces deux mois de mort ont fait que la perspective de dévaliser le *señor* Cruz ne me soit pas difficile à envisager – il était rentré comme prévu après trois jours, épuisé, disait-il, par le trajet en camion jusqu'au fond du Maroc. Il avait l'air content de me revoir.

Il m'a raconté son voyage, qui s'était très bien passé, il avait ramené ses cinq cadavres du côté de Beni Mellal, par chance au même endroit, c'était à la fois pratique et atroce. Comme d'habitude les femmes avaient pleuré horriblement, les youyous lui avaient vrillé les oreilles, les hommes avaient creusé les tombes et voilà. Il avait juste eu le temps de s'arrêter à Casa une nuit pour se taper un bon gueuleton, il disait ces mots avec une telle tristesse dans sa voix fluette, un *bon gueuleton*, qu'il aurait pu tout aussi bien s'agir de son dernier repas.

Cruz s'est servi un whisky.

Il m'a fait asseoir en face de lui dans un fauteuil, m'a proposé un verre que j'ai refusé.

Il ne disait rien, toute la scène semblait appeler la discussion, les confidences, mais il se taisait ; il buvait son Cutty Sark en me jetant de temps en temps un coup d'œil, je me sentais de plus en plus nerveux.

J'ai essayé de parler, de poser des questions sur son voyage au Maroc, mais ses réponses étaient monosyllabiques, quand il répondait.

Il a terminé son verre, m'en a proposé un autre poliment avant de se resservir.

Au bout d'un interminable quart d'heure de silence, à regarder tour à tour mes genoux et son visage impassible, je suis parti en lui demandant de m'excuser, il fallait que je donne à manger aux chiens ; il m'a fait un signe de tête, accompagné d'un bref sourire.

Une fois dans la cour j'ai soupiré, je tremblais comme une chose fragile. Par la vitre, j'ai vu la grosse figure de Cruz se nimber du bleu électrique de l'écran d'ordinateur et reprendre sa contemplation hébétée des formes de la mort.

Je me suis senti en danger ; la peur m'a pris, puissante, irrationnelle ; je suis allé m'agenouiller entre les clébards, leurs museaux fouillaient mes aisselles, la douceur de leur pelage et leur regard clair m'ont un peu réconforté.

Cruz semblait toujours vaciller ainsi au bord de la parole.

Je n'avais jamais rencontré la folie auparavant, si Cruz était fou – il ne se lançait pas dans des diatribes déraisonnables, ne se frappait pas la tête contre les murs, ne mangeait pas ses excréments, n'était pas pris de délire, de visions ; il vivait dans l'écran, et dans l'écran, il y avait des scènes terribles – de vieilles photos de supplices chinois, où des hommes saignaient, attachés à des poteaux, la poitrine découpée, les membres amputés par des bourreaux aux longs couteaux ; des décapitations afghanes et bosniaques ; des lapidations, des éventrations, des défenestrations et d'innombrables reportages de guerre – après tout la fiction était bien mieux filmée, bien plus réaliste que le documentaire ou les clichés du début du siècle et je me demandais pourquoi, dans ses images, Cruz cherchait surtout la mention "réel" ; il voulait la vérité, mais quelle différence cela pouvait-il bien faire : il avait de vrais cadavres plein sa chambre froide, il les connaissait intimement, il les fréquentait depuis des années et je me demande encore aujourd'hui ce qui pouvait le pousser à cette observation virtuelle maladive, il aurait dû être guéri de la mort et pourtant il ingurgitait des kilomètres d'images de tortures et de massacres, qu'y cherchait-il, une réponse à ses questions, aux questions auxquelles les macchabées ne répondaient pas, une interrogation sur le moment de la mort, sur l'instant du passage, peut-être – ou tout simplement peut-être avait-il été avalé par l'image, les corps lui avaient fait quitter le réel et il fouissait la réalité cybernétique pour y retrouver, en vain, quelque chose de la vie.

Au fil des jours, il m'effrayait de plus en plus, sans raison – c'était la plus inoffensive des créatures ; il était doux avec moi, doux avec ses chiens, respectueux avec les morts. Chaque jour j'hésitais à lui demander mon passeport et à prendre mes cliques et mes claques, tant pis pour le fric, adieu monsieur Cruz, les noyés et la lumière bleutée des tortures sur YouTube, advienne que pourra – mais chaque soir, dans mon réduit, rassuré par la compagnie des chiens, par la douceur de leur fourrure, par leur calme haletant, je me reprenais à rêver au vol, aux deux ou trois mille euros que pourrait peut-être me rapporter le coffre-fort de Cruz. J'avais échafaudé un plan, une de ces combines qui ne fonctionnent que dans les livres, jusqu'à ce qu'on les essaye : aller en ville pour acheter une clé semblable, c'était peut-être un modèle commun, et la substituer sur le trousseau, qu'il laissait souvent traîner dans l'entrée – bien sûr la nouvelle clé n'ouvrirait pas le coffre, mais quand il s'en rendrait compte, avec un peu de chance je serais loin.

Tous les cadavres que je lavais et mettais dans leurs boîtes justifiaient mon larcin, pensais-je – pourtant M. Cruz avait un métier honnête, il ne tuait pas lui-même ces pauvres gens, il était charitable, il ne saignait pas les familles des défunts, sa proie c'était l'État, la Communauté autonome d'Andalousie qui lui payait son *per diem* pour les charognes de mes compatriotes, mais toute la richesse que je le voyais accumuler, ses bagues en or, ses chaînes autour de son cou, ses chemises noires, sa voiture, ses deux chiens de traîneau aux yeux bleus à l'ombre de sa vigne vierge, tout cela me semblait volé aux Morts, me paraissait appartenir à ces crevures sans nom qui avaient rêvé un moment d'une vie meilleure, qui avaient pensé, comme moi, qu'elles pouvaient se faire une place dans son monde et par respect pour ce rêve je croyais que je pouvais m'approprier une partie de son fric, pour une petite vengeance de ces pauvres martyrs qui avaient connu les affres de la noyade, l'agonie dans la noire solitude des flots.

Plus ma détermination augmentait, plus la possibilité de passer à l'acte me tenait éveillé la nuit ; de quelle façon m'emparer de la clé du coffre-fort, à quelle heure fuir, comment – il fallait que j'aille à pied jusqu'à l'arrêt de bus, à trois cents mètres, et que j'attende le bon vouloir des très erratiques transports interurbains andalous. C'est le moment où je serai le plus vulnérable, comme dans les romans. Les livres et les prisons étaient pleins de types qui faisaient des boulettes énormes et qu'on pinçait sans difficultés, comme ça, à un arrêt de bus ou à la terrasse d'un café. Ce ne serait pas mon cas. Le bus, la gare routière, l'autocar de vingt-trois heures et le lendemain j'étais à Barcelone, perdu dans la foule.

Je n'arrivais pas à me décider à agir. Cruz était de plus en plus hypnotisé par Internet ; il restait tard, parfois jusqu'à dix heures du soir, à explorer ses vidéos mortelles – il avait découvert un site intitulé *faces of death* où se trouvaient des centaines de morts violentes : une jeune manifestante iranienne tuée par les forces de l'ordre, des révolutionnaires égyptiens abattus par la police, des militaires libyens brûlés vifs dans leur jeep, des enfants syriens massacrés, l'actualité remplissait Internet de documents pour Cruz.

Un jour particulièrement noir, le Détroit a vomi un vieux cadavre bien abîmé que des promeneurs ont découvert sur une plage – le juge s'est déplacé, a signifié qu'on pouvait virer ces détritus du sable, le légiste a conclu à la noyade et Cruz s'est précipité avec son corbillard pour prendre en charge les restes avant la concurrence : c'était bien triste et bien dégueulasse, le type avait tatoué "Selma" en arabe sur le cœur, voilà tout ce qui pouvait servir à l'identifier : il n'avait plus de visage, enfin rien de reconnaissable, on l'a vite, très vite enfermé dans sa boîte en zinc pour ne plus le voir. Le *señor* Cruz a jeté ses gants en plastique, puis son masque ; il avait une petite larme au coin de l'œil droit, qu'il a effacée en frottant son visage contre son biceps, bras tendu. Il a soupiré, il s'est tourné vers moi, sans rien dire, il a traversé la cour pour marcher jusqu'à mon réduit, les chiens l'ont suivi en remuant la queue, pensant qu'il voulait jouer ou leur donner à manger ; il est ressorti de la cabane de jardin une bouteille à la main, je me suis demandé s'il avait planqué là-bas un litre de scotch que je n'aurais jamais remarqué, mais le récipient avait l'air plus petit que son éternel Cutty Sark. Il m'a fait signe de le suivre dans le bureau ; il a dit de sa voix minuscule :

— On a bien mérité un verre, hein Lakhdar ?

Il s'est assis comme à son habitude derrière son écran, a secoué la souris, a entré son code ; je suis resté debout.

— Assieds-toi, assieds-toi on va boire un coup et discuter un peu.

J'ai cherché une excuse pour m'échapper, mais je n'en ai trouvé aucune ; j'étais trop crevé par la mise en bière pour réfléchir – chaque fois, je finissais lessivé.

Je me suis installé dans le canapé. J'ai regardé la bouteille qu'il avait posée sur son bureau ; c'était un flacon en verre d'un demi-litre, l'étiquette était tournée vers lui. M. Cruz avait besoin d'un coup de raide ; sa longue figure était pâle, ses yeux cernés. Il a mis une vidéo, par réflexe – il a fixé l'écran une seconde avant d'arrêter le défilement des images de mort que je ne voyais pas.

— Bon, Lakhdar, un petit whisky ?

Il était soudain d'une nervosité extraordinaire, il est allé jusqu'à la cuisine, il est revenu avec deux verres et de la glace dans un seau en métal.

Je n'ai pas voulu le vexer, j'ai accepté. Ça me ferait peut-être du bien à moi aussi.

Il a attrapé immédiatement une bouteille de Cutty sur l'étagère, l'a ouverte, a servi le whisky en une seconde, a balancé deux glaçons dans chaque calice et s'est enfilé le sien cul sec, avant même que j'aie pu attraper le mien. Il a soufflé un ahhh de soulagement, s'est resservi, m'a tendu mon verre avant de basculer dans le fauteuil, l'air détendu.

J'ai vidé la moitié du liquide d'un trait, moi aussi. Je n'avais jamais bu de whisky. Pour moi c'était une boisson de légende qu'il fallait goûter dans un bar à Londres, voire à Paris, avec une fille à ses côtés. Goût de punaise écrasée, sensation de brûlure dans l'œsophage. Difficile de comprendre l'intérêt de mes auteurs pour ce breuvage. Surtout dans ces circonstances.

Cruz m'observait, comme d'habitude, au bord de la parole ; il paraissait toujours sur le point de dire quelque chose qui ne sortait jamais, bègue éternel. Il commençait une phrase par mon prénom, disait Lakhdar ? Je répondais oui monsieur Cruz, et puis plus rien, il me fixait en silence.

J'ai prié pour quitter cet endroit au plus tôt. Tant pis pour l'argent, tant pis pour tout ; j'allais récupérer mon passeport et partir. Rentrer au Maroc, retrouver Tanger, oublier Algésiras, oublier les morts, oublier Judit et Barcelone.

J'allais dire immédiatement à Cruz que je voulais rentrer chez moi. C'était le bon moment, il avait l'air un peu rasséréné par l'alcool ; il a eu encore une hésitation, a articulé Lakhdar ?, sans rien dire de plus. Il a saisi le petit flacon, s'en est servi une bonne rasade, a rajouté une belle dose de whisky jusqu'à remplir le verre aux trois quarts. Puis il a fixé le mélange des yeux ; il faisait tourner les glaçons qui n'avaient pas encore fondu.

Je me suis levé, je ne tenais plus en place. J'ai dit monsieur Cruz… Il m'a regardé avec un tel air de peine, un tel air de souffrance marquait sa grosse figure, tout à coup, que j'ai murmuré il faut que j'aille donner à manger aux chiens.

Il s'est passé les mains sur le visage, comme pour essuyer une sueur absente.

Il a dit Lakhdar ?

— Oui monsieur Cruz ?

— Reviens vite, je t'attends.

Et il a descendu son cocktail, cul sec, avec un air de soulagement.

Il a eu un de ses silences, comme s'il hésitait encore à ajouter quelque chose, et puis il a soufflé :

— Tu as de la chance, tu vas voir.

La phrase était obscure ; j'ai imaginé, en jouant un peu avec les huskys avant de leur sortir leur gamelle, que Cruz avait compris que je voulais partir, qu'il me souhaitait bon vent pour l'avenir.

Quand je suis rentré dans le bureau après avoir nourri les chiens, il n'était pas là ; j'ai entendu du bruit dans les toilettes, comme des vomissements ; il en est sorti en titubant.

— Ça ne va pas, monsieur Cruz ?

Il déglutissait avec difficulté, sa bouche se tordait, son visage paraissait si tendu que ses yeux roulaient comme des billes.

— Ça commence, Lakhdar.

Il est fin saoul, je me suis dit.

Il s'est assis dans le canapé en face du bureau ; il semblait avoir du mal à respirer ; il a croisé ses bras sur son ventre, il avait l'air de souffrir beaucoup.

— Ça ne va pas durer très longtemps… Regarde bien…

Ses lèvres étaient étirées, il serrait les dents ; sa figure rougissait, ses épaules étaient prises de tremblements, il a remonté les genoux contre ses intestins pour soulager sa peine.

— Monsieur Cruz? Vous êtes malade?

Il a fait mine de vouloir me répondre, sans que les sons ne réussissent à se former dans sa gorge ; il levait le menton vers moi, ses mains frappaient nerveusement l'une contre l'autre. Son front s'est couvert d'une rosée de sueur, une goutte de sang a coulé de son nez, ses lèvres sont devenues violettes, il s'est mis à secouer la tête de droite à gauche, penché en avant, comme pour chasser la souffrance, comme s'il ne croyait pas à ce qui lui arrivait – mais le mouvement s'est transformé en une contraction terrifiante des cervicales, vers le côté d'abord, puis vers l'arrière ; sa pomme d'Adam montait et descendait, vibrait au long de sa gorge tendue comme un gros insecte.

Il a soudain été saisi par une immense crampe qui l'a jeté au sol, les bras en extension, les jambes arquées comme s'il voulait ramper, il s'est mis à crier, je me suis approché de lui :

— Monsieur Cruz vous m'entendez?

Il ne parvenait pas à me répondre et j'étais pris de frayeur – il n'arrivait plus à déglutir, sa nuque était raide, sa poitrine soulevée, son dos arqué, ses yeux allaient éclater. Son corps était un câble d'acier tendu par la souffrance, il essayait de parler, il essayait de m'agripper mais ses mains grandes ouvertes se tordaient vers l'extérieur, les doigts horriblement écartés – la crise a duré une vingtaine de secondes, peut-être un peu plus, et il s'est ramolli ; il s'est ramolli en soupirant, en gémissant, il respirait très fort, je lui ai crié monsieur Cruz, quel est le numéro des urgences? Le numéro pour appeler une ambulance? Il ne répondait pas, je me suis précipité sur le téléphone, j'ai essayé fébrilement le 15, comme au Maroc, ça n'a donné aucun résultat ; j'ai regardé vite sur le bureau s'il n'y avait pas un annuaire, non.

Cruz a soudain été pris d'une deuxième convulsion, encore plus violente que la première, si c'est possible ; ses paupières rentraient presque complètement à l'intérieur des orbites, disparaissaient derrière les globes oculaires, c'était horrible à voir, son visage était violacé, ses pieds arrivaient à plier l'épais plastique de ses semelles comme du carton, il se soulevait, mû par la tension absolue de tous les muscles, dans un cri aigu qui paraissait venir du fin fond de sa cage thoracique – j'ai commencé à avoir les larmes aux yeux, *señor* Cruz, *señor* Cruz, je ne savais que faire, j'ai pensé à aller prévenir un voisin, je suis sorti en courant prêt à parcourir les deux cents mètres qui nous séparaient de la plus proche maison ou à arrêter une voiture passant sur la route, une fois dans la cour je me suis souvenu que cette saleté de grille était toujours fermée, au lieu de tenter le tout pour le tout et d'escalader j'ai préféré revenir sur mes pas et prendre la clé dans la poche de Cruz, pour pouvoir ouvrir aux secours.

Cruz reposait sur le côté gauche, son corps formait un horrible demi-cercle, le dos courbé tel un arc sans corde, le pelvis en avant, les pieds extraordinairement convexes ; c'était un danseur de ballet monstrueux, dont la nuque arrondie et la bouche grande ouverte parachevaient l'atroce position. Jusqu'à l'extrémité de ses phalanges participait à cette contraction figée, dont on ne percevait plus l'énergie. Il était mort. Je me suis approché, rien ne me venait à l'esprit, pas même une prière.

Cruz avait rejoint les noyés du Détroit.

Le seul mouvement sur cette masse de chair, c'était la trotteuse de sa montre, qui marquait dix-huit heures quarante-trois.

Je suis resté hébété quelques minutes, agenouillé devant le corps inerte avant de reprendre mes esprits, bien sûr je ne comprenais pas, il m'a fallu des années pour essayer de comprendre la lèpre qui rongeait Cruz dans la solitude ; il m'avait aspergé avec sa mort, il m'avait offert son agonie, un présent atroce – j'ai réalisé qu'il s'était empoisonné sous mes yeux ; je suis allé me passer de l'eau sur le visage, des milliers, des millions de pensées contradictoires me vrillaient la tête, et maintenant, quoi, j'ai observé la petite bouteille sur le bureau, l'étiquette portait une tête de mort blanche sur fond rouge. J'ai tourné en rond un moment, allez, maintenant il faut agir ; j'ai récupéré le trousseau de clés de Cruz. J'ai fouillé consciencieusement les tiroirs du bureau, sans rien y découvrir d'important à part mon passeport ; j'ai ouvert le petit coffre-fort à l'aide de la clé en forme de croix, il contenait de nombreux papiers dont je n'avais que faire et près de cinq mille euros en liquide. Je devenais un voleur. J'avais de quoi vivre quelque temps à Barcelone ou ailleurs. L'argent des morts, voilà le genre de connerie que je me disais.

Bien sûr il y avait la police. J'avais laissé mes empreintes digitales partout, même sur la bouteille de poison, j'étais le roi des cons.

J'ai ramassé mes affaires, je les ai mises dans un sac de sport jaune et bleu assez ridicule aux armes du club de football de Cadix trouvé dans ma remise.

L'angoisse se faisait plus lointaine. J'ai évité de jeter un dernier regard à Cruz, j'ai longuement caressé les chiens pour leur dire au revoir, et je suis parti attendre le bus.

Un peu plus tard dans ses voyages, alors qu'il se trouve dans la ville de Bulghar, Ibn Batouta souhaite visiter le Pays des Ténèbres, dont il est question dans la légende d'Alexandre le Grand ; il renonce à s'y rendre, finalement, lorsqu'il apprend qu'il faut y aller en traîneau, tiré par d'énormes chiens, pour franchir les glaces qui l'entourent – il se contentera d'en entendre parler, d'apprendre que les commerçants de fourrures y négocient des peaux à ses mystérieux habitants, qui vivent dans la nuit complète : "après quarante jours de traversée de ce désert de glace, les voyageurs parviennent au Pays des Ténèbres. Les marchands laissent les besaces de marchandises à quelque distance de leur campement. Le lendemain, ils retournent inspecter leurs sacs et découvrent à la place de leurs effets des peaux de martes, d'écureuils et d'hermines. Si les peaux leur plaisent, ils les prennent, et sinon, ils les laissent une nuit de plus. Dans ce cas les habitants du Pays des Ténèbres augmentent la quantité de fourrures ou, s'ils ne sont pas d'accord avec les termes de l'échange, remettent en place les marchandises des voyageurs. C'est ainsi que l'on commerce au Pays des Ténèbres, et ceux qui y vont ignorent s'ils traitent avec des hommes ou des djinns, car ils ne voient jamais personne."

J'ai quitté Algésiras avec la sensation que le monde était vide, peuplé exclusivement de fantômes qui apparaissaient la nuit pour mourir ou pour tuer, pour laisser ou prendre, sans jamais se voir ni communiquer entre eux, et dans la longue nuit d'autocar qui m'a amené jusqu'à Barcelone, ville du Destin et de la Mort, j'avais la terrible impression de traverser le Pays des Ténèbres, les vraies, les nôtres, et plus le bus avançait dans l'obscurité sur l'autoroute au milieu du désert, entre Almería et Murcie, plus l'horreur dont je venais d'être témoin s'insinuait en moi ; le visage de Cruz, humide et violet dans ses contractions, m'apparaissait parmi les éclairs des phares des camions, au milieu des reflets sur ma vitre.

Cruz était parmi les ombres, et moi aussi.

Incapable de fermer l'œil, poursuivi par les images funestes, les corps flétris par la mer et la figure de Cruz qui projetait son agonie vers moi, j'ai attendu la libération de l'aube, alors que l'autocar approchait déjà d'Alicante.

III

LA RUE DES VOLEURS

Je suis arrivé à Barcelone le 3 mars – j'avais quitté Tanger depuis plus de quatre mois. Je ne savais pas où aller. Dans ma parka verte avec mon sac de sport des années 1980 je devais avoir l'air d'un pauvre parmi les pauvres, les yeux cernés, la barbe noire – si jamais les flics m'arrêtaient et me fouillaient, j'aurais du mal à justifier les milliers d'euros en liquide que je portais sur moi. Après l'argent du Cheikh Nouredine, celui de Cruz, comme si Dieu s'arrangeait toujours pour me donner les moyens de mon voyage ; je mangeais dans la main du Destin.

L'autobus a descendu l'avenue Diagonal, les palmiers caressaient les banques, les nobles immeubles des siècles passés se reflétaient dans le verre et l'acier des bâtiments modernes, les taxis jaune et noir étaient d'innombrables guêpes qui s'égaillaient sous les coups de klaxon du car ; les piétons élégants et disciplinés attendaient patiemment aux carrefours, sans user de la supériorité que leur donnait le nombre pour envahir la chaussée ; les voitures elles-mêmes respectaient les passages cloutés et laissaient passer, soigneusement arrêtées devant un feu orange clignotant, ceux qui allaient à pied, leur tour venu. Les vitrines me paraissaient toutes luxueuses ; la ville était intimidante mais, malgré la fatigue, y arriver enfin me remplissait d'une énergie nouvelle, comme si le gigantesque phallus scintillant de cette tour colorée, là-bas au fond du paysage, divinité païenne, me transmettait sa force.

J'ai cligné des yeux dans la lumière de midi ; j'ai attrapé mon sac ; la gare du Nord, *estació del Nord*, jouxtait apparemment un grand parc ; un peu plus bas vers la mer se trouvait la gare de France et ensuite, à droite, le port. J'ai avisé une cabine téléphonique et j'ai appelé Judit, elle a décroché et en entendant sa voix je devais être à ce point épuisé que je me suis mis à pleurer comme un gosse. J'ai dit c'est moi, c'est Lakhdar, je suis à Barcelone. Elle a paru contente de m'entendre, malgré mes reniflements ; elle m'a demandé où je me trouvais, je lui ai répondu à l'estació del Nord ; elle m'a proposé de la retrouver non loin de là, dans un quartier appelé le Born, et puis elle a ajouté non, c'est compliqué, tu ne vas jamais trouver, ne bouge pas, je viens te chercher, donne-moi un quart d'heure. J'ai dit merci, merci, j'ai raccroché, j'ai eu comme un éblouissement, j'ai été obligé de m'asseoir par terre, au pied de la cabine. J'ai remercié Dieu, j'ai dit une courte prière, j'ai eu un peu honte de m'adresser à Lui.

Je suis resté comme ça, les yeux fermés, la tête dans les mains, de longues minutes, avant de reprendre mes esprits. Je voulais avoir l'air fort au moment de l'arrivée de Judit – je me sentais sale, j'avais l'impression de puer le cadavre, la morgue, la haine ; je ne l'avais pas vue depuis l'été précédent, est-ce qu'elle allait me reconnaître ?

Et puis l'énergie de la Tour Unique m'est revenue.

Celle du désir.

Les premières minutes ont été très étranges.

Nous ne nous sommes pas embrassés, mais souri ; nous étions aussi gênés l'un que l'autre. Nous avons échangé quelques banalités, elle m'a détaillé des pieds à la tête, sans rien en conclure – ou du moins, sans rien révéler de ses conclusions ; elle m'a juste dit tu veux déjeuner ? Ce qui m'a paru une question bizarre, j'ai répondu oui, pourquoi pas, et on s'est mis à marcher en direction du centre-ville.

Je lui ai raconté les dernières semaines chez Cruz, évidemment sans aborder leur fin horrible. Elle compatissait, et ma lâcheté était telle que j'avais envie qu'elle me plaigne, pour l'attendrir. La revoir me faisait battre le cœur ; je n'avais qu'une envie, c'était qu'elle me prenne dans ses bras ; je voulais m'allonger à ses côtés, tout contre elle, et dormir comme ça, dans sa chaleur, pendant au moins deux jours. Sur le chemin nous avons croisé un arc de triomphe en briques rouges qui ouvrait une large promenade bordée de palmiers et de bâtiments élégants. J'espérais secrètement que l'endroit où nous nous rendions ne soit pas trop chic, je ne voulais pas avoir honte de ma tenue. Heureusement elle m'a emmené dans un bar sur une jolie petite place calme et ombragée. J'ai dû me forcer à manger.

Je n'arrivais pas à poser de questions à Judit, du moins pas celles que j'aurais voulu lui poser ; je l'interrogeais sur Barcelone, sur la géographie de la ville, les quartiers, aucune question personnelle ; tout cela était terriblement artificiel. Elle évitait de me regarder dans les yeux. La tristesse commençait à m'envahir. J'avais l'impression que le sol se dérobait sous mes pieds, le temps devenait épais, matière lourde et tangible, le visage de Judit paraissait s'être assombri, elle s'était coupé les cheveux, ce qui lui donnait un air plus dur. Elle me parlait surtout de politique, à présent ; de la crise en Europe, de sa dureté, du chômage, de la misère qui remontait comme du fin fond de l'histoire de l'Espagne, disait-elle, des conflits, du racisme, des tensions, de l'insurrection qui se préparait. Elle était très liée au mouvement des Indignés, depuis quelques mois. Aussi très liée à celui des Okupas, disait-elle. La répression n'a jamais été aussi violente. L'autre jour un étudiant de vingt ans a encore perdu un œil à cause d'une balle en caoutchouc lorsque les flics ont délogé un sit-in pacifique, disait-elle. L'Espagne va vers sa fin, et l'Europe aussi. La propagande ultra-libérale nous fait croire qu'on ne peut pas résister au diktat des marchés. Ici on ne soignera bientôt plus les pauvres, les vieux, les étrangers. Pour le moment la révolte n'éclate pas parce qu'il y a le football, le Real, le Barça ; mais quand ça ne suffira plus à compenser la frustration et la misère, ce sera l'émeute, disait-elle.

Je la regardais, j'avais envie de lui prendre la main, pas de parler de la crise. Par moments, le visage de Cruz me revenait en mémoire, s'immisçait entre Judit et moi ; il me fallait alors secouer la tête pour le faire disparaître.

Elle s'emmerdait à la fac. Elle était en dernière année, elle avait peu de matières, pas beaucoup d'heures de cours, et l'impression d'être toujours aussi nulle en arabe, disait-elle. Elle ne savait pas trop quoi faire, elle avait envie de passer du temps à l'étranger, peut-être en Égypte ou au Liban, puisque la Syrie était en flammes – j'ai été blessé qu'elle ne cite pas le Maroc, j'ai dû faire une drôle de tête, elle a changé de sujet immédiatement.

— Et toi, quels sont tes projets ? Qu'est-ce que tu vas faire, tu vas essayer de rester ici ?

— Je ne sais pas, ça dépend un peu de toi.

Elle a baissé les yeux, et j'ai su alors que tout ce que j'avais imaginé était vrai – elle était avec quelqu'un d'autre.

Elle s'agitait nerveusement, soudain.

Elle ne disait plus rien.

J'étais tellement fatigué, angoissé, brisé par le séjour auprès de Cruz, les longues heures de veille dans l'autobus et l'émotion de revoir Judit que je me suis énervé, c'était la première fois que je haussais le ton avec elle, je lui ai crié quelque chose comme tu pourrais me le dire que tu ne veux plus de moi, merde, et je me suis à moitié levé de ma chaise – les gens de la table d'à côté (couple bourgeois, lunettes de soleil dans les cheveux, chemise à carreaux, pull à col en V sur les épaules) se sont retournés vers nous, je leur ai gueulé de s'occuper de leurs affaires, visages offusqués.

Judit m'a regardé dans les yeux avec l'air de dire rassieds-toi, arrête ton cinéma. J'ai pris conscience de mon ridicule, je me suis rassis.

— Écoute, ça ne sert à rien de se mettre dans des états pareils.

Elle murmurait. Elle avait honte. J'ai pris mon courage à deux mains, le courage qu'elle n'avait pas.

— Tu as quelqu'un d'autre, c'est ça ?

Elle a nié. Elle a secoué la tête en répétant mais non mais non.

— Tu es une dégueulasse.

J'avais sorti mon vocabulaire de polar, bien méchant, pour la faire réagir. Elle ne devait pas connaître le mot, parce qu'elle ne s'est pas mise en colère. Elle a juste ajouté je n'ai pas envie d'être avec quelqu'un en ce moment, c'est tout, ce qui m'a paru une connerie sans bornes, un mensonge, une saloperie.

J'ai regardé la petite place ovale. En face, sous les arbres, il y avait une belle porte cochère en bois d'une autre époque, un restaurant chic ; devant moi une jolie fontaine aux robinets dorés, en forme de vase ; une vieille dame passait en tirant un caddie.

Nous sommes restés un moment en silence, je ne savais plus quoi faire, plus quoi dire.

Elle avait des remords de me laisser comme ça, je le sentais.

— Tu vas dormir où ?

— Qu'est-ce que ça peut te foutre.

Même pas la peine d'ajouter "chienne" ou "salope", tant cette phrase avait sonné comme un gnon.

— Ne t'énerve pas, c'est bête. Je cherche juste à t'aider.

Je ne savais plus de quoi j'avais envie, je me sentais désolé de provoquer sa colère. La dame avec son chariot avait traversé toute la place ; une baguette dépassait de son caddie ; le couple à lunettes de soleil à côté de nous a demandé l'addition.

Elle n'avait qu'un désir, c'était s'en aller, je le savais ; la culpabilité devait la torturer ; je me suis vu, avec ma gueule de bougnoule mal rasé, dans ma parka kaki merdique, sans but, sans rien, le monde n'était même pas le monde, c'était un décor de télévision, un faux. J'ai eu une bouffée de souvenirs, Tanger, notre quartier, Meryem et Bassam, je me suis demandé ce que je foutais là, sur cette place si jolie, si mignonne, en face de Judit qui ne voulait plus de moi, Dieu seul savait pourquoi.

Je me suis mis à parler en marocain.

Je l'ai suppliée, sans articuler, très vite ; je lui ai parlé d'amour, de ma fatigue, de l'*Ibn Batouta*, de Cruz, des ténèbres d'Algésiras, de notre semaine à Tunis, des souvenirs de notre balcon à Tanger, je lui ai dit qu'elle ne pouvait pas balancer tout cela d'un coup, qu'elle allait me tuer.

Elle me regardait, elle avait l'air peiné. Je n'étais pas sûr du tout qu'elle ait compris ce que je venais de raconter.

Elle m'a pris la main ; elle a eu une phrase un peu définitive, du genre "Je ne m'en sens pas la force" qui sonnait dramatique et théâtrale en arabe ; j'avais l'impression de jouer dans une série égyptienne.

J'étais trop crevé, j'ai lâché comme tu veux, je ne t'embêterai plus ; mets-moi juste sur le chemin d'une mosquée, et voilà.

Judit m'a regardé avec de grands yeux : une mosquée ?

Une mosquée, un bouquiniste et un hôtel pas trop cher, j'ai ajouté.

Pour le supermarché, je le trouverai bien tout seul.

J'ai appelé le garçon, j'ai sorti un beau billet de cinquante euros tout neuf et je n'ai pas laissé payer Judit qui insistait.

Les villes s'apprivoisent, ou plutôt elles nous apprivoisent ; elles nous apprennent à bien nous tenir, elles nous font perdre, petit à petit, notre gangue d'étranger ; elles nous arrachent notre écorce de plouc, nous fondent en elles, nous modèlent à leur image – très vite, nous abandonnons notre démarche, nous ne regardons plus en l'air, nous n'hésitons plus en entrant dans une station de métro, nous avons le rythme adéquat, nous avançons à la bonne cadence, et qu'on soit marocain, pakistanais, anglais, allemand, français, andalou, catalan ou philippin, finalement Barcelone, Londres ou Paris nous dressent comme des chiens. Nous nous surprenons un jour à attendre au passage piéton que le feu soit vert ; nous apprenons la langue, les mots de la ville, ses parfums, sa clameur – Barcelone se réveillait au fracas des clés de douze sur les bouteilles de gaz, aux cris du Pakistanais qui hurlait *Butaaanooooooooo* dans son uniforme orange, couleur de la malédiction, du pire métier du monde, parce qu'il fallait se coltiner les bombonnes de trente kilos dans les escaliers étroits d'immeubles sans ascenseur jusqu'au quatrième ou au cinquième pour une minuscule commission par bouteille vendue : dans mon quartier, les "Pakis", qu'ils soient réellement pakistanais ou bien bangladeshis, indiens voire sri lankais étaient colporteurs de gaz, vendeurs de roses, de bières tard dans la nuit, épiciers ou téléphonistes dans les *locutorios*, les parloirs, ce mélange de bureau de télécommunications avec cabines téléphoniques et de webcafé. Au début je me rendais fréquemment, sur la rambla du Raval, à deux pas de chez moi, dans un établissement de ce genre pour consulter Internet – les tarifs étaient dérisoires, et on trouvait là tous les pays, toutes les nationalités : des Marocains, des Algériens, des Sahraouis, des Équatoriens, des Péruviens, des Gambiens, des Sénégalais, des Guinéens et des Chinois qui appelaient leurs familles ou envoyaient du fric au pays par un système de transfert international d'argent liquide, de la main à la main, système se rapprochant du racket tant les commissions étaient élevées, mais qui avait la poésie du monde moderne : on donnait cent, deux cents ou mille euros à un guichet de Barcelone avec l'identité du destinataire, et la somme était immédiatement disponible à Quito ou à Lahore ; le pognon ne connaissait pas les mêmes frontières que ses propriétaires, lui il savait se dématérialiser dans les égouts d'Internet que les migrants ne pouvaient pas encore emprunter eux-mêmes pour se transformer en électrons, en impulsions, en courrier électronique, quitter Dhaka et apparaître, instantanément, dans un ordinateur à Barcelone.

Ma rue était l'une des pires du quartier, une des plus pittoresques si l'on veut, elle répondait au nom fleuri de carrer Robadors, rue des Voleurs, le casse-tête de la mairie du district – rue des putains, des drogués, des ivrognes, des paumés en tout genre qui passaient leurs journées dans cette citadelle étroite sentant l'urine, la bière rance, le tagine et les samoussas. C'était notre palais, notre forteresse ; on y entrait par le petit goulet de la rue Hospital, on en sortait sur l'esplanade des immeubles modernes au coin de la rue Sant Rafael, qui s'ouvrait sur la rambla du Raval ; en face, de l'autre côté de la rue Sant Pau commençait la rue Sant Ramon, autre forteresse – entre les deux, la nouvelle Cinémathèque, censée transformer le quartier par les lumières de la culture et attirer le bourgeois du Nord, le nanti de l'Eixample qui, sans les initiatives géographico-culturelles de la Ville, ne serait jamais descendu jusqu'ici. Il fallait bien sûr protéger les amoureux du cinéma d'auteur et les clients de l'hôtel quatre étoiles de la rambla du Raval non seulement des débordements de la plèbe, mais aussi de la tentation d'aller aux putes ou d'acheter de la drogue, et la zone était donc patrouillée vingt-quatre heures sur vingt-quatre par les flics, qui garaient fréquemment leur fourgonnette au débouché de notre Palais des Voleurs : leur présence, loin d'être rassurante, donnait au contraire l'impression que cette région était sous surveillance, qu'il y avait un réel danger, surtout lorsque la patrouille était nombreuse, armée jusqu'aux dents et en gilet pare-balles.

De jour, l'activité putassière était présente, mais assez réduite ; de nuit à la belle saison, les touristes étrangers ivres morts se perdaient dans nos ruelles et se laissaient parfois tenter par une jolie négresse qu'ils prenaient par-derrière, dans un coin de porte, à la belle étoile : j'ai souvent vu, tard le soir, le reflet mouvant de fesses blanches déchirer la pénombre des encoignures.

Notre immeuble était au début de la rue des Voleurs, dans sa partie étroite, tout près de la rue Hospital ; c'était un bâtiment typique du quartier, ancien, ruiné ; un de ceux qui, malgré les efforts des propriétaires et de la mairie, paraissaient rétifs à toute rénovation : les marches d'escalier avaient perdu la moitié de leur carrelage, les menuiseries ployaient, les murs se débarrassaient de leur revêtement par grandes plaques dont les débris encombraient les paliers ; les câbles électriques pendaient du plafond, les vieilles douilles en céramique n'avaient plus vu le cul d'une ampoule depuis des lustres et les boîtes aux lettres rouillées, cabossées, bâillaient, disjointes ou grandes ouvertes, quand il leur restait une porte. La cage d'escalier était peuplée de cafards et de rats et il n'était pas rare, en montant la nuit, de surprendre un gros rongeur noir tétant l'aiguille d'une seringue abandonnée, pour en sucer la petite goutte de sang – la bestiole s'enfuyait par le trou d'un mur dans un appartement, et on frissonnait toujours en pensant qu'il pouvait se produire la même chose à notre étage.

Les drogués provenaient du centre d'aide sociale qui leur était réservé un peu plus loin dans la rue, et ils cherchaient un endroit pour se piquer ; beaucoup revendaient dans les rues adjacentes la méthadone que leur fournissait l'administration. Ils entraient dans les immeubles dont les portes fermaient mal, montaient jusqu'où leur condition physique leur permettait d'arriver, parfois jusqu'au toit terrasse, où ils ne risquaient pas d'être délogés par l'habitant, à coups de pied ou de manche à balai. Ils faisaient pitié. La plupart étaient des loques d'une maigreur stupéfiante ; ils avaient des abcès sur les bras, des pustules sur la gueule ; beaucoup parlaient tout seuls, maudissaient, juraient, frappaient dans les boîtes de bière qu'ils vidaient à la chaîne en attendant mieux ; parfois on les voyait tituber, silencieux, l'air béat, sortant d'un bâtiment quelconque, et on savait qu'ils venaient de s'injecter, à la va-vite, assis au milieu des cancrelats, leur dose de bonheur. Quand ils étaient en fonds, ils s'offraient une soupe au restaurant marocain un peu plus loin dans la rue, et y restaient longtemps, à regarder la télé, l'air absent ; les patrons du restau étaient généreux, ils toléraient ces fantômes qui payaient et ne volaient que les petites cuillères – ils leur interdisaient juste les toilettes. Les drogués avaient même un petit parc à eux, un recoin de verdure que personne ne leur disputait, pas même la mairie : un peu plus au sud, tout près du port, contre les remparts de l'Arsenal gothique, derrière un remblai qui devait protéger une ancienne douve se trouvait, deux mètres en contrebas, un carré d'herbe invisible de la rue – les préposés à la propreté municipale y descendaient peu souvent, et même les flics, partant du principe que tout ce qui est invisible n'est pas gênant et donc n'existe pas, n'y emmerdaient que rarement les toxicomanes. Il y avait des femmes et des hommes, même s'il était parfois difficile de savoir à quel sexe ils appartenaient ; ils vivaient entre eux, s'engueulaient entre eux, mouraient entre eux, et s'ils n'étaient pas les plus élégants ni les plus propres des habitants du quartier, ils comptaient, avec les rongeurs et les insectes, parmi les plus anodins.

Même si parfois, comme un chien acculé peut montrer les dents et essayer de mordre un agresseur, on en voyait certains devenir violents ; je me souviens d'une crise de folie incroyable, un jour, alors que j'étais tranquillement au balcon à observer l'animation de la rue, un de ces types est sorti du bocal à méthadone en rage ; il s'est mis à crier, puis à hurler des imprécations incompréhensibles, à frapper du poing contre le mur, puis contre un Pakistanais qui passait par là et qui n'a pas compris ce qui lui valait ce déluge de gnons ; deux personnes sont arrivées à sa rescousse : malgré sa maigreur, le drogué était d'une force incommensurable, presque divine, trois hommes jeunes ne parvenaient pas à le maîtriser mais juste à lui arracher, en essayant de le ceinturer, ses vêtements beaucoup moins résistants que lui – son tee-shirt s'est déchiré d'abord, puis sa ceinture a lâché, il se débattait comme un démon et envoyait bouler ses agresseurs à grands coups de pied vengeurs dans les tibias, dans les couilles, jusqu'à n'être plus qu'en slip, il se battait en slip comme un guerrier dérisoire, fin et maigre, les jambes couvertes de plaies, les bras bardés de croûtes et de tatouages, et il a fallu cinq personnes, deux flics et une ambulance pour en venir à bout : les cognes ont réussi à le menotter, les hommes en blanc l'ont piqué avant de l'attacher sur une civière et de l'emmener Dieu sait où – il y avait une vraie beauté triste dans ce dernier combat du pauvre homme nu dépossédé de son cerveau et de son corps par l'héroïne ; il se battait contre lui-même, contre Dieu et les services sociaux, qui pour lui étaient identiques.

Les putains aussi faisaient pitié, mais dans un autre genre. Certaines étaient de vraies teignes, des louves acides et dangereuses qui n'hésitaient pas à détrousser les clients ou à éborgner à coups d'ongles un mauvais payeur ; elles insultaient copieusement les mâles qui refusaient leurs avances, les traitaient de pédés, de lopettes, d'impuissants. La plupart venaient d'Afrique, mais il y avait aussi quelques Roumaines et même une ou deux Espagnoles, dont celle qui était assise sous un porche à l'entrée de la rue, Maria, un peu la concierge de notre palais. Maria avait la quarantaine, plutôt ronde, assez souriante, pas très jolie mais sympathique ; elle était assise là devant sa porte tous les après-midi et tous les soirs ; elle écartait les jambes et nous montrait son string en nous appelant ses petits chéris quand on passait devant elle : je répondais toujours poliment bonjour Maria en matant vite fait son con, ça ne faisait de mal à personne, c'étaient des relations de bon voisinage. Je n'ai jamais osé monter avec elle – à cause de la différence d'âge, d'abord, qui m'intimidait, et du souvenir de Zahra la petite pute de Tanger qui m'attristait. La plupart des clients réguliers étaient des immigrés, des étrangers fauchés qui marchandaient le prix de la passe, ce qui faisait hurler Maria : elle crachait par terre en gueulant comme un veau mais va donc voir les négresses, à ce prix-là ! Dans le cul aussi, c'était la crise, faut croire. Maria vivait avec un type qui était camionneur, ou marin, je ne sais plus – en tout cas il n'était pas là souvent. Les Africaines avaient des macs, des mafieux à qui elles avaient vendu leur corps dès leur pays d'origine, pour le prix du passage en Europe : j'ignore combien de temps elles devaient se faire mettre par les pauvres et les touristes avant de retrouver leur liberté – si elles la retrouvaient un jour.

Il y avait aussi un réparateur de vélos, un entrepôt de volailler, des frigos clandestins pour les Pakis vendeurs de bières, des entrepôts de roses pour les Pakis vendeurs de roses, des familles de Marocains pauvres, des familles de Bengalis pauvres, de vieilles dames espagnoles (qui connaissaient le quartier depuis avant-guerre et expliquaient qu'à part la nationalité des putains et des voleurs peu de choses avaient changé) et de jeunes clandestins comme nous, pour la plupart marocains, certains mineurs, des gosses qui traînaient dans l'attente d'un mauvais coup pour se désennuyer autant que pour se faire un peu de blé : dépouiller les touristes, leur vendre du faux hasch ou tirer un vélo.

Et juste au coin, une mosquée, la mosquée Tareq ibn Ziyad, le glorieux Conquérant de l'Andalousie, qui m'avait valu de me retrouver dans le quartier : c'était la seule que connaissait Judit, une des plus anciennes de Barcelone, située dans une boutique au rez-de-chaussée d'un immeuble refait. Elle était propre et assez vaste.

Il y avait aussi deux bouquinistes pas trop loin, un grand supermarché en sous-sol à deux pas et le marché du livre d'occasion tous les dimanches à proximité, j'étais content. Triste, le cœur déchiré par Judit, mais content.

J'ai cherché des informations sur la mort de Cruz ; tout ce que j'ai trouvé c'est ce minuscule compte rendu du *Diario Sur* :

DRAME À ALGÉSIRAS
EMPOISONNÉ PAR UN DE SES EMPLOYÉS

Le propriétaire de l'entreprise de pompes funèbres Marcelo Cruz a été découvert mort sur son lieu de travail des suites d'un empoisonnement à la strychnine. C'est un de ses voisins et collaborateurs, Imam de la mosquée d'Algésiras, qui a prévenu les secours. On ignore encore les circonstances exactes du drame mais, d'après la Police nationale, M. Cruz aurait été empoisonné par un de ses employés, qui se serait enfui après l'avoir dévalisé.

J'étais donc recherché pour meurtre et vol.

Ce n'était pas une surprise, mais le voir dans le journal m'a mis une boule dans la gorge. Heureusement, Cruz n'avait pas signalé ma présence aux autorités ; il n'y avait pas de permis de travail, pas de photocopies de mes papiers, aucun indice, à part, sans doute, mes empreintes digitales et mon ADN – l'Imam ne connaissait pas mon nom de famille : il pouvait quand même me décrire, indiquer que je m'appelais Lakhdar et que je venais de Tanger. C'était bien plus qu'il n'en faudrait aux flics pour me reconnaître en cas d'arrestation, surtout avec un prénom aussi peu commun que le mien.

J'ai repensé aux chiens de Cruz, je me suis demandé qui allait s'occuper d'eux. Peut-être parce qu'ils étaient le seul éclat de lumière dans la noirceur des dernières semaines, leur tendresse mécanique, leur pelage et leur respiration me manquaient.

Pour ne pas être arrêté, il fallait donc que je reste sagement planqué rue des Voleurs.

Tout me paraissait loin.

Judit, plus proche que jamais, me paraissait loin.

Tanger était loin.

Meryem était loin, Bassam était loin ; les soldats de Jean-François Bourrelier étaient loin ; Casanova était loin ; je m'étais trouvé une nouvelle prison, calle Robadors, où me cacher ; jamais on ne sortait de l'enfermement.

La vie était loin.

Les premiers jours ont été difficiles – j'ai logé dans un hôtel pour étudiants, totalement inconscient : il avait fallu que je donne mon passeport à la réception, les flics auraient pu me trouver sans difficultés et venir me cueillir directement au saut du lit. Mais rien ne se passe jamais comme dans les livres. Quoi qu'il en soit, bien caché dans le Raval, dans les bas-fonds, entre les putains et les voleurs, j'avais l'impression que je ne craignais rien.

La mosquée Tareq ibn Ziyad était aux mains des Pakis ; on y croisait aussi quelques Arabes, mais peu en comparaison. L'Imam était du Panjab. J'y ai passé du temps, au début, pour rencontrer des gens, me reposer dans la prière et la lecture. Quand on n'a pas de chez-soi, qu'on ne connaît personne, il faut bien commencer quelque part : les bars ou les mosquées – et j'ai bien fait : c'est grâce à la mosquée que j'ai trouvé ma chambre dans cet appartement délabré mais agréable, au cœur de la forteresse Raval : trente mètres carrés tout en longueur, avec un petit balcon. Je partageais l'appartement avec un Tunisien appelé Mounir. Je payais trois cents euros par mois, tout compris – en fait on ignorait qui réglait l'électricité, s'il y avait une facture d'électricité ; quant à l'eau, elle venait de grands réservoirs sur le toit, et il n'y avait pas de compteurs. Je n'ai jamais réussi à savoir qui était le propriétaire – nous réglions le loyer en liquide dans un bar de la rue Sant Ramon, et voilà. Quand Mounir n'a pas pu payer, fin avril, deux types lui ont filé une bonne trempe, ça l'a encouragé à trouver le blé rapidement, il s'est démerdé, a pris des risques pour voler quatre belles bicyclettes qu'il a bradées, rien de plus.

Ma relation avec Judit était étrange. Nous nous voyions presque tous les jours. Elle m'aidait pour tout ; elle avait même été jusqu'à ouvrir un compte dans une Caisse d'Épargne, à son nom, pour que j'y dépose mon pognon – elle m'a donné la carte de retrait et le code, c'était bien plus sûr que du liquide, vu où j'habitais. C'est elle-même qui a réalisé le dépôt, elle ne m'a pas demandé d'où provenait ce fric et je ne lui ai pas expliqué.

Judit me paraissait la plus belle et la plus noble des femmes, même si, pour une raison tout à fait obscure, elle ne voulait plus de moi. Elle s'est arrangée tout de suite pour me trouver du boulot – professeur d'arabe. Deux fois par semaine, je donnais un cours particulier à Judit, Elena et Francesc, un de leurs camarades, pour dix euros de l'heure. J'étais très fier. Je leur expliquais les subtilités de la grammaire ; je commentais des vers classiques avec eux – souvent, j'avais appris le matin même dans un livre ce que j'expliquais l'après-midi ; du coup je lisais beaucoup en arabe pour préparer les cours, c'était agréable. Nous apprenions par cœur des poèmes d'Abû Nuwâs, d'après moi le plus grand, le plus subversif et le plus drôle des poètes arabes ; je leur expliquais, presque ligne à ligne, les grands romans de Naguib Mahfouz ou de Tayeb Salih que je n'avais jamais lus, mais qui étaient à leur programme.

Judit habitait chez ses parents, dans le haut de la ville, à Gràcia ; c'était un quartier plutôt bourgeois et bien tenu, un ancien village rattaché à Barcelone au XIXe siècle, avec des rues étroites, des places agréables ; la tradition locale voulait que les enfants de ces bourgeois soient plutôt rebelles et alternatifs : les mouvements associatifs étaient nombreux, il y avait même un squat, en plein centre du quartier – il fallait bien que jeunesse se passe. Là-haut, les Arabes aussi étaient plus chics, plus bourgeois ; les restaurants pour la plupart syriens, libanais ou palestiniens ; juste à côté de chez Judit on trouvait aussi un établissement mésopotamien et un autre phénicien – tout cela était un peu intimidant et, coincé entre la catalanité et l'Antiquité, je préférais me réfugier dans les ténèbres de mes ruelles. Judit se sentait bien sûr très à l'aise là-haut. Elle y avait ses amis, son lycée, les rues où elle avait grandi ; parfois elle insistait pour m'emmener déjeuner, après le cours d'arabe, dans un de ces restaus nobles et antiques : le patron du phénicien n'était pas tout droit sorti d'un sarcophage de Sidon, c'était un Libanais de la montagne ; il a parlé un moment de politique avec Judit, de la Syrie, principalement, de la guerre civile en cours, du rôle trouble qu'allaient y jouer la Turquie, l'Arabie Saoudite et le Qatar – tout cela était un peu déprimant, j'avais l'impression que quoi qu'on fasse, les Arabes étaient condamnés à la violence et à l'oppression. Il faut bien admettre qu'il était plutôt intelligent et très sympathique, ce Phénicien, ce qui ne faisait qu'accroître ma jalousie – je n'ai pas ouvert la bouche, il a dû me prendre pour un ours ou un demeuré.

Judit était chaque jour plus mystérieuse. Elle avait l'air triste, profondément triste par moments, absente, sans que j'en comprenne la raison ; à d'autres, au contraire, elle débordait d'énergie, riait, me parlait de ses projets, me proposait de sortir faire un tour ou boire un verre. Les premiers jours je l'emmerdais pour qu'elle finisse par m'avouer qu'elle était avec quelqu'un d'autre, elle continuait à nier, j'ai arrêté de la persécuter et au bout d'un moment je connaissais tellement bien son emploi du temps que j'ai dû me rendre à l'évidence : il n'y avait personne d'autre dans sa vie, à part ses quelques camarades d'université et moi.
C'était d'autant plus incompréhensible.
Je me suis dit qu'il fallait lui laisser le temps, qu'elle finirait par me revenir. Parfois, quand nous sortions, je lui prenais la main ; elle ne la retirait pas – j'avais juste l'impression que ça lui était égal. Et même, à une occasion, une seule, nous avons couché ensemble : je l'avais invitée à venir voir ma nouvelle chambre glorieuse dans l'après-midi ; elle s'est laissé embrasser et déshabiller sans opposer de résistance – je dis bien *sans opposer de résistance*,

mécaniquement, et toutes mes caresses, et tout mon amour n'y ont rien pu, à tel point qu'une fois mon affaire faite, alors qu'elle se rhabillait en silence, j'ai été pris de honte, de honte et de culpabilité comme si je l'avais violée. Elle m'a rassuré en me disant que j'étais ridicule, qu'elle n'en avait juste pas envie en ce moment, c'est tout.

— Je t'ai dit, je ne me sens pas la force d'être avec quelqu'un.

Pour moi, c'était absolument insondable, il devait s'agir d'une maladie. Du coup, je la gâtais ; je lui écrivais des poèmes, je lui offrais des livres, je lui rappelais les moments parfaits de Tanger et de Tunis. Ces souvenirs la plongeaient dans la mélancolie. Elle avait l'air fragile, comme si un rien pouvait la faire tomber.

Je ne la quittais pas des yeux.

Barcelone était belle et sauvage, j'aimais l'élégance, le rythme, les sons de la ville, la diversité des quartiers, de Gràcia au Poble Sec, depuis le port jusqu'à la montagne, l'étrange unité qu'il y avait dans les différences et les recoins, les surprises qu'offrait la ville – à deux pas de chez moi, par exemple, caché par des murailles, derrière une porte en pierre voûtée, se cachait l'hospice de la Sainte-Croix et son jardin magnifique, planté d'orangers, sa belle fontaine et les merveilleux escaliers de pierre de la bibliothèque de Catalogne – dès qu'il y avait un rayon de soleil, je m'asseyais là pour lire, sur un banc, dans le parfum des fleurs d'oranger ; les jolies étudiantes de l'école d'arts appliqués sortaient pour fumer une clope, s'asseyaient sur les marches, et c'était beau de les regarder un moment ; à quelques pas de là, sous les portiques de l'ancien cloître, un groupe de clochards se tapaient des bières et des litrons de rouge, ils avaient l'air eux aussi de trouver l'endroit à leur goût, tout comme les drogués de la rue des Voleurs, les vendeurs de shit, les détrousseurs de touristes, tout le monde appréciait ce lieu – certes pour des raisons différentes. L'hospice médiéval continuait, au fond, de remplir son office : il hébergeait de pauvres choses, des livres, des artistes, des ivrognes et des voleurs.

Le soir, lorsque Judit avait la flemme de sortir, je marchais un moment sur la rambla du Raval, longue place oblongue plantée de palmiers, parsemée de bancs, avec un gigantesque chat de bronze, statue improbable, à son extrémité – les Pakis déambulaient dans leurs *salwar kameez*, les familles promenaient leurs enfants, les femmes et les petites filles indiennes portaient leurs belles robes de couleur, les gitans sortaient des chaises et discutaient sur le trottoir, devant un restaurant où dînaient, avant l'heure, quelques Britanniques dont on devinait, à la couleur de leurs épaules, qu'ils avaient passé la journée à la plage – tout ce petit monde prenait le frais, profitait de la trêve du soir et on aurait pu croire, en descendant et remontant la rambla du Raval, qu'il n'y avait ni antagonismes, ni haine, ni racisme, ni pauvreté – l'illusion ne durait pas bien longtemps ; généralement un Arabe commençait à emmerder un Paki, ou l'inverse, et on finissait par entendre des cris, qui parfois dégénéraient.

Lorsque le soleil était bas, je rentrais ; j'avais un nouveau rituel : je m'achetais une bouteille de vin rouge catalan au supermarché, quelques olives et une boîte de thon ; je m'installais sur mon minuscule balcon au quatrième étage, j'ouvrais la bouteille, la boîte, le paquet d'olives, je prenais un livre et j'attendais que la nuit tombe, doucement, j'étais le roi du monde. Mieux qu'Abû Nuwâs à la cour de Bagdad, mieux qu'Ibn Zaydûn dans les jardins d'Andalousie, je prenais une petite avance sur le Paradis, que Dieu me pardonne, il ne manquait que les houris. Je lisais un polar espagnol (faute de grives, on mange des merles) ou de la poésie arabe classique, à l'aide du dictionnaire que m'avait prêté Judit – déchiffrer un vers obscur aux mots oubliés était un immense plaisir.

J'avais découvert le vin. Un péché, certes, j'en conviens, mais un des plus agréables et des moins chers : selon la bouteille que je choisissais, elle me coûtait entre un euro cinquante et trois euros. Le puissant Royaume du Maroc taxant impitoyablement les alcools, je devais m'y contenter de café au lait ; ici la belle Espagne mettait le fruit de ses vignes à la portée de toutes les bourses.

Le soleil finissait par disparaître presque en face de moi, vers l'église Sant Pau, il me restait encore une petite demi-heure de jour, puis il faisait trop sombre pour lire sur le balcon, alors j'observais un moment la rue ; le week-end, des dizaines de personnes faisaient la queue devant le local de la secte évangéliste, ou adventiste, ou je ne sais plus quelle hérésie minoritaire, nos voisins – ils avaient beaucoup de succès auprès des indigents, parce qu'ils distribuaient des repas après l'office. On ne peut bien évidemment pas préjuger de la sincérité de la foi qui animait ces ouailles en guenilles, si ça se trouve c'étaient de vrais protestants. En tout cas, cette église (une ancienne boucherie) faisait toujours salle comble – on les entendait chanter des cantiques ; ensuite ils parlaient d'amour, du Seigneur et de ses agneaux, du Christ qui reviendrait apporter la justice au jour de la Résurrection.

C'était étrange de penser qu'au fond toutes nos religions étaient des récits : des fables auxquelles certains souscrivaient et d'autres non, un immense livre d'histoires, où chacun pouvait prendre ce qui lui convenait – il y avait un recueil appelé *Islam* qui ne recoupait pas tout à fait les versions contenues dans *Christianisme* qui différait lui-même de l'ensemble *Judaïsme* ; ces protestants chanteurs pour pauvres devaient avoir leur version aussi – j'avais récupéré un de leurs instruments d'évangélisation, c'était une bande dessinée en couleurs d'une dizaine de pages, au trait simple ; tous les personnages y étaient noirs, sauf le Christ, doré et auréolé, avec une barbe et des cheveux longs : on y voyait un homme construire une maison de bois avec un marteau, se marier, avoir une famille ; ses enfants grandissaient autour de sa cabane ; tous travaillaient la terre. Puis l'homme devenait vieux, il blanchissait, enfin il mourait et un Jésus tout brillant l'accompagnait vers les cieux, parmi les anges.

Les putes sortaient avec l'allumage des réverbères. Elles se disposaient au débouché de la rue, côté esplanade ; la mosquée Tareq ibn Ziyad devait être la seule au monde devant laquelle des Amazones noires comme la nuit, armées de minijupes en lamé, de bustiers brillants et de talons hauts racolaient les fidèles – ceux-ci n'y prêtaient d'ailleurs plus aucune attention. Ça faisait partie du décor, comme les flics qui commençaient eux aussi à faire le tour du pâté de maisons à la nuit tombée, par trois ou quatre, en rang, fiers, bien fiers d'exhiber toute la force de l'ordre et la dureté de la loi. La vérité, c'était qu'ils accéléraient ainsi la plupart des activités illégales : dès qu'ils avaient tourné le coin de la rue, on savait, comme on le sait de l'aiguille d'une montre ou d'un astre, qu'ils mettraient cinq bonnes minutes à revenir. Il y avait des caméras de surveillance, bien sûr, mais je n'ai jamais entendu dire, dans la rue, qu'il faille s'en méfier : tout comme Dieu nous regarde tous, M. le maire pouvait bien nous observer depuis son bureau de la place Sant Jaume – personne n'y trouvait rien à redire, ni les ivrognes qui s'enfilaient des bières en gueulant des insanités presque sous la caméra en question, ni le vendeur de shit, toute la sainte journée au même endroit, ni les Noirs, propriétaires d'une écurie entière de gagneuses qui trimaient un peu plus bas pour leur compte, ni les drogués qui s'engueulaient devant le centre d'aide sociale fermé, ni les Pakistanais qui venaient, sur le tard, chercher les bières dans les frigos clandestins. Personne n'avait l'air gêné le moins du monde par ces caméras blanches, visibles, fixées de chaque côté de la venelle. Elles constituaient la rançon de la gloire.

Et puis, vers onze heures ou minuit, on allait faire un tour avec Mounir, mon colocataire. Mounir était un des échappés de Lampedusa, un des Tunisiens qui avaient atterri en France au moment de la Révolution grâce à la générosité de Berlusconi, au grand dam du gouvernement français, prêt à tout partager sauf les dettes et les indigents. Mounir avait passé quelques mois à Paris, enfin à Paris c'est vite dit, en banlieue, plutôt, planqué dans une friche à côté d'un canal, à se les geler en crevant de faim. Ces salauds de Français ne m'ont pas filé un sandwich, tu m'entends? Pas même un sandwich! Ah elle est belle la démocratie! Impossible de trouver du boulot, on errait toute la journée, à Stalingrad à Belleville à la République, on était prêts à accepter n'importe quel job pour survivre. Rien, rien à faire, personne ne t'aide, là-bas, surtout pas les Arabes, ils pensent qu'ils sont déjà trop nombreux, qu'un pauvre bougnoule de plus c'est mauvais pour tout le monde. La Révolution tunisienne, ils trouvent ça très beau de loin, ils disent mais justement, maintenant que vous avez fait la Révolution, restez-y, dans votre paradis de jasmin plein d'Islamistes et ne venez pas nous emmerder avec vos bouches inutiles. Tu veux que je te dise, mon frère Lakhdar, toutes ces Révolutions arabes sont des machinations américaines pour nous péter toujours un peu plus les couilles.

Il exagérait quant aux Français : il m'a raconté qu'il avait survécu grâce aux Restos du Cœur et à la Soupe Populaire, où si tu faisais la queue suffisamment longtemps tu finissais par manger des haricots blancs ou repartir avec un paquet de pâtes sans qu'on te pose de questions. Le tableau qu'il dressait de Paris ne faisait pas envie – des bataillons de pauvres auxquels on distribuait des tentes individuelles pour qu'ils dorment à même le trottoir, au beau milieu des rues ; des banlieues interminables, abandonnées de Dieu et des hommes, où tout le monde était au chômage, où il n'y avait rien à foutre à part brûler des voitures pour se désennuyer le week-end – et surtout, la haine, disait-il, la haine et la violence qu'on ressent dans cette ville, tu n'as pas idée. Tous les jours aux informations on entend la haine qui monte. Je t'assure, ils ne se rendent pas compte, ils vont droit vers l'explosion.

Il en rajoutait un peu, c'est certain, mais ce n'était pas rassurant. La droite française voulait fermer les frontières, se bander les yeux avec un drapeau tricolore et être étanche à tout, sauf au pognon.

Mounir avait fini par quitter Paris, dégoûté, pour tenter sa chance plus au sud – et Marseille, tu as vu Marseille ? J'avais mes souvenirs des polars d'Izzo et l'impression de connaître Marseille. Mais non, Mounir ne s'était pas arrêté à Marseille, il s'était fait péter la gueule par deux types devant la gare de Montpellier, qui l'avaient agressé comme ça, pour le plaisir, disait-il. Depuis, je ne sors plus sans un couteau, ajoutait-il, et c'était vrai : il portait toujours sur lui une lame assez courte mais bien affûtée.

La vraie chance de Barcelone, la seule qui faisait que la ville soit encore une ville et pas un ensemble de ghettos à feu et à sang, c'étaient les touristes. Une bénédiction de Dieu. Tout le monde en vivait, d'une façon ou d'une autre. Les restaurateurs en vivaient, les hôteliers en vivaient, les cafetiers et les marchands de maillots de foot en vivaient, les charcutiers en vivaient, et jusqu'aux libraires, qui avaient leurs succursales dans les musées pour pomper leur part de cet or rose bronzage qui irriguait le centre. Les colporteurs de bières en vivaient, les vendeurs d'appeaux, de sifflets, de toupies magiques et de pin's clignotants en vivaient – Mounir en vivait aussi. Après tout, comme il disait, tout le monde vole ces touristes. Tout le monde les dépouille. Ils payent leurs bières huit euros sur les Ramblas. Je ne vois pas pourquoi leur prendre un appareil photo, un porte-monnaie ou un sac serait forcément plus mal. Parce que c'est *haram*, précisément, c'est du vol. Non, répondait-il, si Al-Qaida permet d'égorger les Infidèles, je ne vois pas pourquoi il serait interdit de les détrousser, et il partait d'un grand éclat de rire.

La vérité, c'est que c'était difficile de le contredire : on avait parfois l'impression que c'était Dieu lui-même (qu'Il me pardonne) qui envoyait ces créatures dans nos ruelles, avec leur air innocent, en train de regarder en l'air pendant que Mounir mettait tranquillement la main dans leur sac à dos.

La manne, donc. Les plus pauvres survivaient grâce au tourisme, la ville survivait grâce au tourisme, elle en voulait toujours plus, en attirait toujours plus, augmentait le nombre d'hôtels, de pensions, d'avions pour amener ces brebis se faire tondre, tout cela me rappelait le Maroc, parce qu'à cette période il y avait une campagne de promotion pour le tourisme à Marrakech dans le métro de Barcelone, une photographie orientaliste assortie d'un joli slogan du genre "Marrakech, la ville qui voyage en toi" ou "Là où ton cœur te porte", et je me suis dit que le tourisme était une malédiction, comme le pétrole, un leurre, qui apportait fausse richesse, corruption et violence ; dans le métro de Barcelone j'ai repensé à l'explosion de Marrakech, au Cheikh Nouredine quelque part en Arabie et à Bassam, quelque part au Pays des Ténèbres, à l'attentat de Tanger où cet étudiant avait trouvé la mort d'un coup de sabre – bien sûr, Barcelone c'était différent, c'était la démocratie, mais on sentait que tout cela était sur le point de basculer, qu'il ne fallait pas grand-chose pour que le pays entier tombe lui aussi dans la violence et la haine, que la France suivrait, que l'Allemagne suivrait, que toute l'Europe flamberait comme le Monde arabe, et l'obscénité de cette affiche dans le métro en était la preuve, il n'y avait plus rien d'autre à faire pour Marrakech qu'investir du fric en campagnes publicitaires pour que revienne la manne perdue, même si on savait pertinemment que c'était cet argent du tourisme qui provoquait le sous-développement, la corruption et le néocolonialisme, comme à Barcelone, petit à petit, on sentait monter le ressentiment contre le fric de l'étranger, de l'intérieur ou de l'extérieur ; l'argent montait les pauvres les uns contre les autres, l'humiliation se changeait doucement en haine ; tous haïssaient les Chinois qui rachetaient un à un les bars, les restaurants, les bazars avec l'argent de familles entières provenant de régions dont on n'imagine même pas la pauvreté ; tous méprisaient les prolos britanniques qui venaient s'abreuver de bière pas chère, baiser dans des coins de portes et reprendre, encore saouls, un avion qui leur avait coûté le prix d'une pinte d'ale dans leur obscure banlieue ; tous désiraient, en silence, ces très jeunes Nordiques couleur craie que la différence de température poussait à étrenner leurs minijupes et leurs tongs en février – un quart de la Catalogne était au chômage, les journaux débordaient d'histoires terrifiantes de crise, de familles expulsées d'appartements qu'elles ne pouvaient plus payer et que les banques bradaient tout en continuant à réclamer leur dette, de suicides, de sacrifices, de découragement : on sentait la pression monter, la violence monter, même rue des Voleurs chez les pauvres des pauvres, même à Gràcia parmi les fils de bourgeois, on sentait la ville prête à tout, à la résignation comme à l'insurrection.

Mounir me parlait de Sidi Bouzid, du geste de désespoir qui avait déclenché la Révolution : il fallait porter la main sur soi pour faire réagir les masses, comme si finalement seul ce mouvement ultime pouvait déclencher les choses – il fallait que quelqu'un se détruise par le feu pour qu'on trouve le courage d'agir ; il fallait l'irréversible de la mort d'autrui pour comprendre qu'on n'avait rien à perdre soi-même. Cette question me tourmentait ; elle me ramenait au Maroc, à mon expédition dans la nuit avec Bassam et le Cheikh Nouredine, à ma lâcheté, mouvement exactement à l'opposé de celui de Sidi Bouzid, comme si d'un côté il y avait le suicide et de l'autre la dictature des matraques, comme si le monde entier était sur le point de basculer du côté de la dictature des matraques et que tout ce qui restait, c'était la perspective de s'immoler par le feu – ou de rester sur un balcon à lire des livres, ceux qui n'auront pas brûlé d'ici là, ou d'aller avec Mounir revendre un appareil photo chez son fourgue puis boire une bière ou deux dans un bar du quartier, en saluant bien bas les flics lorsqu'on les croisera.

À ce moment-là, en France, à Toulouse, un fondu a abattu trois enfants et un adulte dans une école juive, au pistolet, à bout portant ; quelques jours plus tôt, il avait descendu des militaires désarmés, de la même manière ; il était impossible de trouver un sens quelconque à ces coups de feu, qui résonnaient dans le monde entier. L'histoire s'étalait sur deux ou trois pages dans les journaux de Barcelone. Un chien enragé s'était levé, avait tué avant de crever lui-même, qu'est-ce qu'on pouvait en dire d'autre, à part que ce cinglé portait le prénom du Prophète, qu'il avait essayé de participer au Djihad Dieu sait où ; Mounir trouvait que les flics qui l'avaient descendu avaient été trop doux avec ce dégénéré, qu'il aurait fallu l'empaler très lentement en place publique – ou l'écarteler comme Damien, le régicide des Mémoires de Casanova, peut-être, mais qu'est-ce que ça aurait changé. J'ai pensé à Bassam, perdu quelque part dans son Djihad personnel, qui avait peut-être assassiné un étudiant à coups de sabre à Tanger, parfois expliquer ne sert à rien ; il n'y a rien à comprendre dans la violence, celle des animaux, fous dans la peur, dans la haine, dans la bêtise aveugle qui pousse un type de mon âge à poser froidement le canon d'un flingue sur la tempe d'une fillette de huit ans dans une école, à changer d'arme quand la première s'enraye, avec le calme que cela suppose, le calme et la détermination, et à faire feu pour s'attirer le respect de quelques rats de grottes afghanes. Je me suis souvenu des paroles du Cheikh Nouredine, provoquer l'affrontement, déclencher des représailles qui souffleraient sur les braises du monde, lanceraient les chiens les uns contre les autres, journalistes et écrivains en tête, qui se précipitaient pour *comprendre* et *expliquer* comme s'il y avait quelque chose de réellement *intéressant* dans les méandres paranoïaques des méninges si réduites de cette raclure dont même Al-Qaida n'avait pas voulu.

Mounir pensait que ces attentats étaient secrètement soutenus par l'extrême droite fasciste pour décupler la haine, la méfiance envers l'Islam et justifier les ratonnades à venir ; je me suis rappelé l'expression de Manchette dans je ne sais plus quel livre, c'était *les deux mâchoires d'une même connerie*.

Un ciel d'une infinie noirceur, voilà ce qui nous attendait – aujourd'hui dans ma bibliothèque, où la fureur du monde est assourdie par les murs, j'observe la série de cataclysmes comme qui, dans un abri réputé sûr, sent le plancher vibrer, les parois trembler, et se demande combien de temps encore il va pouvoir conserver sa vie : dehors tout semble n'être qu'obscurité.

No se puede vivir sin amar, voilà ce que je répétais à Judit, on ne peut pas vivre sans aimer, j'avais trouvé cette phrase dans un beau roman, noir et complexe ; il fallait qu'elle se reprenne, qu'elle retrouve une énergie, une force et je n'avais qu'un désir, c'était lui offrir ces étincelles, ce feu de tendresse dont je débordais – lui offrir par les livres, par les poèmes, par les gestes de tous les jours ; j'avais laissé mourir Meryem, je ne voulais pas que Judit s'enfonce dans ses propres ténèbres. J'en ai parlé à Elena, un jour où nous descendions ensemble après le cours, à pied par les rues de Grà-cia aux noms très étranges – rue du Torrent-de-la-Gamelle, rue du Déluge, rue du Danger –, et elle était d'accord avec moi, elle voyait que Judit n'allait pas bien, qu'elle paraissait de plus en plus absente, recluse, enfermée en elle-même ; elle lui avait proposé de partir à nouveau en voyage, pour la Semaine sainte, d'aller quelque part dans le Monde arabe, au Caire pourquoi pas, ou en Jorda-nie, mais sans succès, Judit répondait qu'elle n'avait pas envie de demander de l'argent à ses parents, son père possédait une petite entreprise de bâtiment jusqu'ici florissante qui était au bord du dépôt de bilan et sa mère, enseignante à l'université, avait vu son salaire réduit deux fois l'année précédente. Mais je ne crois pas que ce soit une question de fric, disait Elena ; c'est autre chose – rien ne l'intéresse plus. Même l'arabe, elle continue, tu vois, mais sans passion. Elle a arrêté de chercher des masters et des écoles d'inter-prétation pour l'année prochaine. Elle ne sort presque plus, à part de temps en temps avec toi. L'année dernière encore on allait en boîte, à des concerts, maintenant plus du tout. Elle s'était engagée avec les Okupas, elle participait aux réunions des Indignés, enfin bref elle avait tout un tas d'activités et aujourd'hui presque plus. Elle va encore en cours, mais c'est tout. J'ai l'impression que la plupart du temps elle reste enfermée dans sa chambre, elle fait un tour de quartier, pour s'aérer, et voilà. Elena paraissait attristée et inquiète pour son amie, d'autant plus qu'elle ne voyait pas ce qui avait pu provoquer ce changement d'attitude. À son retour de Tunis, disait-elle, elle ne parlait que de toi, de vous, du Maroc, des progrès gigantesques qu'elle avait accomplis en arabe, et ainsi de suite – et à l'automne, ça a commencé à aller moins bien ; elle s'inquiétait que tu lui écrives peu, même si elle savait bien sûr que tu étais sur ton bateau sans Internet la plupart du temps ; elle s'est lassée petit à petit des Indignés, elle trouvait leur mouvement un peu vide ; le côté festif du mouvement Okupa l'ennuyait aussi, elle allait de moins en moins au squat de la plaça del Sol. Bref petit à petit, elle n'a plus fait grand-chose, elle s'est enfoncée dans la tristesse.

Ça me paraissait bien exagéré, comme description, tout cela était sans doute passager.

Quant à moi, même si j'étais heureux de mon installation à Barcelone, même si j'aimais mes lectures sur le balcon, la vie du quartier, les cours d'arabe et tout ce que je découvrais de la vie en Europe, les langues, les journaux, les livres, ma situation n'était pas des plus simples. On devait me rechercher pour l'affaire Cruz, je ne pouvais décemment aller voir les flics pour leur demander des nouvelles de leur enquête ou leur expliquer que je n'avais pas (comme ils le soupçonnaient vraisemblablement) assassiné le bonhomme : cela signifiait que j'étais coincé à Barcelone, enfermé une fois de plus, mais dans un territoire plus grand. Cette absence d'avenir était un peu pesante : j'aurais bien aimé m'inscrire à l'université, mais sans titre de séjour ça ne devait pas être possible ; travailler légalement non plus. Il fallait attendre – j'avais devant moi une longue attente de plusieurs années, pour que la police m'oublie et que la situation économique s'améliore en Europe, ce qui ne semblait pas pour demain. Comme qui a une lente maladie, presque indolore au départ, l'oublie facilement dans la vie quotidienne, ces questions ne me tourmentaient pas – pas souvent du moins. Cruz avait rejoint le monde de mes cauchemars, de mes morts. Je fumais de temps en temps quelques joints, au milieu de la nuit, quand un songe trop horrible m'empêchait de me rendormir : toujours les mêmes thèmes, le sang, la noyade et la mort.

Le sourire de Bassam quand nous regardions le Détroit, sa bonne bouille de plouc rigolard me manquaient.

À défaut d'université, j'essayais de me cultiver, de ne pas perdre mon temps. J'étais conscient que c'étaient les livres qui m'avaient obtenu les meilleures situations que j'aie jamais eues, à la Diffusion de la Pensée coranique et chez M. Bourrelier ; je sentais confusément qu'ils me donnaient une supériorité douloureuse sur mes compagnons d'infortune, clandestins comme moi – sans parler d'un loisir presque gratuit. Le football et la télévision n'étaient pas beaucoup plus chers, certes, mais j'avais du mal à me passionner pour l'épopée du Barça, qui était devenu, allez savoir pourquoi, l'équipe des Justes et des Opprimés face aux méchants Blancs de Madrid. J'accompagnais de temps en temps Mounir voir un match dans un bar – mais sans grand enthousiasme.

J'allais à la bibliothèque, j'y lisais des essais sur l'histoire de l'Espagne, de l'Europe, je prenais des notes dans un grand cahier ; j'essayais d'apprendre un peu de catalan, j'avais un carnet de vocabulaire, j'y inscrivais des mots, des morceaux de phrases, des verbes. Dieu sait pourquoi, mais le catalan me paraissait une langue très ancienne, une très vieille petite langue, parlée par des chevaliers médiévaux et des croisés impitoyables – peut-être à cause de tous ces *x* et ces phonèmes étranges.

J'améliorais aussi mon espagnol et j'entretenais mon français, même si les bouquins étaient assez difficiles à trouver – on en croisait quand même quelques-uns dans des librairies d'occasion. J'avais le projet de m'acheter une liseuse électronique, mais je ne m'étais pas encore décidé. Il y avait des milliers de titres disponibles gratuitement sur le Net, toute la littérature française, à peu de chose près. Ça faisait rêver, même si d'après mes recherches les polars étaient assez peu nombreux. Sous le pseudonyme d'Eugène Tarpon, je participais de temps en temps à un forum consacré à la "Littérature policière" ; je m'y étais fait des copains virtuels qui connaissaient toutes les ressources polardesques du web.

J'étais donc passablement occupé, l'intellectuel de la rue des Voleurs.

À ce rythme-là, il allait bientôt me pousser des lunettes.

Et puis le 29 mars, l'insurrection a commencé, comme une cocotte-minute oubliée sur le feu explose quand personne ne s'y attend.

La veille, Mounir m'avait traîné voir le match du Barça, qui jouait contre Milan en Coupe d'Europe, 0-0, spectacle assez ennuyeux mais compagnie agréable : nous étions quatre Arabes attablés dans un bar à boire des bières, à dire des conneries en bouffant des *patatas bravas*, un bon moment, même si les fans de football auraient aimé voir des buts et une victoire de leur équipe. Ce qui m'a toujours impressionné dans ces bars à foot, c'est qu'il y avait des filles, de jolies jeunes femmes qui portaient le maillot du Barça, buvaient des bières au goulot en gueulant au moins autant que les hommes, c'était merveilleux – nous en parlions entre nous dans un sabir mélange de marocain, de tunisien, de français et d'espagnol qui est la langue de demain, une langue nouvelle, née dans les bars des bas-fonds de Barcelone ; nous étions d'accord pour dire, en riant, que ça manquait de filles devant la télé dans les rades de chez nous – c'est parce qu'on sait pas jouer au football, disait Muhammad le Rifain avec son accent berbère, quand on aura un club comme le Barça, on aura aussi des gonzesses qui boivent des bières en regardant les matchs. C'est comme ça. Ça va ensemble.

L'explication était effectivement convaincante, mais Mounir a trouvé une objection : ça n'a rien à voir, regarde en France. Ils ne savent pas jouer au foot, ils n'ont pas un club qui tienne la route, et pourtant il y a des filles aussi avec des bières dans les bars.

— En effet, c'est troublant, j'ai dit. Mais la France a déjà gagné la Coupe du Monde. On peut donc établir une corrélation entre le niveau footballistique général et le nombre de femelles dans les débits de boissons.

— La Coupe d'Afrique, ça vaut pas ?

— Pour les Tunisiens, peut-être ; vous les Marocains vous avez perdu en finale parce qu'il n'y avait pas assez de gonzesses dans vos bars, sûr de sûr. D'ailleurs maintenant nous avons la liberté, vous pas.

— C'est certain, d'ailleurs l'Égypte a gagné si souvent la Coupe d'Afrique que Le Caire est célèbre pour ses supportrices en bikini qui gueulent et balancent des bières sur l'écran pendant les retransmissions.

— Y a qu'à voir, les soixante-dix supporters morts du dernier match en Égypte, ce n'était que des femmes, et mignonnes, en plus, il paraît.

— D'ailleurs qui a gagné la Coupe d'Afrique cette année ?

— La Zambie.

— Tu te fous de ma gueule ? C'est où, ça, la Zambie ?

— Qu'est-ce qu'il doit y avoir comme filles dans les cafés, là-bas.

On a beaucoup rigolé. Ça faisait du bien d'oublier les larcins quotidiens, la plonge dans les restaus, les sacs de ciment ou tout simplement l'exil.

L'unité du Monde arabe n'existait qu'en Europe.

Le lendemain matin, c'est le ronronnement de l'hélicoptère qui m'a réveillé. Un hélicoptère qui tournait, assez bas, au-dessus du centre de Barcelone – on allait l'entendre pendant vingt-quatre heures. Nous nous étions couchés tard, avec nos conneries de bières, de filles et de football, on avait même fumé une paire de joints ensemble avant de dormir et du coup j'avais complètement oublié que c'était la grève générale. Idée bizarre, d'ailleurs, celle de la grève générale, prévue, organisée à date fixe et pour vingt-quatre heures seulement. Si le refus du travail a un poids, pensais-je du haut de mes vingt ans, c'est dans la durée, dans la menace de sa reconduction. Pas en Espagne. Ici les syndicats se battaient contre le pouvoir un seul jour un seul, et à coups de chiffres : leurs dirigeants voyaient la grève comme un *succès* ou un *échec* non pas parce qu'ils avaient obtenu quoi que ce soit, ce qui aurait été une réelle réussite, mais lorsque tel pourcentage de grévistes était atteint. La grève a donc été un immense succès pour les syndicats (quatre-vingts pour cent de grévistes, des centaines de milliers de manifestants) mais aussi pour le gouvernement : il n'a pas eu à dévier d'un iota sa politique, et n'a même pas proposé de négocier, sur aucun point. J'ignore par ailleurs si cette idée était à l'ordre du jour. Le principe de la grève, c'était que personne n'aille travailler, que tout le monde manifeste, et voilà. On voyait bien que l'Espagne était au-delà de la politique, dans un monde d'après, où les dirigeants ne prenaient plus de gants avec personne, ils annonçaient juste la météo, comme le Roi de France au temps de Casanova : les amis, les caisses sont vides, aujourd'hui ce sont les fonctionnaires qui vont trinquer. Ils ont trop bien vécu pendant des années, leur heure a sonné. Demain, sale temps pour la santé. Orage sur l'école. Mettez vos enfants dans le privé. Les derniers employés de l'industrie lourde qui ne sont pas morts du cancer sont virés. Nous avons flexibilisé le marché de l'emploi, réformé les contrats. La période d'essai est portée à un an : si vous êtes mis à la porte au bout de trois cent soixante-quatre jours vous ne passez pas par la case indemnité de licenciement. Cette idée rétrograde de salaire minimum est profondément gauchiste et lie les mains des entrepreneurs qui voudraient créer des emplois, il faut l'abattre. Déjà le prix plancher de l'heure de travail est au niveau du Maroc, qui vient de le réviser à la hausse : c'est trop pour lutter efficacement contre la concurrence. Pour lutter contre la concurrence il nous faut des esclaves, des esclaves catholiques et contents de leur sort. Les mécontents ne devraient pas voter. Les mécontents sont de dangereux alternatifs et en tant que tels ils s'excluent de la démocratie, ils ne méritent que coups de matraque et arrestations de masse. La Conférence épiscopale espagnole recommande aux catholiques d'être parcimonieux en matière de fécondation, car une forte natalité en temps de crise augmente déraisonnablement les dépenses de l'État : Sa Sainteté le pape Benoît préconise toute une série de mesures œcuméniques comme la messe et la flagellation pour pallier le trop-plein de désir.

Toutes ces choses étaient dans les journaux, sur les chaînes de télévision ; j'ai même vu un jour un reportage affirmant que "les mains des Nègres, qui *ne brillaient pas par la qualité de leur manucure*, ne devaient pas dérouler une capote, car c'était dangereux, ils risquaient de la crever, et que pour cette raison le pape avait interdit aux Noirs d'utiliser des préservatifs ; en plus, ajoutait le commentateur, ils ne savent pas lire, et sont donc peu à même d'en comprendre le mode d'emploi, ce qui explique, disait-il, qu'il y ait plus de sida là où on distribue des préservatifs que là où on n'en trouve pas".

Une vraie saloperie. Quand on entendait des trucs pareils, ce n'était pas la grève qui menaçait, c'était la Révolution. Les médias ici semblaient fabriquer le Royaume de la haine, du mensonge et de la mauvaise foi. Les Espagnols auraient dû faire leur Printemps arabe, commencer à s'immoler par le feu, tout aurait peut-être été différent.

Il y avait quelque chose que je ne comprenais pas : l'Europe admettait-elle qu'elle n'avait pas les moyens de son développement, que ce n'était qu'un leurre, qu'en fait l'Espagne était un pays d'Afrique comme les autres et tout ce que nous voyions, les autoroutes, les ponts, les tours, les hôpitaux, les écoles, les crèches, n'était qu'un mirage acheté à crédit qui menaçait d'être repris par les créanciers? Tout disparaîtrait, brûlerait, serait avalé par les marchés, la corruption et les manifestants? Si c'était le cas, beaucoup finiraient rue des Voleurs ; beaucoup allaient déchoir, changer de vie, mourir jeunes, faute d'argent pour se soigner, perdre leurs économies ; leurs enfants hériteraient d'un coup de pied au cul, n'iraient plus dans de belles écoles, mais dans des granges où l'on se serrerait autour d'un poêle à bois – personne ne voyait cela. Il fallait venir de loin pour imaginer ce qu'allait être cette transformation, venir du Maroc, venir du Cheikh Nouredine, venir de Cruz et de ses cadavres.

L'hélicoptère n'était pas là pour rien, tout devait être plus beau vu du ciel, dégagé ce jour-là. Dans la rue c'était autre chose. Je n'avais pas renoncé à mon cours du jour : j'étais un briseur de grève. Il me fallait monter à pied, pas de métro. Il était dix heures du matin, et il y avait déjà des rassemblements, des groupes de types avec des casquettes, des drapeaux, des porte-voix et des flics partout. La moitié des rues de la ville étaient coupées. Les grandes enseignes étaient closes, seuls quelques petits commerçants bravaient les piquets – mal leur en prenait : j'ai vu un boulanger se faire fermer d'office par une dizaine de syndicalistes mécontents qui gueulaient "Grève, grève!" et menaçaient de lui péter sa vitrine à coups de manche de pioche, il n'a pas mis deux minutes à abdiquer et donner congé à ses employés. En revanche expliquer aux Chinois des bazars de la Ronda le concept de *piquet de grève* était plus compliqué :

— Aujourd'hui pas de travail.

— Pas de travail?

— Non, c'est la grève générale.

— Nous ne faisons pas la grève.

— Si, c'est la grève générale.

— Nous ne faisons pas la grève.

— Précisément, vous devez fermer.

— Nous devons faire la grève?

Mais finalement, habitués aux luttes prolétaires du Parti Unique, les Chinois savaient eux aussi reconnaître un bon gourdin quand ils en voyaient un, et finissaient par baisser rideau, quelques heures du moins.

Leur travail devenait encore plus clandestin que d'habitude.

À Gràcia, tout paraissait tranquille. Les rues baignaient dans la fraîcheur bleutée du matin de printemps ; Judit m'attendait pour le cours, je suis arrivé un peu essoufflé. Elena et Francesc seraient absents, ils habitaient trop loin pour venir à pied. La mère de Judit était là, c'était la première fois que je la rencontrais ; j'ai été présenté comme "Lakhdar, mon professeur d'arabe". Elle paraissait beaucoup plus jeune que je ne l'aurais imaginé ; elle portait un jean moulant, un tee-shirt bleu où était inscrit *I'd prefer not to* et s'appelait Núria. J'ai repensé à ma propre mère, elles devaient avoir environ le même âge – pas la même vie, il n'y avait qu'à les regarder.

Le cours en tête à tête s'est bien passé, même si Judit était un peu absente. Nous avons lu un passage d'Ibn Batouta qui me semblait convenir à l'actualité. Ibn Batouta se trouve en Inde, auprès du Sultan Muhammad Shah, et il raconte qu'un Cheikh appelé Chihab-ud-din, très puissant et très respecté, refusa de se rendre auprès du Sultan qui l'avait convoqué ; le Cheikh explique à l'envoyé de la cour "qu'il ne servirait jamais un tyran". Le Sultan l'a donc envoyé prendre de force :

— Tu dis que je suis un tyran?

— Oui, répondit le Cheikh, vous êtes un tyran, et parmi vos tyrannies, il y a ceci et cela, et il commença à en énumérer un certain nombre, comme la destruction de la ville de Dehli et l'expulsion de ses habitants.

Le Sultan tendit son épée à son vizir en lui disant :

— Si je suis un tyran, coupe-moi la tête!

— Celui qui vous traite de tyran est un homme mort, mais vous-même savez parfaitement que vous en êtes un, interrompit le Cheikh.

Le Sultan le fit arrêter et l'enferma quatorze jours sans manger ni boire ; chaque jour on l'amenait à la salle d'audience, où les juges lui demandaient de retirer ce qu'il avait dit.

— Je ne retirerai pas mes paroles. J'ai l'étoffe des martyrs.

Le quatorzième jour, le Sultan lui fit parvenir un repas, mais le Cheikh refusa :

— Mes biens ne sont déjà plus de ce monde, remporte cette nourriture.

Quand le Sultan apprit cela, il ordonna qu'on fît ingérer au Cheikh quatre livres de matière fécale ; des hindous idolâtres se chargèrent de l'exécution : ils ouvrirent les joues du Cheikh avec des tenailles, mélangèrent les excréments à de l'eau et réussirent à les lui faire avaler.

Le lendemain, on le porta devant une assemblée de notables et d'ambassadeurs étrangers, pour qu'il se repente et retire ce qu'il avait dit – il refusa une fois de plus, et fut décapité.

Que Dieu ait pitié de son âme.

Une fois le texte traduit, en guise d'exercice, nous avons discuté, en arabe littéraire, autour de la détermination du Cheikh et de cette question : faut-il céder devant les puissants? J'ai dit que je ne croyais pas que le sacrifice du Cheikh ait servi à grand-chose. Il aurait sans doute été plus utile en restant en vie, continuant le combat, quitte à revenir sur ses propos. Judit était plus sage que moi, plus courageuse aussi peut-être :

— Je suis d'avis que son sacrifice a été utile – il faut que les tyrans sachent ce qu'ils sont. La détermination du Cheikh jusque dans la mort a montré au Sultan qu'il y a des idées et des gens que l'on ne peut pas vaincre. De plus, si le Cheikh s'était rétracté, Ibn Batouta n'aurait pas raconté cette histoire et son combat serait resté inconnu de tous, alors que son exemple est profitable.

Elle s'exprimait bien, son arabe était fluide, avec de belles expressions, sans fautes de grammaire.

On a commencé à parler politique ; j'ai pensé aux Syriens, torturés et bombardés tous les jours, et au courage qu'il leur fallait pour continuer le combat, dans la longue guerre contre leur Sultan qui, lui aussi, devait savoir pertinemment qu'il était un tyran.

J'ai quitté Judit aux environs de treize heures ; je lui ai proposé de sortir faire un tour, ou de prendre un café ; elle a décliné avec un joli sourire. Elle avait rendez-vous dans l'après-midi pour se rendre à la manifestation avec des camarades.

Du coup j'étais libre comme l'air, je suis allé m'asseoir plaça del Sol, sur un banc, j'ai lu pendant quelques heures un polar de Vázquez Montalbán ; son détective, Pepe Carvalho, était le type le plus désabusé, prétentieux et antipathique de la terre ; ses intrigues étaient d'un ennui absolu, mais sa passion pour la bouffe, le sexe et la ville finissaient par rendre ses livres plaisants. En fin de compte, j'apprenais pas mal de trucs sur l'Espagne, sur Barcelone, des mots et des expressions nouvelles toujours utiles. Une fois le bouquin terminé, j'ai pris le chemin du centre-ville. L'hélicoptère tournait toujours, plutôt bas ; le vent transportait une odeur de brûlé, des nappes de fumée alourdissaient l'air ; des sirènes de police lointaines striaient le calme apparent des ruelles et en débouchant à l'angle de l'avenue Diagonal, devant un des plus grands hôtels de Barcelone, je suis tombé sur des centaines de personnes avec des pancartes ; les drapeaux anarchistes noirs et rouges flottaient sur l'obélisque, brandis par des dizaines de manifestants grimpés sur le piédestal ; la foule paraissait occuper tout le passeig de Gràcia. La vitrine de la Deutsche Bank avait volé en éclats sous les coups de marteau ; j'ai vu un groupe de jeunes s'attaquer à la Caisse d'Épargne d'à côté, en chantant, en peignant des graffitis à la bombe rouge – l'hélicoptère était tout proche maintenant, au-dessus de nous, il devait observer les activistes ; en contrebas, vers la place de Catalogne, d'immenses colonnes de fumée s'élevaient vers le ciel et on apercevait la lueur des flammes – la ville brûlait, au son des porte-voix gueulant des slogans, des chants, des musiques en tout genre, des sirènes, c'était un spectacle assourdissant, brutal, aveuglant, qui faisait battre le cœur à l'unisson des centaines de milliers de spectateurs immobiles, empêchés par leur nombre de se déplacer ; plus je descendais vers le cœur de Barcelone, par les rues adjacentes, plus les brasiers s'allumaient – au milieu d'une avenue, une barricade de poubelles achevait de se consumer dans une odeur d'enfer. Place Urquinaona, c'était la bataille – dans les flammes et la fumée, une multitude de jeunes, compacte et mouvante, avançait contre deux fourgons de police en leur balançant les hampes de leurs drapeaux, des canettes, des détritus, puis refluait en désordre quand les véhicules se mettaient en mouvement, deux grosses bestioles bleu marine aux yeux couverts de grilles de métal qui ont vite craché leurs occupants, casqués, masque à gaz sur le nez : certains avaient des fusils à la main, ils ont commencé à tirer sur la foule, les détonations s'accompagnaient de flammèches sortant du canon de leurs armes – les jeunes ont reculé sous les balles en caoutchouc et les lacrymogènes ; quelques-uns, un foulard sur la figure pour se protéger des gaz, ont poursuivi leur offensive – ils n'avaient plus rien à lancer à part des insultes.

J'étais sur le côté de la rue, réfugié avec d'autres passants dans un renfoncement. En face de nous, une voiture de pompiers essayait de maîtriser l'incendie d'un *Starbucks Café*, symbole sans doute du capitalisme à l'américaine, dont les vitrines pendaient, en lambeaux, étranges tissus de verre brisé. De temps en temps, un flic s'avançait, épaulait et visait posément avant de se replier vers ses collègues, comme un chasseur ou un soldat et on se demandait quel effet pouvaient avoir ces projectiles tant les tirs étaient extraordinairement violents, effrayants.

Pour rejoindre la rue des Voleurs, il me fallait traverser – ou alors revenir sur mes pas, marcher vers l'université et de là m'enfoncer dans le Raval, mais j'imaginais que la place de l'Université devait elle aussi être à feu, si ce n'était à feu et à sang.

La subversion allait finir par en prendre plein la gueule, on sentait la violence et la haine de la maréchaussée monter : ils s'agitaient, remuaient, brandissaient leurs longues matraques, leurs fusils, leurs boucliers – en face, les jeunes baissaient leurs frocs pour montrer leurs culs, traitaient les flics d'enculés et de fils de putes ; un petit groupe démontait des poubelles métalliques pour les balancer, d'autres bizarrement s'attaquaient à un arbre, peut-être pour s'en faire une lance géante. L'affrontement était inégal et me rappelait un combat de conquistadors, avec armures et arquebuses, contre une troupe de civils mayas ou aztèques dont j'avais vu une gravure dans un livre d'histoire. La conquête était en marche.

Au moment où j'avais décidé de passer derrière les forces de l'ordre pour essayer de traverser, la charge a commencé. Une quinzaine de cognes se sont avancés en courant, matraques à la main ; quatre autres couvraient leurs flancs et se sont donc dirigés vers nous, nous ont virés sans ménagement, un monsieur assez respectable d'une cinquantaine d'années a commencé à gueuler, en disant qu'il habitait de l'autre côté de la rue ; le pandore masqué hurlait dégagez dégagez, il a collé un bon coup de matraque dans le dos du monsieur qui a fini par prendre ses jambes à son cou, indigné, des larmes de rage dans les yeux – nous avons dû refluer vers le haut de la ville, c'est-à-dire exactement à l'opposé de l'endroit où je devais me rendre. La violence et la haine ; je sentais la colère monter en moi, la colère et la peur ; j'ai essayé d'appeler Judit sur son portable pour savoir où elle se trouvait – pas de signal. La police avait dû couper les réseaux pour empêcher que les manifestants ne se coordonnent entre eux par SMS.

La ville oscillait entre l'insurrection et la fête populaire – la Gran Via était encore noire de monde, j'ai croisé une vieille dame qui portait un panneau "Qui sème la misère récolte la rage", une petite fille tirant la ficelle d'un ballon à l'hélium où l'on pouvait lire "Assez de coupes budgétaires", des étudiants qui chantaient *Rajoy, chulo, te damos por culo*, Rajoy maquereau, on te la met dans le dos, et d'autres joyeusetés du même genre, dans les relents d'ordures brûlées et de gaz lacrymogène – étrangement un petit bar planqué derrière un échafaudage était ouvert, j'ai décidé de faire une pause en attendant que tout cela se calme un peu. J'ai pris un café que j'ai fait durer – la télé montrait en direct les événements de la journée, j'ai vu la scène de bataille à laquelle je venais d'assister place Urquinaona, prise depuis un autre angle : c'était une sensation tout à fait étrange de penser que derrière ces policiers, sur la gauche, au coin de la rue Pau Claris, on aurait pu m'apercevoir. La télévision était le périscope d'un sous-marin perdu.

La nuit tombait. J'avais peur d'être arrêté par malchance avec un groupe d'activistes, alors j'ai décidé de faire un grand détour pour rejoindre mon quartier, ma forteresse, le Palais des Voleurs : aller par la rue Diputació jusqu'à Villaroel, descendre jusqu'au marché Saint-Antoine et entrer dans le Raval par la rue Riera Alta. Un détour de trois quarts d'heure de marche, mais qui devait m'éviter de me retrouver par hasard au milieu d'une horde de pandores matraque à la main. Sur Diputació, à chaque coin de rue on apercevait, cinq cents mètres plus bas sur la gauche, autour de la place de Catalogne, les émanations blanches des gaz se mêler aux fumées noires des poubelles en flammes. J'ai réussi à joindre Judit – elle avait quitté la manifestation pour remonter chez elle lorsque les flics chargeaient au coin de Diagonal et du passeig de Gràcia ; sa voix était rauque ; je lui ai demandé si ça allait, elle m'a répondu oui oui, bien sûr, je n'ai pas insisté.

Le contournement était une bonne idée – à part des policiers locaux à moto qui empêchaient les voitures de descendre vers le centre je n'ai croisé que des groupes de commerçants discutant devant leurs magasins à moitié fermés ou des jeunes au visage grave et effrayé qui remontaient de la place de l'Université.

Les deux bâtiments provisoires du marché Sant Antoni étaient une porte dans des remparts imaginaires ; derrière s'ouvrait le Raval et, en son cœur, la rue des Voleurs – j'étais en sécurité. Dieu sait pourquoi, le quartier était dans le noir. Pas d'éclairage public. Peut-être un effet de la grève, ou une coïncidence ; quelques boutiques étaient ouvertes et projetaient sur le bitume une étrange lumière vacillante, ajoutant un aspect encore plus médiéval à notre château des pauvres. Carrer Robadors, rien n'avait changé : deux Noirs faisaient le guet à l'angle, attendant Dieu sait quoi qui n'arrivait jamais ; Maria était devant sa porte, la jupe remontée jusqu'à mi-cuisses ; de grosses blattes se sont enfuies à mon passage dans l'escalier ; Mounir était devant la télé, les pieds sur la table basse, en chaussettes. Je me suis effondré à ses côtés dans le canapé, bien crevé – j'avais marché près de quatre heures.

La télévision repassait en boucle des images de la journée.

J'ai commencé à jouer machinalement avec le couteau que Mounir avait comme d'habitude posé sur la table ; c'était une arme courte mais large, très pointue ; une pièce de métal empêchait la lame de se replier une fois ouverte, ressort très puissant qu'il fallait débloquer pour pouvoir refermer l'engin. Le manche était court, en acier recouvert de deux plaques de bois rouge. Solide, aiguisé, dangereux. J'ai demandé à Mounir s'il s'en était déjà servi, il m'a dit non, tu rêves, je ne l'ai même jamais sorti de ma poche devant quelqu'un. C'est juste une sécurité au cas où. On ne sait jamais.

On ne savait effectivement jamais.

À la télé, les commentaires étaient toujours les mêmes.

Les syndicats se réjouissaient du grand succès de la grève.

Le gouvernement se réjouissait de pouvoir, dès le lendemain, reprendre ses indispensables réformes de l'économie.

Dans le lointain, l'hélicoptère tournait toujours.

Le lendemain la ville s'est réveillée fiévreuse et incrédule ; l'onde de violence vibrait encore dans le matin – les badauds observaient les vitrines fracassées, par petits groupes, en faisant des commentaires à voix basse ; les équipes de nettoyage essayaient d'effacer au plus vite toute trace d'incendie ; dans les journaux, il n'était question que du montant des dégâts, du nombre des arrestations.

La différence avec Tunis, me disait Mounir, peut-être la seule différence, c'est qu'à Tunis le bordel a continué le lendemain, le surlendemain et le jour d'après. Ici, c'est comme s'il ne s'était rien passé. On répare les façades des banques, le gouvernement continue ses travaux, les révolutionnaires retournent à leurs skate-boards et les touristes reprennent le contrôle de la place de Catalogne.

Ici tout le monde a encore trop à perdre pour se lancer dans l'insurrection, crois-moi.

Bien sûr, à l'époque, on ne pouvait pas savoir.

Mounir cherchait désespérément à gagner du fric, plus de fric – il prenait des risques insensés pour voler des appareils photo de plus en plus chers, des portefeuilles qui n'étaient jamais assez garnis, je lui ai proposé une sorte d'association, pour lui éviter de voler autant, j'ai eu une idée, qui provenait des Mémoires de Casanova – le Vénitien était comme Mounir, il avait lui aussi toujours besoin d'argent et, à Paris, il avait inventé pour le compte du Roi de France quelque chose d'extraordinaire : la loterie, c'est-à-dire un jeu d'argent où tout le monde sortait gagnant, enfin, presque. J'ai expliqué à Mounir comment on pourrait gagner du blé en organisant la loterie des Voleurs, saine et clandestine – nous étions à cette terrasse du carrer del Cid que nous aimions pour son calme, à cinq cents mètres du carrer Robadors, et je le faisais rire avec mes histoires de loto, il avait du mal à croire que cela puisse fonctionner. Si on n'essaye pas, on ne saura jamais, j'ai dit. Bien sûr les jeux d'argent sont un péché, mais pour le joueur, pas pour l'organisateur, je suppose.

Tu crois qu'il y a un loto en Arabie Saoudite ?

Je trouvais extraordinairement drôle que ce soit le vieux Casanova qui nous fournisse cette idée magnifique. Bien sûr il fallait un peu d'investissement, au moins pour les gains du premier tirage, si jamais nous ne vendions pas suffisamment de tickets du premier coup. Nous serions beaucoup moins gourmands que l'État et nous reverserions grande part de nos revenus, conservant juste un bénéfice de vingt pour cent des enjeux – le reste irait au possesseur du ticket gagnant.

Mounir doutait fortement que des clients nous fassent confiance, mais les projections le faisaient saliver : regarde, si on vend mettons 50 tickets à 10 euros, ça fait 500 euros. On donne 400 euros de gains, et on garde 100 euros. Si 10 euros ça te semble beaucoup, on peut faire pareil avec 5.

Mounir commençait à comprendre toute la magie de cette belle invention. Il calculait. Dis donc, c'était un malin, ton Casanova. C'est vraiment lui qui a inventé ça ? Oui, je crois, j'ai répondu. Du moins c'est ce qu'il raconte.

La mise en œuvre du projet a été bien évidemment plus complexe que prévu, mais une semaine plus tard nous avions imprimé nos billets pour notre loterie clandestine – j'étais l'investisseur, je m'étais donc chargé de cette partie matérielle de l'affaire. Finalement, nous avions trouvé plus simple de nous servir d'un tirage existant plutôt que d'organiser le nôtre, ce qui avait en plus l'avantage de nous donner une certaine légitimité : tout le monde pourrait vérifier, dans le journal ou dans les kiosques spécialisés, s'il avait gagné ou perdu.

Cette activité était très espagnole, m'a-t-on expliqué : à la Noël, tout le monde (associations, commerces, supermarchés, administrations…) organise quantité de loteries. La nôtre aurait donc pour particularités d'être hors saison et casanovienne.

Bien sûr, cette initiative a été un fiasco presque complet : nous avons vendu trois billets, deux dans le restaurant marocain de la rue des Voleurs et un troisième à la mère de Judit, ce qui était un peu honteux – de son côté Mounir n'a pas réussi à en fourguer un seul en faisant le tour de tous les commerces chinois du Raval, et ce alors que la passion (supposée) des Chinois pour le jeu était censée faire notre fortune.

Pourtant nos billets étaient beaux, en couleurs et en catalan, parce que je trouvais que cela faisait plus sérieux : *Loteria Robadors* n'était, en revanche, peut-être pas le meilleur intitulé du monde.

Toujours est-il que cette action casanovesque nous a rapporté trente euros (après avoir vérifié qu'aucun des billets n'était gagnant, ce qui aurait été une catastrophe, ou mieux, une banqueroute) desquels il a fallu soustraire quelques euros de photocopies couleur pour l'impression des cent billets : de quoi boire des cafés et déjeuner copieusement avec Mounir, c'était déjà ça.

Décidément, j'étais loin d'être Casanova.

L'enfermement dans l'attente de la violence : le mois d'avril a passé, entre lectures, quelques rares excursions à la plage (paradis peuplé de Britanniques aux seins roses, de Nordiques blondes comme le sable, de Brésiliennes aux strings affolants) et déceptions footballistiques assez graves pour mes camarades mais qui ne m'affectaient pas outre mesure – je m'installais dans la routine ; j'essayais tout de même de rester vigilant, de ne pas trop quitter le quartier. Il ne fallait pas baisser la garde : Mounir avait été arrêté par malchance place de Catalogne alors qu'il essayait de subtiliser le portefeuille d'un touriste. Bien sûr il n'avait pas son passeport sur lui, il a déclaré être sans domicile et palestinien de Gaza, ce qui, selon lui, devait lui gagner la sympathie de la maréchaussée et rendre plus difficile son expulsion. Il a passé une journée au trou, avant d'être relâché avec une citation à comparaître pour le lendemain à laquelle bien évidemment il ne s'est jamais rendu – il me l'a montrée, elle était adressée à Mounir Arafat. Quand je lui ai demandé pourquoi il avait choisi un pseudonyme pareil, il m'a répondu que c'était le seul nom de famille purement palestinien qui lui soit venu à l'esprit, ce qui nous a bien fait marrer. L'interprète envoyé au commissariat s'était évidemment aperçu tout de suite de la supercherie, mais, disait Mounir, c'était un chic type, un Syrien, qui n'avait pas vendu la mèche.

Il avait été assez surpris : il s'attendait à être passé à tabac, mais à part quelques beignes de bonne guerre et une ou deux humiliations, les cognes avaient été plutôt civils.

Mounir était donc comme moi à présent, doublement fugitif, clandestin et voleur patenté.

Il savait que la prochaine fois, il ne s'en tirerait pas à si bon compte.

À part ces réjouissances judiciaires, j'avais un autre sujet de préoccupation, autrement plus grave : l'état de Judit devenait de plus en plus alarmant. Elle ne s'alimentait presque plus, passait ses journées dans le noir parce que, disait-elle, la lumière lui donnait la migraine ; le médecin hésitait entre une sinusite et une allergie au pollen qui expliquerait la congestion, le tout aggravé par un état dépressif. Elle était donc bourrée de médicaments en tout genre et dormait grande partie de la journée. Elle n'avait plus la force de se concentrer pour les cours d'arabe : je me contentais donc de lui rendre visite, de rester une ou deux heures à ses côtés. Je lui lisais quelques textes, lui racontais une histoire des voyages d'Ibn Batouta et souvent elle s'endormait sur le canapé, bercée par ma voix, pour ne s'éveiller que lorsque je partais. Elle m'expliquait qu'elle faisait souvent des rêves étranges, où elle croyait être réveillée et lutter pour trouver le sommeil : cette obsession la poursuivait jusqu'à ce qu'elle s'éveille réellement et réalise que cette insomnie était un songe.

Quitter Judit était d'une grande tristesse – je redescendais toujours à pied carrer Robadors, pour éviter un possible contrôle dans le métro, monde souterrain hostile, peuplé de vigiles et de chiens muselés, et il me fallait tout le trajet pour me débarrasser un peu du chagrin, de la douleur que me provoquait son état. Même si, d'après son médecin, il n'y avait rien d'alarmant, juste une faiblesse passagère, fruit de différents facteurs, cette maladie était une saloperie injuste qui me privait de la seule présence qui m'importait.

Du coup, je m'étais remis à écrire – des poèmes si mauvais comparés à ceux de mes modèles que je les détruisais immédiatement, ce qui rendait cette activité au moins aussi désespérante que l'absence de Judit, retenue dans son éternel assoupissement.

Le monde était comme suspendu, arrêté ; j'attendais qu'il bascule, qu'un événement se produise – sa destruction dans les flammes de la Révolution, ou un nouveau coup du Destin.

Souvent, je déjeunais seul dans le petit restaurant marocain de la rue des Voleurs, où l'on aurait pu se croire à Tanger : même bouffe, mêmes serveurs, mêmes couleurs, ça me rappelait la cantine où le Cheikh Nouredine nous emmenait déjeuner après la mosquée le vendredi, sauf qu'à présent j'y allais seul ; dans la salle un couple de junkies commandait une chorba pour deux, ils s'asseyaient côte à côte, épaule contre épaule pour se soutenir, et n'arrivaient même pas à finir le plat unique.

L'endroit me remplissait de nostalgie, et je m'en voulais chaque fois : j'avais souhaité venir jusqu'à Barcelone, ce n'était pas pour pleurer dans mon assiette au souvenir de Tanger. Je pensais à ma mère, à ma famille, à Bassam bien sûr.

Je me rendais compte que je n'allais plus très souvent à la mosquée, juste le vendredi midi, et encore, de temps en temps. Je lisais le Coran et son commentaire, parfois, c'est vrai, mais de plus en plus rarement. J'avais du mal à retrouver la concentration que demande la prière ; j'avais l'impression de ne plus être disponible pour Dieu, d'accomplir un simulacre mécanique. La foi était une peau morte que Cruz et les lectures m'avaient arrachée ; il ne me restait que la pratique religieuse et elle paraissait bien vide, simples prosternations sans écho.

Parfois je me prenais à m'imaginer à Paris, ou à Venise ; si j'avais eu un passeport en règle j'aurais bien aimé m'y rendre : Paris pour acheter des polars, voir la Seine ; Venise pour visiter la ville de Casanova, retrouver les lieux de ses frasques, naviguer sur la lagune.

À aucun moment, dans ses voyages, Ibn Batouta ne parle de passeport, de papiers, de sauf-conduit ; il semble voyager à sa guise et ne craindre que les brigands, comme Saadi le marin craignait les pirates. C'était désolant de penser qu'aujourd'hui, pour peu qu'on soit assassin, voleur ou même juste arabe, on ne pouvait pas si simplement visiter la Sérénissime ou la Ville Lumière. J'ai bien pensé un moment à utiliser les réseaux de la rue des Voleurs pour me faire établir une nouvelle identité, mais ce que je savais par pure expérience livresque, c'est que c'était très difficile et souvent peu efficace, par les temps qui couraient, à moins de choisir un passeport libyen, soudanais ou éthiopien qui, sans l'autocollant mordoré et chatoyant du visa Schengen, ne servait à rien. S'il n'y avait pas eu Judit, je crois que j'aurais tenté le tout pour le tout, je serais retourné à Algésiras, j'aurais essayé de franchir clandestinement la douane du port dans l'autre sens, ce qui ne devait pas être bien compliqué, et une fois au Maroc, je n'aurais eu qu'à prier pour que les gabelous de la Mère Patrie n'aient jamais entendu parler de moi et me laissent rentrer au bercail. Ensuite, je me serais installé à Tanger avec mon magot, avant de retourner à mes soldats morts et à Jean-François Bourrelier, le champion de la saisie kilométrique. Et quelques années plus tard, une fois mes crimes prescrits, enrichi sur le dos d'un million trois cent mille Poilus crevés, j'aurais demandé un visa de touriste pour aller à Venise et à Paris, et voilà.

Mais j'avais l'espoir qu'un de mes baisers sorte Judit de sa maladie, qu'un jour elle se réveille et décide d'être avec moi à nouveau, à plein temps. Et puis malgré les conditions, malgré la grande misère de la rue des Voleurs, je n'étais pas mal loti – j'avais juste la sensation d'être en escale ; la vraie vie n'avait toujours pas commencé, sans cesse remise à plus tard : ajournée à la Diffusion de la Pensée coranique partie en flammes ; différée sur l'*Ibn Batouta*, embarcation perdue ; retardée chez Cruz, chien parmi les chiens ; suspendue à Barcelone au bon vouloir de la crise et de Judit. La cavale, toujours. Il y avait des comptes qui n'étaient pas encore soldés et aujourd'hui, dans mon bruyant monastère, mon couvent de derviches voleurs, alors que tout a brûlé au-dehors, l'Europe, le Monde arabe, que les flammes ont dévoré les livres, que la haine nous a envahis, détruisant le monde d'hier avec l'acharnement de la bêtise, que les chiens grondent, s'élancent les uns contre les autres pour s'entretuer aveuglément, les dernières semaines de la rue des Voleurs m'apparaissent comme un sombre bonheur, le fil d'un rasoir dont on ignorait quelle gorge il allait trancher : comme l'équilibriste doit mépriser la possibilité de la chute pour se concentrer sur ses pas – il regarde devant lui, manœuvre doucement la perche qui le préserve de l'abîme et avance vers l'inconnu – je marchais sans penser à la fatalité qui m'avait poussé jusqu'à Barcelone ; en bon animal, je pressentais l'orage à venir, autour de moi, en moi, tout en l'oubliant pour mieux essayer de franchir le vide.

C'est le Cheikh Nouredine qui m'a prévenu, par un bref message ; c'est une drôle de chose que la vie, un mystérieux arrangement, une logique sans merci pour un destin futile. Il venait me rendre visite. Il devait passer à Barcelone pour une réunion, pour affaires. J'étais heureux, je l'avoue, de le revoir, un peu inquiet, aussi – l'écho de l'attentat de Marrakech planait encore, un an après. L'incendie du Groupe pour la Diffusion de la Pensée coranique aussi. Des questions que j'avais ressassées si longtemps – elles s'étaient petit à petit vidées de leur sens.

Le Cheikh Nouredine était puissant – il disparaissait à son gré pour revenir quand bon lui semblait, depuis l'Arabie ou le Qatar, bras désarmé d'une fondation pieuse, sans problèmes de passeport, de visa, d'argent. Toujours élégant, en costume, avec une chemise blanche, sans cravate bien sûr, une courte barbe bien taillée, une petite valise noire ; il parlait posément, souriait, riait même parfois ; sa voix savait passer de la douceur de la fraternité aux cris du combat, je les entends encore parfois dans mon sommeil, ces discours sur la bataille de Badr, *Je vous viendrai en aide, avec mille anges se suivant les uns les autres,* إِذْ تَسْتَغِيثُونَ رَبَّكُمْ فَاسْتَجَابَ لَكُمْ أَنِّي مُمِدُّكُم بِأَلْفٍ مِّنَ الْمَلَائِكَةِ مُرْدِفِينَ, on avait l'impression qu'il connaissait tout le Coran par cœur, وَلَقَدْ نَصَرَكُمُ اللَّهُ بِبَدْرٍ وَأَنتُمْ أَذِلَّةٌ *Dieu vous a donné la victoire à Badr alors que vous étiez les plus faibles*, et le Texte resplendissait dans sa bouche, brillait des mille lumières de ces anges promis par le Seigneur ; il nous racontait des heures durant l'histoire de Bilal, l'esclave torturé pour sa Foi, qui devint le premier muezzin de l'Islam et dont la voix, la voix unique pouvait tirer des larmes aux habitants de Médine lorsqu'il appelait à la prière – et tous ces récits nous remplissaient de force, de joie ou de colère, selon leurs thèmes.

Retrouver le Cheikh Nouredine, c'était un Signe : une partie de moi, de ma vie, de mon enfance réapparaissait à Barcelone, et malgré les doutes, les mystères, la honte liée à l'expédition nocturne des bastonneurs de Tanger, un peu de lumière entrait dans la rue des Voleurs.

J'ai raconté tout cela à Mounir, sans aborder les détails les plus troubles, et même à lui, qui était tout sauf religieux, j'ai réussi à transmettre un peu de l'énergie du Cheikh Nouredine, il avait hâte de le rencontrer. J'espérais secrètement que le but de son voyage était l'ouverture d'un bureau-librairie à Barcelone dont j'aurais pu m'occuper, comme à Tanger ; cela expliquerait pourquoi il avait repris contact. J'imaginais une petite boutique dans le Raval, avec des livres en espagnol, en arabe et pourquoi pas, en français – un miracle. Une librairie dont le fonds aurait été constitué majoritairement d'ouvrages venus d'Arabie, mais avec une ou deux étagères de polars et un rayon d'hommage à Casanova, enfin, un lieu qui me ressemblerait. Oui bien sûr, j'étais clandestin et recherché, mais dans mon rêve je me voyais inscrire ce petit business au nom de Judit et rester là, des années, dans l'odeur si particulière – encre, poussière, vieilles pensées – des bouquins, confiant dans le fait que la maréchaussée ne s'intéresse que peu à la chose écrite et, en général, laisse les libraires plutôt tranquilles, comme ici, aujourd'hui, on ne m'emmerde que très peu dans ma bibliothèque : c'est le seul espace de liberté du coin, où parfois même les matons viennent discuter le bout de gras. Peu de lecteurs, beaucoup de livres. Bien sûr notre taule est loin d'être la plus importante de toutes les centrales d'Espagne, mais c'est sans doute une des plus modernes ; autour de moi les chiens déambulent dans les couloirs.

La vie c'est la tombe, c'est la rue des Voleurs, Terminus Nord, une promesse sans objet, des mots vides.

L'arrivée du Cheikh Nouredine a coïncidé avec le diagnostic de la tumeur de Judit. Le médecin soupçonnait que les allergies, la sinusite ou Dieu sait quelle dépression pouvaient être les symptômes d'une affection plus grave ; ses parents avaient payé le scanner de leur poche pour éviter les lenteurs de la Sécurité sociale et le résultat était tombé, quelque chose grandissait sur le côté de son cerveau. Il fallait encore attendre pour savoir si cette "chose" était soignable, opérable, maligne, bénigne, s'il y avait un espoir ou si son *pronostic vital était engagé*, comme disent les toubibs – j'ai encaissé la nouvelle comme une beigne. Judit me l'a pourtant annoncée avec douceur, comme si elle était plus préoccupée par moi que par elle-même, un effet de la maladie peut-être. Sa mère avait du mal à retenir ses larmes, ses yeux semblaient vibrer continuellement. Judit allongée sur son canapé me prenait gentiment la main, et j'avais envie de chialer moi aussi, de crier, de prier, je pensais *ya Rabb*, n'emporte pas Judit vers la mort, s'il te plaît, tu ne peux pas prendre toutes les femmes que j'ai aimées, je repensais à Meryem, peut-être était-ce moi qui leur transmettais la maladie de la mort, pitié Seigneur, laissez vivre Judit, j'aurais facilement troqué mon existence merdique contre sa vie, mais je savais bien que l'échange ne valait pas.

En rentrant je suis passé consulter Internet, j'ai regardé des dizaines de pages sur les tumeurs cérébrales, il y avait de tout, d'horribles descriptions de l'évolution des symptômes dans certains cas, de belles histoires de guérison dans d'autres, je me disais c'est impossible, Judit a vingt-trois ans, d'après telle statistique les cancers graves sont très rares à cet âge, c'est sûr, tout cela n'est qu'une fausse alerte, et j'étais tellement pris par cette errance macabre dans les descriptions des recoins de la mort que je suis arrivé en retard à mon rendez-vous avec Nouredine, près de la place de Catalogne, essoufflé, tendu, triste et inquiet.

Le Cheikh n'avait pas changé, il était attablé en terrasse devant un café, l'air noble, bien habillé ; un jeune type l'accompagnait, le crâne rasé, une barbe noire ; il s'est levé à mon approche et s'est jeté dans mes bras : Bassam, Bassam nom de Dieu, la joie m'a pris, Bassam, ça alors, Bassam, il m'a dit Lakhdar mon frère, m'a serré sur sa poitrine et pour un peu j'en oubliais de saluer Nouredine qui rigolait en voyant la chaleur de nos retrouvailles, j'ai dit Bassam mon vieux même ta mère ne te reconnaîtrait pas, il a répondu et toi avec tes cheveux blancs, on dirait que tu es devenu meunier. Ça fait du bien de te voir, merci à Dieu.

Tout ému j'ai donné aussi l'accolade au Cheikh – et aussitôt nous ne savions plus quoi nous dire, par où commencer. Bassam s'était rassis, il ne souriait plus ; il avait le regard dérangeant des aveugles ou de certains animaux aux yeux effrayés et fragiles qui paraissent toujours fixer le lointain. Le Cheikh Nouredine a commencé à m'interroger sur ma vie à Barcelone ; il voulait savoir de quelle façon j'étais arrivé jusqu'ici. Je leur ai raconté à peu près mes aventures ; bien sûr je leur ai caché la fin de l'épisode Cruz. Lorsque j'ai évoqué l'incendie de la Diffusion de la Pensée coranique, le Cheikh a hoché le chef avec une moue de dégoût : la lâche vengeance d'un impie, d'une raclure qui a profité de notre absence pour s'en prendre au Livre lui-même, quel déshonneur. Il avait laissé échapper cette phrase à brûle-pourpoint, avec des accents de colère dans la voix – je me suis soudain rappelé le libraire, sa surprise muette lorsqu'il m'avait vu débarquer dans son magasin ; il s'était peut-être vengé. C'était possible. La vie n'est qu'une suite de fausses réponses et de malentendus.

Bassam continuait de se taire ; il balançait de temps en temps la tête, dévisageait les passants, regardait les jambes des filles, les yeux toujours aussi vides.

J'avais une pleine malle de questions pour Bassam et Nouredine – j'ai osé lancer la première, que s'était-il passé, pourquoi avaient-ils disparu tout à coup ? Le Cheikh a eu un air de surprise, mais c'est toi qui n'étais plus là, fils. Quand nous sommes revenus de cette réunion à Casablanca, j'ai découvert nos locaux incendiés – tu n'avais pas laissé d'adresse. Nous t'avons même soupçonné un moment. Puis j'ai appris par Bassam (il s'est un peu secoué en entendant son nom, comme s'il se réveillait) que tu avais une relation avec une jeune Espagnole et que tu étais parti sans laisser de traces. Sur un ton de reproche, avant d'ajouter mais c'est de l'histoire ancienne, nous t'avons pardonné.

J'étais tellement abasourdi que j'ai cherché dans ma mémoire le souvenir d'une réunion à Casablanca, sans succès. Je me suis tout de même excusé de ce malentendu ; j'ai dit que j'avais pris peur après l'attentat de Marrakech et l'incendie.

Le Cheikh a balayé tout cela d'un geste de la main.

J'ai compris que je n'en apprendrais pas plus.

J'ai demandé à Bassam où il était pendant tout ce temps ; il m'a regardé avec ses yeux vides, ses yeux d'aveugle, ses yeux de chien. C'est Nouredine qui a répondu à sa place : il était avec moi, en train de parfaire sa formation.

Bassam a hoché la tête.

Puis le Cheikh nous a invités à déjeuner dans un restaurant libanais près de la place de l'Université. Bassam suivait. C'était un fantôme – il était peut-être épuisé par le décalage horaire, j'ai pensé.

Il a repris du poil de la bête devant la bouffe : au moins il n'avait pas perdu l'appétit, ça m'a rassuré. Il a ingurgité une assiette de hoummous, une salade et trois brochettes comme si sa vie en dépendait ; un vague sourire s'affichait sur son visage, entre deux bouchées.

Pendant le repas, nous avons surtout discuté politique, comme d'habitude, comme aux temps de la Diffusion ; la victoire de l'Islam aux élections en Tunisie et en Égypte était une grande nouvelle ; en Syrie, il prévoyait une défaite du régime à moyen terme, *in cha' Allah*, après une guerre sanglante. Curieusement, il n'a pas parlé du Maroc, comme si ce terrain avait cessé de l'intéresser. Je lui ai demandé ce qui l'amenait en Espagne – rien de spécial, m'a-t-il répondu. Une réunion d'associations caritatives, de donateurs. Un dîner de gala. Dans un palace. Avec des footballeurs du Barça. À l'initiative de la Reine d'Espagne.

J'étais sur le cul. Nouredine dans un hôtel de luxe avec des Princes pour une soirée de charité.

La fondation pour laquelle je travaille à présent a toutes sortes d'activités, a-t-il ajouté en souriant.

J'ai demandé à Bassam combien de temps il comptait rester ; il s'est secoué, comme si ma question le surprenait, avant de répondre je ne sais pas, quelques jours au moins.

Ça c'était une bonne nouvelle.

J'ai convaincu Bassam de renoncer à son hôtel pour m'accompagner rue des Voleurs – il gagnerait en amitié ce qu'il perdrait en confort. Le Cheikh Nouredine l'y a encouragé, il vaut mieux découvrir une ville avec ses habitants, a-t-il dit en rigolant. J'avais du mal à imaginer que le soir même il serait au milieu d'une foule de nobles et de richards dans des salons élégants, un verre de jus d'orange à la main, à serrer les mains de tous ces Bourbons – lui le bastonneur de mécréants, l'homme qui nous enflammait et nous poussait à la révolte allait dîner peut-être à la même table que Juan Carlos, dont on parlait dans tous les journaux : le Roi s'était récemment distingué au cours d'une chasse à l'éléphant, en Afrique, et des photos du monarque en compagnie d'un pachyderme mort avaient fait le tour de la Toile – cela me rappelait les Mémoires de Casanova, paraissait d'un autre âge. Comme si les monarchies ne pouvaient pas se débarrasser de la violence et de la cruauté ; le Destin les y poussait : dans sa jeunesse, Juan Carlos avait accidentellement tué son frère d'une balle ; son petit-fils venait de se tirer malencontreusement une cartouche dans le pied ; tout un régiment d'éléphants crevés témoignait de la royale passion pour les armes à feu. Au moins, à côté, le Roi du Maroc avait le mérite de la discrétion.

Je me demandais quelle cause justifiait le voyage de Nouredine depuis le golfe Persique pour ce dîner de gala tout droit sorti du XVIIIᵉ siècle, je n'ai pas osé lui demander.

Il m'avait ramené Bassam, et ça me suffisait.

On a décidé de faire un tour avant de rejoindre le carrer Robadors, Bassam semblait sorti de sa torpeur et ouvrait de grands yeux en découvrant la ville, depuis le temps qu'il en rêvait, le bougre, il lâchait des ah putain putain devant les boutiques de luxe, les avenues, les bâtiments ; il se retournait sur les filles à vélo dont les jupes se relevaient au gré des coups de pédale, sur les mannequins dans les vitrines, sur les passantes fardées, levait la tête vers les immeubles modernistes, se secouait d'un air incrédule face à tout ce luxe et cette liberté, ça faisait plaisir à voir, j'en oubliais presque la maladie de Judit, comme autrefois Bassam me communiquait son enthousiasme enfantin, il n'arrêtait pas de s'exclamer dingue, dément, oh la vache regarde celle-là, quel morceau, mon Dieu quel beau morceau, c'est la folie pure et je lui répondais et encore, t'as rien vu, mon vieux, t'as rien vu, attends, attends. On remontait tranquillement rambla Catalunya, sous les arbres ; je lui ai payé un café en terrasse pour qu'il profite à loisir des demoiselles et de la douceur du printemps, j'avais l'impression que nous étions revenus en arrière, au temps béni de notre adolescence, transportés dans le rêve de Bassam lorsque nous contemplions le Détroit – il me parlait des lumières de Barcelone, des filles de Barcelone, des bars de Barcelone : grâce à sa présence j'avais enfin l'impression d'y être, d'être quelque part, d'être arrivé à destination. Il n'arrêtait pas de se marrer tout seul comme un gosse, et c'était une vraie joie de revoir sa bonne grosse tête de plouc barbu sourire au monde.

— Ben alors, tu étais où, pendant tout ce temps ? Qu'est-ce que c'était que ces messages à la noix que tu m'envoyais ?

— Quoi ? Houla, regarde-moi un peu ces nibards. Rien, j'étais en Orient, avec Nouredine.

— Mais pourquoi tu as disparu comme ça ? Qu'est-ce que tu foutais à Marrakech ?

— À Marrakech ? À Casa tu veux dire ? Mate-moi un peu ces jambes, c'est hallucinant.

— Non, à Marrakech, tu te souviens, le jour de l'attentat ? Judit t'a aperçu, là-bas.

— L'attentat de Marrakech, oui bien sûr que je me souviens. Je ne sais plus, je crois qu'on était en route pour le sud.

Impossible de l'arracher à sa contemplation urbaine. Tant pis, on discuterait plus tard.

On est repartis vers le bas de la ville, et un peu plus loin Bassam est tombé en arrêt face à la vitrine d'une galerie d'art, devant une immense photographie de deux mètres par trois : une scène étrange, huit personnages derrière une table chargée de canettes de bière vides, de verres désuets, de bouteilles de vin, de restes de bouffe, de bols et de cuillères sales, d'emballages froissés, d'alcools, de bricks de jus de fruits, de cendriers débordant de clopes, d'allumettes cramées : deux filles en soutien-gorge debout un joint à la main ; trois mecs torse nu, dont un très velu, à l'arrière-plan, grimpé sur une chaise, coupé aux épaules ; un barbu pensif, à droite, avec une clope, la tête tournée vers les autres, absorbé dans la contemplation du désastre et en face de lui, à l'extrémité gauche, un type à poil souriant à l'appareil, un chapeau sur le crâne, tandis qu'à ses côtés un couple élégant – veston, chemise claire, gilet noir pour la femme – semblait tellement saoul qu'ils devaient se soutenir l'un l'autre, épaule contre épaule, comme les drogués de la rue des Voleurs. Au fond à gauche, une vitre laissait passer une lumière orangée, un éclairage d'apocalypse dont on ignorait s'il était dû au coucher du soleil, au lever du jour ou à une ampoule de cage d'escalier. L'ensemble, dans ces proportions gigantesques, dégageait une force extraordinaire ; un mouvement montait en diagonale depuis le sourire du type au chapeau jusqu'à la poitrine velue dans le coin opposé ; les poils brillaient sur les peaux jaunâtres, les boîtes de bière rouges explosaient sur la table ; les filles en soutifs dentelés avaient des bourrelets, des visages fatigués, des seins lourds ; la blonde bien habillée fermait des yeux cernés, ses longs cheveux filasse dégueulaient sur la crasse de la table, dans les miettes de tabac, les vieilles frites, les taches de vin.

Bassam était tout près de l'image, il observait chacun de ces personnages puis hochait la tête d'un air incrédule, en murmurant ; il a pris du recul pour contempler la photo en entier et s'est retourné vers moi, interrogateur – il a demandé avec un air de dégoût qu'est-ce que c'est ? Une publicité ? ; j'ai répondu en rigolant je ne crois pas, c'est de l'art, mon vieux. Bassam ne rigolait pas, il paraissait effrayé, il m'a dit Lakhdar si tu restes ici tu vas finir comme ça, comme eux, ça m'a fait rire encore plus, j'ai dit Bassam tu es complètement cinglé, il m'a dit tu ne vois pas, c'est une parodie de la sourate de la Table garnie, *Ô Dieu*

Notre-Seigneur, dit 'Issa, fils de Maryam, fais descendre du ciel une table servie qui soit une fête, pour le premier d'entre nous comme pour le dernier, c'est une ignominie, il avait l'air tout à fait sérieux, effrayé et en colère à la fois.

Je n'y connaissais pas grand-chose en art, mais à part la table, évidemment, il était difficile de voir dans ce cliché quelque chose de religieux, au contraire, c'était totalement décadent, obscène et décadent.

— Mon vieux, tu délires, allez, viens.

Mais il n'arrivait pas à détacher ses yeux de l'image ; il fixait les filles en sous-vêtements, les bouteilles de vin et l'homme au chapeau avec haine – s'il l'avait pu il aurait sans doute brisé la vitrine.

— Tu veux qu'on l'achète, c'est ça ? Tu veux que je demande s'ils peuvent t'en faire une petite copie pour chez toi ? Je te la prends en photo avec mon téléphone ?

Il m'a regardé d'un air furibard, cette chose est une offense à Dieu, ce pays est une offense à Dieu, il a levé les yeux vers le ciel.

— Allez viens, on s'en va.

J'ai commencé à marcher et il a fini par me suivre ; il grommelait des imprécations.

Je savais où il fallait l'emmener pour que ça lui passe. Tant pis pour les risques des transports en commun, on a pris un autobus direction la Barceloneta – quand Bassam m'a demandé où on allait, je lui ai répondu au Paradis. Ça ne l'a pas du tout fait marrer, il m'a sèchement rembarré d'un arrête tes blasphèmes, avant de retrouver son mutisme du début d'après-midi.

En arrivant, il n'a pas pu retenir un sifflement d'admiration devant l'immense hôtel en forme de voile, à l'extrémité de la digue, dont les façades brillaient dans le soleil, et le téléphérique qui traversait le port, à droite, pour se perdre dans la verdeur de la colline de Montjuïc.

— Attends, tu n'as encore rien vu.

Un samedi, je savais que la plage serait noire de monde. J'ai enlevé mes chaussures et j'ai entraîné Bassam vers la mer.

— Qu'est-ce que tu fous, tu vas pas aller te baigner quand même ?

Je marchais devant, dans le sable brûlant ; la lumière était aveuglante, malgré le soir ; le soleil n'était pas encore descendu, là-bas à l'ouest, derrière la rue des Voleurs. Je savais, en ouvrant la marche, que je ratais la tronche et les exclamations de Bassam ; les corps étaient si serrés qu'il nous fallait avancer l'un derrière l'autre, entre les seins nus et les cuisses huileuses. J'ai trouvé un espace libre, à une dizaine de mètres de l'eau ; je me suis jeté par terre. Bassam s'est assis en tailleur, face à la mer ; c'est par là-bas que ça se passe, j'ai dit. Retourne-toi et regarde.

Je lui offrais généreusement la plus belle collection de culs de la terre. Allongées dans la même direction, profitant de la légère déclivité de la plage, la tête vers le haut de la pente, en rangs, sur le ventre pour la plupart mais parfois sur le dos, seins nus ou non, certaines en string, d'autres en chastes maillots une pièce, tout un arc-en-ciel de filles se déployait sous nos yeux – des blanches comme le lait en train de se passer de la crème ; des roses, qui avaient des chapeaux pour protéger leurs visages ; des légèrement hâlées, des bronzées, des noires, un dégradé de fesses, de pubis rebondis dans les costumes de bain, de seins de toutes formes et de toutes couleurs ; je me suis allongé dans le sable, les mains sous le menton : à un mètre de moi j'avais, les cuisses légèrement écartées sur une serviette multicolore, une Nordique dont le cul bien rond commençait à rosir sur les côtés du maillot – on devinait son sexe qui plissait légèrement l'étoffe, la bosselait dans des vagues de douceur où pointaient, à la lisière du tissu, contre la chair, quelques minuscules poils blonds ; ses pieds étaient charmants, les orteils bien plantés dans le sable ; j'avais l'impression d'avoir la tête entre ses jambes et je me suis demandé si mon regard aurait un effet sur ce con si proche ; si, en le fixant longtemps, je parviendrais à l'échauffer, comme le soleil enflamme la paille à force de rayons – avec des lunettes en guise de loupe, qui sait. La fille du Nord s'est gratté le bas du dos, comme si je l'avais dérangée, et j'ai brusquement détourné le regard, par un réflexe idiot – à moins qu'Odin n'ait pourvu ses créatures de capacités inédites, l'œil unique qui m'observait derrière le polyester grenat était aveugle.

Je me suis arraché à ma contemplation : Bassam souriait béatement, toujours assis en tailleur, les mains posées sur les genoux ; il balayait la plage des yeux tel un phare, d'un côté, de l'autre ; sur la jetée passaient les skateurs, les cyclistes ; les vendeurs ambulants arpentaient le sable, au bord de l'eau, proposant qui des bières, des sodas, qui des tatouages au henné, des bijoux de pacotille, des lunettes de soleil, des autocollants du Barça, des casquettes, des écharpes, des serviettes de bain, des gris-gris africains, des beignets, des massages plantaires ou tout cela à la fois, et il était impossible de rester plus de cinq minutes près de la mer sans que quelqu'un ne profite de votre immobilité pour essayer de vous vendre un truc – ces centaines de personnes allongées constituaient un réservoir infini de clients potentiels et abrutis par le soleil. Bassam regardait tout cela, tous ces culs, tous ces seins, tous ces Sénégalais qui se coltinaient leurs marchandises, tous ces néo-hippies qui passaient sur la jetée ; à gauche, le mastodonte éclatant de l'*Hôtel Vela* protégeait ces personnages de sa voile de verre et d'acier ; à droite, à l'autre extrémité de la promenade, près du port Olympique, une baleine de métal en fusion paraissait fondre sur la plage, entre la tour Mapfre et l'*Hôtel Arts* ; au loin, les cheminées de la Centrale de Badalona se perdaient dans un halo de pollution, derrière la plaque de béton brumeuse du Forum des Cultures.

J'ai pensé soudain à Judit, à cette tumeur, à cette injustice du corps. Cette impuissance était aussi amère que le poison de Cruz.

On est restés longtemps, absorbés par la beauté de la ville, de la mer infinie que les voiliers moutonnaient de blanc, jusqu'à ce que le soleil s'enfonce derrière Montjuïc et que les bronzeuses se rhabillent une à une : certaines passaient juste une robe sur leur maillot ; d'autres, plus élégantes, plus âgées ou plus bourgeoises se lançaient dans de lentes métamorphoses, dissimulées par une serviette ; on pouvait apprécier leurs sous-vêtements, tendus d'une main charitable par le mari ou la copine, leur déséquilibre au moment d'enfiler leur culotte, sur une seule jambe, étranges oiseaux maladroits retenant un paréo contre leur poitrine. Une petite brise s'était levée, j'ai dit à Bassam qu'il était temps de regagner la rue des Voleurs, à pied cette fois-ci. Il s'est ébroué pour se débarrasser du sable et a commencé à marcher, l'air désorienté – depuis que nous étions arrivés il n'avait pas prononcé un mot, à tel point que j'avais cru qu'il s'était endormi, en tailleur, comme un Bouddha en méditation.

Il est resté tout aussi silencieux pendant le retour ; il fixait le macadam, la tête basse, ne la relevant que pour vérifier que j'étais toujours bien à ses côtés.

Nous sommes entrés dans le Raval par l'Arsenal, la porte du quartier côté mer, avant de remonter jusqu'à Sant Pau et la Rambla. Bassam semblait tout d'un coup plus intéressé ; les Pakis se promenaient, en petits groupes ; les Arabes discutaient le bout de gras devant les rades à sandwiches ; les enfants jouaient près du chat géant en métal, se suspendaient irrespectueusement à ses moustaches d'acier, essayaient de le cornaquer comme un éléphant, juchés entre ses oreilles. Je pensais inviter Bassam à dîner dans le restaurant marocain du carrer Robadors, en souvenir de Tanger et du bon vieux temps – d'abord il fallait monter déposer son sac. Il se l'était trimbalé tout l'après-midi sans broncher. C'était un sac de voyage tout bête, en toile avec deux poignées de cuir ; je ne sais pas pourquoi, ça m'a fait repenser à l'attentat de Marrakech, ce sac. J'ai réalisé que je ne savais pas ce que Bassam venait faire à Barcelone. Ni où il repartait. Ni même exactement d'où il arrivait.

À l'angle de Robadors, au coin de la mosquée Tareq ibn Ziyad, deux putains noires avaient le cul posé sur des plots de stationnement ; minijupes en skaï bleu, talons, bustiers, seins à moitié à l'air.

Bassam a eu l'air de heurter un mur invisible en les voyant ; il a changé de trottoir.

L'entrée de notre immeuble l'a fait marrer. Dis donc, mon vieux, la classe ton hôtel. Un vrai palace, *khouya*. Même chez nous on n'en a pas d'aussi pourris, *la samah Allah*.

Je n'ai pas relevé. J'espérais juste qu'on n'allait pas en plus croiser un rat en vadrouille.

J'ai fait les honneurs de notre appartement à Bassam ; je lui ai présenté Mounir, qui se grattait tranquillement les orteils avec la pointe de son couteau devant la télé – Bassam lui a à peine adressé la parole. Juste un salut, une formule vide, une main sur la poitrine, le regard lointain. Mounir m'interrogeait des yeux. Un ami d'enfance, j'ai dit. Il va dormir sur le canapé quelques jours.

Bassam a fait trois fois le tour de l'appart, s'est posé sur le balcon, a observé la rue.

Je lui ai proposé d'aller manger un morceau, il a acquiescé.

En sortant, on est tombés sur deux ivrognes qui pissaient copieusement contre la façade, provoquant les hurlements des mendiants attendant l'ouverture des évangélistes pour leurs cantiques et leurs casse-dalle.

C'était samedi, l'activité péripatéticienne battait son plein au carrefour ; deux ou trois dealers tournaient dans le soir ; un junkie en manque a dégueulé un jet de bile au pied d'un lampadaire, éclaboussant deux cafards gros comme des grenouilles qui sortaient paresseusement du restaurant voisin.

La gargote était presque vide – j'ai salué chaleureusement les tenanciers, je leur ai présenté Bassam, un ami d'enfance de Tanger. Ils lui ont souhaité la bienvenue à Barcelone. Nous nous sommes installés à une table sur le côté ; au fond de la salle, Al-Jazira transmettait en boucle des images de massacres divers, en Syrie ou en Palestine, entrecoupées de manifestations violentes, en Grèce ou en Espagne.

— C'est chouette que tu sois là.

Il était pressé de commander le dîner.

La perspective de la bouffe de chez nous avait ramené le sourire sur le visage de Bassam. L'avoir en face de moi, comme ça, comme autrefois, me ramenait à Tanger, à Meryem. Je ne savais pas comment commencer. Sous la table, ma cuisse bougeait nerveusement.

— Ta mère m'a donné par hasard une vieille lettre de toi. Avec celle de Meryem à l'intérieur. Tu aurais pu m'en parler.

Il a eu l'air très surpris, tout d'un coup, il roulait des yeux affolés, il ne s'attendait pas du tout à ça ; il a fini par prononcer :

— J'avais peur de te faire du mal. Quand tu es rentré je n'ai pas osé. Après c'était trop tard. J'aurais dû détruire tout ça, que tu ne saches jamais.

Il regardait la nappe.

— Tout finit par se savoir un jour, j'ai dit connement. Et j'ai eu honte d'évoquer ainsi le souvenir de Meryem, de la trahir, comme si sa mort était une nouvelle banale, un genre de météo ou le résultat de la loterie des Voleurs.

— Il est bon ici le tagine ?

— Meilleur que celui de chez toi, enfoiré.

Ça l'a fait marrer.

— C'est pas bien difficile, remarque.

Les portions étaient gigantesques, marocaines. Bassam s'est jeté sur la nourriture comme un perdu.

— Judit est malade, j'ai dit.

Il m'a regardé un instant, entre deux bouchées, sans comprendre ; je n'avais finalement pas envie de lui expliquer. J'aurais voulu lui raconter en détail l'*Ibn Batouta*, le port d'Algésiras, Cruz, les cadavres ; l'agonie de Cruz que j'avais tenue secrète si longtemps.

— Qu'est-ce que tu as foutu pendant tout ce temps ?

J'ai répété la question trois ou quatre fois, au rythme de sa cuillère ; il a avalé la moitié de son Coca-Cola, a fini par souffler rien de spécial, ne me pose plus de questions, avant de retourner à l'ingestion régulière des légumes, au rongement goulu des os de poulet ; il avait encore faim, il a commandé une ration de riz aux fruits secs ; j'ai levé la tête vers la télévision, par réflexe, où était-il allé, au Yémen, en Afghanistan, au Mali, en Syrie même, peut-être, qui sait, il y avait tant d'endroits où l'on pouvait combattre, pour quelle cause, celle de Dieu sans doute, la cause première, j'avais du mal à imaginer Bassam crapahuter dans le désert ardent un fusil à la main – physiquement, il n'avait pas beaucoup changé, il était peut-être un rien plus maigre, mais rien de frappant une fois qu'on s'était habitué à son crâne rasé c'était le même, le même en plus silencieux, en plus tendu, en plus vieux. Tout cela était irréel. Son œil de chien battu a replongé dans l'assiette, est-ce qu'il pensait à la guerre, non, il devait se contenter de mastiquer, le crâne vide.

Le nom de ce Français grand massacreur d'enfants juifs à Toulouse m'est revenu à l'esprit ; impossible d'associer Bassam à un truc aussi lâche – j'imaginais une seconde un journaliste m'interrogeant à son propos, j'aurais répondu que c'était un type sympathique, plutôt drôle, qui aimait regarder les filles et bien bouffer. Si c'était encore le même.

— C'était toi à Tanger, au *Café Hafa* ?

Il a relevé la tête de son assiette, a planté ses yeux vides dans les miens, j'ai détourné le regard.

Je n'avais plus envie de savoir.

Je n'avais pas envie de savoir ce qu'était la guerre, sa guerre ; je n'avais pas envie de connaître ses mensonges, ou sa vérité.

J'ai repensé à Cruz, hypnotisé par les couteaux des djihadistes devant son écran.

J'ai posé une dernière question :

— Qu'est-ce que tu viens faire ici ?

Il y avait une grande peine sur son visage, tout à coup, une grande tristesse ou une grande indifférence.

— Rien de spécial, *khouya*, te voir. Voir Barcelone.

Impossible de deviner s'il était blessé par mes soupçons ou si son propre destin l'attristait, comme une maladie incurable.

L'éloignement, dans l'amitié comme dans l'amour. Bassam s'éloignait ; je m'éloignais aussi, sans doute – je n'étais plus l'enfant attardé de Tanger, plein de rêves médiocres ; j'étais en route pour ma prison, déjà enfermé dans la tour d'ivoire des livres, qui est le seul endroit sur terre où il fasse bon vivre. Judit disparaissait dans la maladie ; il me fallait des efforts surhumains pour me rendre à l'hôpital Clinic, où elle était soignée ; l'odeur des couloirs, la distance cynique du personnel, le faux silence de ces chambres bruissant secrètement de mort me provoquaient une angoisse atroce, terrible ; la petite morgue de Cruz me revenait en mémoire, les corps ne me quittaient plus ; je voyais l'hôpital comme une gigantesque fabrique de chair éteinte : des femmes et des hommes entraient par la grande porte et ressortaient par-derrière, chiens crevés que l'on traînait pour les brûler un peu plus loin, et je ne voulais pas que Judit disparaisse, c'était impossible. Elle partageait sa chambre avec une dame d'une cinquantaine d'années qui avait tout un régiment de pleureuses à son chevet et a été assez vite transférée dans une autre partie du bâtiment : à l'hôpital il faut être agonisant pour obtenir une chambre individuelle, et éviter de déprimer par les râles du mourant et les gémissements de la famille la voisine qui lutte encore pour conserver sa vie – et même si la tumeur de Judit était bénigne, il lui fallait subir toute une série de traitements avant l'opération proprement dite ; pour un peu je me serais remis à prier, si je n'avais pas été convaincu, de plus en plus, de l'injustice de Dieu, qui ressemble grandement à une absence. Malgré tout Judit semblait garder le moral – elle avait espoir, les médecins étaient optimistes et seule sa mère, Núria, que je voyais à chacune de mes visites, paraissait vieillir à vue d'œil. Elle ne quittait presque plus la chambre de sa fille, recevait les visiteurs, donnait des explications sur l'évolution du mal, comme si elle en avait été elle-même atteinte ; Judit était parfois alitée, parfois assise dans un fauteuil ; je restais un quart d'heure puis je m'en allais. Nous discutions de tout et de rien, du temps, de l'état du Monde arabe, de la guerre en Syrie, de nos souvenirs, aussi – de Tanger, de Tunis, et repenser à ces bonheurs disparus me faisait venir des trémolos un peu ridicules dans la voix, des tremblements dans les yeux, alors je repartais, je saluais Núria et j'embrassais doucement Judit qui me serrait fort dans ses bras, je reprenais les couloirs puant la mort, entre les infirmières, les malades perfusés qui vaguaient, qui descendaient fumer une cigarette dehors sur le parvis, toute une troupe de types en chemise de nuit, appuyés chacun sur sa potence portant une bouteille de verre dont le tuyau s'enfonçait dans leurs veines, au poignet ou sous le coude, clopaient en discutant le bout de gras, accompagnés de quelques infirmiers ou médecins débonnaires, c'était le festival du pansement et de la cicatrice, des cathéters pendants et des blouses vertes, alors je fuyais, je fuyais en rêvant de pouvoir emporter Judit avec moi dans une chambre bien gardée du carrer Robadors, avec Bassam qui tournait en rond sans perfusion entre la mosquée, le restaurant marocain, les voleurs de bicyclettes et les putes, qu'il observait de loin, comme une faune attirante et étrange, les éléphants du Roi d'Espagne. J'avais mon petit zoo à moi à la maison : Bassam et Mounir se haïssaient. Idéologiquement, personnellement, tout les éloignait ; Mounir ne voyait en Bassam que l'Islamiste étroit, taciturne, sauvage ; Bassam méprisait Mounir parce que c'était un raté, un voleur, un mécréant. Ils avaient tous deux raison, en un sens ; je pensais qu'ils auraient pu se rapprocher sur d'autres plans, les filles, le football, la vie, mais non, rien à faire – ils ne s'adressaient la parole que contraints et forcés, et Mounir me demandait chaque jour ou presque quand est-ce que Bassam repartait. La vie vacillait, et je le sentais ; Bassam plongeait dans la prière et l'attente ; Judit devait être opérée d'un jour à l'autre ; la crise précipitait le rythme des grèves, des manifestations, des bruits d'hélicoptères ; les premières chaleurs de la fin du printemps affolaient les drogués, les pauvres et les cinglés ; chaque jour de nouveaux cadavres fleurissaient quelque part, une banque s'effondrait, un cataclysme emportait un lambeau de plus de ce monde en ruine, ou peut-être est-ce moi qui, aujourd'hui, suis tenté de relire ces événements à la lumière de la suite ; de penser que le pire était à venir, que le pire est venu – tout dansait devant mes yeux, Judit à l'hôpital, Bassam à la mosquée Tareq ibn Ziyad, Meryem dans la tombe, le monde réclamait quelque chose, un mouvement, un changement, un pas de plus vers le Destin ; je pressentais qu'il allait bientôt falloir choisir son camp, qu'un jour ou l'autre il faut choisir son camp, qu'il n'appartenait qu'à moi de me révolter, d'avoir une seule fois une seule un geste, un vrai geste décisif, et bien sûr il est aisé de penser à cela aujourd'hui, depuis ma bibliothèque carcérale, entouré par toute la certitude des livres, de centaines de textes, par la force de mes lectures, car l'homme d'hier a disparu ; le Lakhdar de la rue des Voleurs a disparu, il s'est transformé, il cherche à rendre leur sens perdu à ses actes ; il réfléchit, je réfléchis, mais je tourne en rond dans ma prison car je ne pourrai jamais retrouver celui que j'étais avant, l'amant de Meryem, le fils de ma mère, l'enfant de Tanger, l'ami de Bassam ; la vie a passé depuis, Dieu a déserté, la conscience a fait son chemin, et avec elle l'identité – je suis ce que j'ai lu, je suis ce que j'ai vu, j'ai en moi autant d'arabe que d'espagnol et de français, je me suis multiplié dans ces miroirs jusqu'à me perdre ou me construire, image fragile, image en mouvement. *No se puede vivir sin amar*, disais-je à Judit, et je me trompais, on peut vivre sans aimer, l'amour c'est un livre de plus, un miroir de plus, une trace sur notre table de cire, des marques sur nos mains, des lignes de vie, des empreintes digitales qui apparaissent une fois la chose passée, une fois la partie jouée – j'ai plaisir à revoir Judit, elle vient jusqu'ici une fois par semaine, nous discutons longuement, nous échangeons de longues lettres cybernétiques dans lesquelles je lui parle encore de littérature arabe, de la beauté indépassable d'Ibn Zaydûn, de Jâhiz l'immense, de Sayyâb le triste, mort d'une maladie étrange dont seuls savent mourir les poètes, et je sais que Judit ne me rend visite ou ne m'écrit que par fidélité à ce que nous avons été, à cet hôtel de Tanger, à cet appartement de Tunis, qui n'existent que pour nous. Je pense encore souvent à cette histoire de Hassan le Fou, que raconte Ibn Batouta lorsqu'il se trouve à La Mecque – quitte à tourner en rond pour l'éternité, j'aurais bien aimé que ce soit pour retourner quinze jours chez ma mère, ou dans le passé, revivre les semaines de Tanger ou de Tunis avec Judit ; il reviendra peut-être, le temps des fous et des mendiants prodigieux, un jour, un jour quand le pétrole sera tari, que La Mecque se trouvera de nouveau à un mois de cheval et de voilier ; un jour de gloire, où je sortirai dans le soleil neuf, où j'arrêterai mes sourdes circonvolutions pour retrouver les bras de Judit.

Bassam lui aussi tournait en rond. Il ne parlait presque pas ; il ouvrait juste les yeux et la bouche quand se desserraient les cuisses de Maria, sur son seuil à l'entrée de la rue des Voleurs ; il restait là trois, cinq, dix voire quinze éternelles secondes, ébahi, la mandibule pendante comme un demeuré, le regard perdu entre ses jambes, et il fallait que Maria le charrie ou l'insulte pour qu'il finisse par passer son chemin, en maugréant ; j'avais beau lui dire que ce n'était pas correct, de rester là comme ça tout ébaubi, qu'il pouvait simplement dépenser quelques euros et monter avec elle, il aurait vu, touché, pénétré et joui, et voilà, mais non, il secouait la tête comme un enfant pris la main dans la confiote, comme s'il avait vu le diable, non non, Lakhdar *khouya*, disait-il, nous on ne paye pas pour ce genre de choses, et j'étais plutôt d'accord, on ne paye pas, pas tellement pour l'argent, mais pour le triste souvenir de l'odeur de mort de Zahra la petite pute de Tanger qu'il ne connaissait pas. Alors il retournait au restaurant se taper un tagine ou des brochettes, puis il allait à la mosquée, les mains dans les poches, il crachait sur les drogués et les voleurs, lorgnait les putains nègres avec un mélange de mépris et d'envie, essayait de les oublier en faisant ses ablutions, priait, discutait ensuite avec quelques Pakistanais, toujours les mêmes, ses amis disait-il, puis il rentrait, se collait devant le téléviseur, faisait fuir Mounir au milieu de sa pédicure rituelle – qui refermait son couteau en soupirant, se levait puis claquait la lourde de sa chambre à grand fracas.

Le Cheikh Nouredine n'était resté que trois jours, comme prévu ; il avait rencontré toute la belle société de Barcelone, Princes et footballeurs compris, s'était gavé de petits fours dans un hôtel de luxe avant de repartir, non sans nous inviter une dernière fois, Bassam et moi, à déjeuner – j'avais l'impression de partager le repas d'un oncle d'Amérique ; il était très élégant, dans une veste bleu foncé avec une chemise blanche à col droit ; il avait de l'argent, de la rhétorique et un billet de retour pour le Golfe en business. Je me sentais un peu le plouc de service ; je ne pouvais m'empêcher de parler marocain avec lui, alors qu'il nous racontait ses soirées de charité dans un arabe classique mâtiné d'oriental. Bassam restait silencieux ; son regard exhalait l'admiration, la servitude sans borne. Je ne sais pas pourquoi, j'ai haï le Cheikh Nouredine, ce jour-là ; peut-être parce que le matin même j'étais allé voir Judit à l'hôpital, et que ça m'avait un peu détraqué, allez savoir. En tout cas, j'étais content au moment de lui dire au revoir. Je me souviens bien de ses derniers mots, avant qu'il n'attrape un taxi pour passer prendre son bagage à l'hôtel : n'hésite pas, il a dit, si tu veux nous rejoindre, n'hésite pas, nous aurons toujours du travail pour toi. Je l'ai remercié sans oser lui parler de mon rêve, cette petite librairie religieuse et païenne à la fois dans le Raval à Barcelone. Puis j'ai pensé que ce chien avait fait et défait ma vie, qu'il avait un passeport valide rempli de visas, qu'il n'avait jamais connu ni Cruz, ni la rue des Voleurs, et qu'il méritait un bon coup de pied au derche, pour lui apprendre à vivre – Bassam s'est jeté à son cou comme s'il s'agissait de son père ; j'ai cru percevoir les mots que le Cheikh lui glissait à l'oreille, *sois fort, il se peut que l'Heure soit proche*, لَعَلَّ السَّاعَةَ تَكُونُ قَرِيباً, ça m'a rappelé un verset du Coran, c'était très étrange et solennel comme adieu. Nouredine s'est aperçu que j'avais entendu, il a souri en disant soyez sages, n'oubliez pas Dieu et vos Frères, et il est parti dans un taxi jaune et noir.

Bassam l'a regardé s'en aller comme si c'était le Prophète lui-même qui disparaissait.

Il était temps de le reprendre en main, comme autrefois ; je lui ai dit bon, maintenant on va se taper quelques bières en terrasse et draguer les filles, c'est moi qui rince.

Il a eu un air de tristesse infinie, il s'est balancé d'un pied sur l'autre comme s'il avait soudain envie de pisser, il m'a pris la main, on aurait dit une petite fille perdue.

— Allez viens, j'ai dit, on va faire la bringue.

Il s'est laissé traîner comme le chiot ou l'enfant qu'il n'avait jamais cessé d'être.

Si les gens t'interrogent au sujet de l'Heure dernière, réponds : "Seul Dieu en a connaissance." Qu'en sais-tu ? Il se peut que l'Heure soit proche. Dieu a maudit les Infidèles et leur a préparé un brasier, qu'ils y demeurent pour l'éternité, sans trouver ni allié ni secours.

يَسْأَلُكَ النَّاسُ عَنِ السَّاعَةِ قُلْ إِنَّمَا عِلْمُهَا عِندَ اللَّهِ وَمَا يُدْرِيكَ لَعَلَّ السَّاعَة تَكُونُ قَرِيبًا/ إِنَّ لَلَّه لَعَنَ الْكَافِرِينَ وَأَعَدَّ لَهُمْ سَعِيرًا/ خَالِدِينَ فِيهَا أَبَدًا لَّا يَجِدُونَ وَلِيًّا وَلَا نَصِيرًا , j'ai cherché dans le Coran dès le lendemain, après une soirée à regarder Bassam sombrer dans le mutisme devant un Coca-Cola, alors que nous profitions des terrasses bondées autour du MACBA, dans le bruit extraordinaire des skateurs, cascade de planches frappant le pavé, cliquetis interminable et désordonné – Bassam observait les planchistes à roulettes d'un air incrédule, et c'est vrai que pour un novice leur activité était des plus déroutantes ; ils parcouraient à peine quelques mètres sur la place, essayaient une figure, un bond ou un sautillement qui paraissait dérisoire et se soldait toujours par le même résultat : la planche se retournait, tombait sur le sol, et son propriétaire se retrouvait à pied, le temps de récupérer son engin et de recommencer, comme Hassan le Fou tournait éternellement ; la rumeur de ces dizaines de skates entrechoqués montait du parvis avec une régularité féroce ; les spectateurs assis sur la margelle de marbre profitaient du spectacle continu de ces évolutions sonores, touristes au repos les jambes ballantes, bardés d'appareils photo et de sacs à dos, adolescents vidant des bières, fumant des joints, clochards puceux biberonnant leurs litrons sur des couvertures raidies par la crasse, flics en goguette surveillant tout ce beau monde d'un œil aussi dubitatif que celui de Bassam

– au bout d'un moment le bruit finissait par taper sur le système ; continu mais irrégulier, il était impossible de s'y habituer. Bassam lorgnait ce cirque avec un air de mépris ; il ne disait pas grand-chose, se contentant de me faire un signe quand passait un short moulant, une minijupe ou une poitrine particulièrement développée. J'essayais de lui parler, mais les sujets de conversation s'épuisaient les uns après les autres ; il refusait d'évoquer le passé, à part nos années d'enfance à Tanger, quelques anecdotes du collège ou du lycée, comme si nous étions des vieillards.

J'ai été soulagé quand il a voulu aller se coucher.

Le lendemain donc j'ai cherché dans un répertoire informatique les mots prononcés par Nouredine, لَعَلَّ السّاعَةَ تَكونُ قَريباً, le verset se trouvait dans la sourate *Al Ahzâb*, Les Alliés ; il y était question de l'heure dernière, de l'heure du Jugement, où un feu éternel était promis aux non-croyants. Je me suis demandé si je n'étais pas paranoïaque, une fois de plus ; il me semblait que ce verset anodin, dans la bouche de Nouredine, était un message codé ; Bassam devait attendre l'heure pour déclencher des flammes d'apocalypse, ce qui justifierait qu'il tourne en rond à Barcelone sans réussir à m'expliquer ce qu'il foutait là ; je savais qu'il avait un visa de touriste d'un mois – il était tout aussi incapable de me raconter par quel miracle il l'avait obtenu.

J'imaginais un attentat, une explosion, avec ses amis pakistanais de la mosquée, comme il disait ; une vengeance pour la mort de Ben Laden, un coup d'éclat pour déstabiliser encore plus l'Europe au moment où elle semblait vaciller, se fissurer comme un beau vase fragile, des représailles pour les enfants syriens morts, pour les enfants palestiniens morts, pour les enfants morts en général, toute la rhétorique absurde, la spirale de la bêtise, ou tout simplement pour le plaisir de la destruction et des flammes, que sais-je, j'observais Bassam dans sa solitude et son enfermement, ricochant comme une boule de billard dans la rue des Voleurs contre les tristes putains, les drogués, les pouilleux et les barbus de la mosquée, je le revoyais absorbé par le ressentiment devant cette photographie décadente rambla Catalunya, لَعَلَّ السّاعَةَ تَكونُ قَريباً, je le voyais lorgnant le sexe de Maria sur le pas de sa porte, je l'imaginais porteur de valises à Marrakech, assassin au sabre à Tanger, combattant au Mali ou en Afghanistan, ou peut-être rien de tout cela, peut-être

juste un homme perdu tout comme moi dans le tournoiement
de la calle Robadors, un homme creux, un homme-tombe, un
homme qui cherchait dans les flammes la fin d'un monde déjà
mort, un guerrier de théâtre d'ombres, qui sentait confusément
qu'il n'y avait plus de réel autour de lui, plus de tangible, plus de
vérité, et qui se débattait, mû par le dernier souffle de la haine,
dans un vide cotonneux, un nuage, un homme muet, un homme
sourd qui exploserait dans un train, dans un avion, dans une
rame de métro, pour personne, لَعَلَّ السّاعَةَ تَكونُ قَريبًا, l'Heure
approche peut-être, je voyais la bonne tête ronde de Bassam prier,
je n'attendais plus de réponses à mes questions, plus de réponses,
un chirurgien inconnu allait bientôt ouvrir le crâne de Judit pour
en extirper la maladie, autour de nous le monde flambait et Bassam se tenait là, debout comme un serpent charmé, un homme
vide dont l'heure sonnerait bientôt, un soldat de désespérance
qui portait ses cadavres dans les yeux, tout comme Cruz.

لَعَلَّ السّاعَة تَكونُ قَريباً, les jours étaient longs et silencieux – Bassam suivait son rituel, sans rien dire, il attendait, il attendait un signe ou la fin du monde, comme j'attendais l'opération de Judit, qui s'annonçait plus longue et difficile que prévue ; le soir je sortais faire un tour avec Mounir dans l'humidité tiède de Barcelone qui rappelait celle de Tanger, celle de Tunis – nous laissions Bassam avec soulagement rue des Voleurs pour aller à notre petite terrasse un peu plus au sud, calle del Cid ; on y buvait des bières, bien planqués dans cette ruelle oubliée, et Mounir était d'un grand réconfort, il arrivait toujours à me faire marrer : malgré sa situation fragile, il conservait son sens de l'humour, son énergie, et il parvenait à m'en communiquer un peu, à me faire oublier tout ce que j'avais perdu, tout qui s'était brisé, malgré le monde autour de nous, l'Espagne qui s'enfonçait dans la crise, l'Europe qui se détruisait sous nos yeux et le Monde arabe qui ne sortait pas de ses contradictions. Mounir avait été soulagé par la victoire de la gauche aux élections présidentielles en France, il y voyait un espoir, il était optimiste, rien à faire, lui le petit voleur, le trafiquant il pensait que la Révolution était encore en marche, qu'elle n'avait pas été définitivement écrasée par la bêtise et l'aveuglement, et il riait, il riait des millions d'euros engloutis dans des banques ou dans des pays condamnés, il riait, il était confiant, tous ces malheurs n'étaient rien, sa misère à Paris, sa misère à Barcelone, il lui restait la force des pauvres et des révolutionnaires, il disait un jour Lakhdar, un jour je pourrai vivre décemment en Tunisie, plus besoin de Milan, de Paris ou de Barcelone, un jour tu verras, et moi qui n'avais pourtant jamais réellement voulu quitter

Tanger, qui n'avais jamais vraiment partagé ces rêves d'émigration je lui répondais qu'on serait toujours mieux bien planqués
dans le Raval, dans notre palais des ladres, à regarder le monde
s'effondrer, لَعَلَّ السَّاعَةَ تَكونُ قريباً, et ça l'a fait rigoler.

J'avais de plus en plus la conviction que l'Heure était proche ; que Bassam attendait un signal pour prendre sa part à la fin du monde – il disparaissait une grande partie de la journée, au rythme des prières ; il feignait d'être content lorsque je lui proposais d'aller faire un tour, de changer de quartier, de profiter un peu de la ville qui nous tendait les bras ; il réussissait à faire semblant une demi-heure, à s'extasier sur une ou deux filles et trois vitrines, puis il redevenait silencieux, happé par ses souvenirs, ses projets ou sa haine. Quand je le cuisinais il me regardait avec sa bonne tête de plouc, les yeux incrédules, comme s'il ne comprenait absolument pas à quoi je faisais allusion, et je me prenais à douter, je me disais que j'exagérais, que l'ambiance, la rue des Voleurs et la maladie de Judit commençaient à me taper sur le système, alors je me promettais de ne plus lui en reparler – jusqu'à ce que le soir vienne, qu'il disparaisse deux ou trois heures Dieu sait où en compagnie de ses potes pakistanais sortis de nulle part et rentre, muet, avec le regard perdu et vibrant de quelqu'un qui appelle, pour prendre la place de Mounir sur le canapé, et je retrouvais mes doutes et mes questions. Un jour j'avais remarqué qu'il était arrivé avec un sac en plastique, bizarre pour quelqu'un qui ne s'achetait jamais rien, qui ne possédait presque rien, à part quelques vêtements qu'il lavait à la main rituellement chaque soir avant de se coucher – j'ai jeté un coup d'œil lorsqu'il est allé pisser, l'emballage contenait quatre téléphones portables neufs d'un modèle très simple, je me souvenais du *modus operandi* de l'attentat de Marrakech, bien sûr je n'ai pas pu résister, je lui ai posé la question, il n'a pas eu l'air fâché que j'aie fouillé dans ses affaires, juste un peu lassé de mes soupçons, il m'a répondu très simplement c'est un petit trafic de mes potes d'en bas, si tu veux je peux t'en obtenir un gratos – le naturel de sa réponse m'a désarmé, alors je me suis tu.

J'étais sans doute en train de devenir fou, complètement paranoïaque.

Un jour je n'y tenais plus, j'en ai parlé avec Judit. Elle était toujours hospitalisée, l'opération était sans cesse repoussée : les coupes sombres dans son budget avaient contraint l'hôpital à fermer une partie des blocs opératoires – et il y avait toujours plus urgent qu'elle à opérer.

Núria n'était pas là, nous étions seuls tous les deux dans sa chambre ; elle était assise dans le fauteuil des visiteurs, et moi par terre à ses côtés. J'ai hésité longtemps, et je lui ai dit tu sais, je me demande si Bassam ne prépare pas quelque chose.

Elle s'est penchée vers moi.

— Quelque chose de dangereux, tu veux dire ?

— Oui, quelque chose comme Marrakech ou Tanger. Mais je n'en suis pas sûr. C'est juste une possibilité.

J'ai repensé au nouveau regard de Bassam, si vide, si perdu, si douloureux.

Judit a soupiré, on est restés silencieux comme ça un moment.

— Et qu'est-ce que tu vas faire ?

— Je ne sais pas.

Elle s'est penchée pour me caresser le front, et puis elle s'est assise à côté de moi, par terre, le dos appuyé contre le lit, elle m'a serré fort dans ses bras et nous nous sommes embrassés longuement.

— Ne t'inquiète pas, je sais que tu vas prendre la bonne décision.

Il a fallu qu'elle finisse par me mettre gentiment dehors pour que je parte retrouver la rue des Voleurs, en laissant derrière moi la horde de clopeux intubés du parvis de l'hôpital.

Que ce soit la déréliction ou la violence, qu'importe. Bassam tournoyait, rongé par une lèpre de l'âme, une maladie de désespérance, abandonné – qu'avait-il pu faire ou voir là-bas en Orient, que s'était-il produit, quelle horreur l'avait détruit, je n'en sais rien ; s'agissait-il des coups de sabre à Tanger, des morts de Marrakech, de combats, d'exécutions sommaires dans un maquis afghan ou rien de tout cela, rien que la solitude et le silence de Dieu, cette absence de maître qui affole les chiens – j'avais l'impression qu'il m'appelait, qu'il me demandait quelque chose, que son regard me cherchait, qu'il voulait que je le guérisse, qu'il fallait empêcher la fin du monde, il fallait empêcher les flammes de monter, de tout envahir, et Bassam était un de ces oiseaux d'apocalypse qui tournent, comme Cruz regardait toute la journée ses vidéos de mort violente sur Internet, et je n'étais certain de rien, de rien à part de cet appel, cette force de la violence – cette question que posait Cruz en avalant devant moi son poison, en décidant d'en finir de la plus horrible manière, je croyais la retrouver dans le regard de Bassam. Cette volonté d'en finir. Parfois il faut agir, quand les flammes deviennent trop hautes, trop pressantes ; j'ai observé Bassam rentrer de la mosquée après la prière, dire deux mots, bonsoir Lakhdar mon frère, se jeter dans le canapé – Mounir s'est enfermé dans sa chambre ; j'ai échangé deux banalités avec Bassam avant de me réfugier dans mon réduit et de regarder des heures durant le cirque de la rue des Voleurs, tous ces gens qui tournaient dans la nuit.

Ses yeux étaient fermés.

J'ai caressé son crâne râpeux, j'ai pensé à Tanger, au Détroit, à la Diffusion de la Pensée coranique, au *Café Hafa*, aux filles, à la mer, j'ai revu Tanger ruisseler sous la pluie, à l'automne, au printemps ; je nous ai imaginés marcher, arpenter la ville, de la falaise jusqu'à la plage ; j'ai parcouru notre enfance, notre adolescence, nous n'avions pas vécu bien longtemps.

Mounir est sorti de sa chambre deux heures plus tard, il a vu le corps, il a regardé son couteau ensanglanté par terre, horrifié, il criait mais je ne l'entendais pas ; je le voyais gesticuler, affolé ; il a rassemblé ses affaires en toute hâte, j'ai vu ses lèvres remuer, il m'a dit quelque chose que je n'ai pas compris et a pris ses jambes à son cou.

Je me suis endormi, sur le canapé, aux côtés du cadavre.

Dans l'après-midi j'ai appelé les flics de mon portable. J'ai donné l'adresse en souriant presque, 13 rue des Voleurs, quatrième gauche.

Dans la soirée, au commissariat, j'ai appris par sa mère que Judit avait été opérée, qu'elle était tirée d'affaire. Ça ne pouvait pas être une coïncidence.

Deux ou trois jours plus tard Núria est venue me voir au dépôt.

Elle m'a assuré que Judit me rendrait visite dès qu'elle sortirait de l'hôpital.

On m'a interrogé ; on a tissé, un à un, tous les fils de mon existence sur d'interminables papiers.

Le psychiatre m'a déclaré sain d'esprit.

Et quelques mois plus tard, une fois que le procureur a eu prononcé son long et lugubre réquisitoire où brillait la noirceur de la préméditation, après que mon avocate a eu plaidé, arguant que j'étais un enfant perdu, jeune, trop jeune pour passer vingt ans en prison, que j'avais cherché à défendre la société, que j'avais, disait-elle, *mal lutté pour le bien*, ce qui méritait l'indulgence du jury, lorsque le président m'a demandé si je voulais ajouter quelque chose, contrairement aux conseils de ma défenseuse qui roulait des yeux furieux derrière ses lunettes je me suis levé ; j'ai regardé Judit dans le public, Judit plus belle que jamais malgré sa pâleur, un sourire d'encouragement inquiet sur les lèvres ; je me suis tourné vers les juges et j'ai dit posément, en espérant que ma voix ne tremble pas trop :

"Je ne suis pas un assassin, je suis plus que ça.

Je ne suis pas un Marocain, je ne suis pas un Français, je ne suis pas un Espagnol, je suis plus que ça.

Je ne suis pas un musulman, je suis plus que ça.

Faites de moi ce que vous voudrez."

Sur le chemin du retour, Ibn Batouta repasse en Syrie ; il cherche à y rencontrer son fils, né peu de temps après son départ de Damas, vingt ans auparavant – le pays est alors décimé par la Grande Peste, deux mille quatre cents personnes y meurent chaque jour et, de Gaza à Alep, la région est dévastée par l'épidémie ; le fils d'Ibn Batouta est mort lui aussi. Le voyageur apprend par un vieil homme originaire de Tanger auquel il demande des nouvelles du pays que son père a quitté ce monde quinze ans auparavant et que sa mère vient de décéder, là-bas en Occident. Puis il rejoint Alexandrie, où la peste fait mille cent morts en une seule journée, puis Le Caire, où vingt mille personnes, raconte-t-il, ont péri ; plus aucun des Cheikhs qu'il avait rencontrés à l'aller n'est encore en vie. Il rejoint le Maroc et passe par Tanger pour se recueillir sur la tombe de sa mère, avant de s'installer définitivement à Fès.

Aujourd'hui que la peste est là de nouveau, que son souffle gronde sur grande partie du monde, que j'observe tourner dans la cour les successeurs de Hassan le Fou, tous ceux qui aimeraient revoir leur mère avant qu'elle ne passe, leur ville, leur monde avant qu'il ne s'efface, dans la douce compagnie des livres, de la vie monastiquement réglée de la prison, je me regarde dans le miroir ; je détaille les fils de cheveux blancs sur mes tempes, mes yeux noirs, mes mains aux ongles rongés ; je m'interroge sur ma culpabilité, parfois, après un cauchemar plus puissant qu'un autre, un rêve sanglant, une vision de pendu, de femme fouillée par les instruments d'un chirurgien, de cadavres d'adolescents noyés, je me scrute dans le silence et je n'ai aucune certitude, aucune ; je repense à Cruz ; je repense à Bassam, au dernier regard de Bassam ; je repense à Meryem, à Judit, à Saadi le marin ; mes regrets s'écartent d'eux-mêmes, se dissipent ; j'ai fait usage du monde. La vie consume tout – les livres nous accompagnent, comme mes polars à deux sous, ces prolétaires de la littérature, compagnons de route, dans la révolte ou la résignation, dans la foi ou l'abandon.

Les hommes sont des chiens au regard vide, ils tournent dans la pénombre, courent derrière une balle, s'affrontent pour une femelle, pour un coin de niche, restent des heures allongés, la langue pendante en dehors de la gueule en attendant qu'on finisse par les achever, dans une dernière caresse – pourquoi, à un moment, prend-on une décision, pourquoi aujourd'hui, pour-quoi maintenant, peut-être est-ce lui qui a décidé et pas moi, Bassam semblait me regarder, assis, le dos droit, dans le salon ; la lumière de la rue projetait son ombre sur la porte close de Mou-nir, il ne disait rien, il m'avait vu sortir de ma chambre ; la lueur du réverbère se reflétait sur son crâne rasé, son visage à contre-jour était un éclat de saphir : des formes silencieuses à la place des pommettes, des cercles de ténèbres autour des yeux, immobile ; il attendait, en silence ; il attendait Dieu, il attendait l'Heure, il m'attendait – il me fixait dans la nuit, les mains sur les genoux, prière immobile.

J'ai cru comprendre ce qu'il me demandait ; moi seul pou-vais me lever, debout, au milieu des flammes invisibles. Peut-être nos vies valent-elles pour un seul instant, un seul moment lucide, une seule seconde de courage. Je n'ai pas réfléchi, je n'ai pas pensé plus avant, je savais ; Bassam a sursauté en entendant le déclic du couteau que j'ai attrapé sur la table : il s'est un peu agité, ses mains se sont serrées sur ses cuisses, il a détourné les yeux, son profil est passé dans l'ombre, il n'a pas lutté, il n'a pas crié, il a appuyé sa main dans mon dos, pour m'aider peut-être, il s'est contracté quand la lame est entrée dans sa poitrine, il s'est courbé sur sa douleur, il a relevé la tête pour m'observer, pour lancer une dernière énigme, reconnaissance, tristesse ou surprise, il est tombé sur le côté lorsque j'ai retiré le métal de son cœur – je me suis effondré moi aussi ; autour de nous, l'aube com-mençait à tournoyer.

TABLE

I. Détroits 9

II. Barzakh 123

III. La rue des Voleurs... 173

Les articles de presse cités dans le roman proviennent du *Diario de Cádiz*, daté du 17 février 2012 (p. 133) et du site d'information www.yabiladi.com (p. 140).

OUVRAGE RÉALISÉ
PAR L'ATELIER GRAPHIQUE ACTES SUD
ACHEVÉ D'IMPRIMER
SUR ROTO-PAGE
EN JUILLET 2012
PAR L'IMPRIMERIE FLOCH
À MAYENNE
POUR LE COMPTE DES ÉDITIONS
ACTES SUD
LE MÉJAN
PLACE NINA-BERBEROVA
13200 ARLES

DÉPÔT LÉGAL
1ʳ ÉDITION : AOÛT 2012
N° impr. : 82803
(Imprimé en France)